colección
GUIAS
CAVIAR BLEU

VIÑAS ʸ VINOS CHILENOS

WINERIES ᴬⁿᴰ WINES ᴼᶠ CHILE

2005 2006

Dirección Editorial	Anne-Caroline Biancheri
Gerencia General Chile	José Vargas Morales
Gerente Producción Chile	Juan Pablo Lira Besa
Diseño y Producción	Naranjo Sadler Design
	Cecilia Pizarro Vegas
Fotografía	Juan Pablo Lira Besa
Traducción	Ximena Parada Miller
	David Bamford
	Jill Bamford
	Max Eyzaguirre
Impresión	Laser Impresores
Cartografía	Mapint
Textos	Alejandro Hernández
	Michel Rolland
	Aurelio Montes
	Agustín Huneeus
	Emilio Geisse
	Max Eyzaguirre
Supervisión General	Juan Pablo Lira Besa
Producción General	Estudio 41 Marketing Ltda.

Representante Legal en Chile
Juan Pablo Lira Besa
ISBN 956-8488-00-6

Guía de Viñas y Vinos 2005 - 2006
Francisco Noguera 41, Subterráneo, Providencia
Santiago - Chile
jplira29@yahoo.com
www.juanpablolira.com

CA▼IAR BLEU
EDITORA ANDINA SUR

Indice
Index

Carta del Editor
Editor´s Letter

Descubrir nuevos vinos es como iniciar un viaje hacia nuevos horizontes. Estos nos llevan hacia tierras andinas, Chile.

Como premonición de los excelentes vinos que produce, la geografía de este país se parece extrañamente a la botella de la divina bebida.

Los invitamos, en estas páginas, a compartir un viaje a través de los sentidos, donde descubrirán las particularidades de su vitivinicultura, las bellezas de sus viñas y las riquezas de sus vinos. Los resultados sorprendentes y alentadores de sus exportaciones reflejan el fruto de muchos años de una constante labor y de la conciencia que sólo la calidad y la responsabilidad permiten perdurar en el tiempo.

Brindamos a la salud de un país que nos demostró que los milagros económicos existen también en el Cono Sur de América.

Discovering new wines is like a trip towards new horizons; a route that leads us towards Andean lands, to Chile.

As a premonition of the excellent wines produced in Chile, the geography of this country resembles, quite particularly, the shape of the bottle of the divine beverage.

In these pages, we invite you to share with us a trip through the senses and discover the peculiarities of wine growing, the vineyard's beauty and the opulence of these wines. The country's surprising and encouraging results in the exporting field reflect the constant work carried out for many years and the recognition that only quality and responsibility can ensure a persuading presence over time.

Let us make a toast to a country that has demonstrated that economic miracles are also possible in this southernly region.

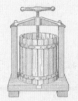

Anne-Caroline Biancheri

Wines of Chile
Wines of Chile

WINES OF CHILE

Wines of Chile es una organización que representa a 90 viñas con oficinas en Santiago y Londres. Además, agencias en Nueva York, Canadá y Alemania. Wines of Chile fue fundada en Julio de 2002 con el propósito de fortalecer la imagen de Chile en los mercados extranjeros a través de la unificación de la estrategia de marketing y actividades promocionales.

Wines of Chile is a promotional body representing 90 wineries with offices in Santiago and London. In addition, agencies in New York, Canada and Germany. Wines of Chile was founded in July of 2002 with the aim of combining efforts to position the image of Chilean wine around the world through a unified strategic realization of marketing and promotional activities.

Wines of Chile Santiago
San Sebastián 2839 Of. 305
Las Condes, Santiago, Chile
Phone: (56-2) 2331047
Fax: (56-2) 2343279
Email: info@winesofchile.org

Wines of Chile UK
13 Hermitage Parade
Hight Street, Ascot
Berkshire SL57HE
Phone: 013 44872229
Fax: 013 44872227
Email: info@winesofchile.org.uk

Wines of Chile USA
301 E. 57th Street
New York, NY 10022
Phone: 212 9947558
Fax: 212 9947597
Email: info@winesofchileusa.com

Bienvenido al Wine 365 de The Ritz-Carlton Santiago, un espacio dedicado al vino chileno y que por segunda vez participa de estas páginas. En él podrá conocer el exquisito y fascinante mundo de la vitivinicultura.

Contamos con la carta de vinos chilenos más extensa del mundo. En Wine 365 tenemos más de cuatro mil botellas, las que conforman 365 variedades de vinos. Toda la gama de cepas de tintos y blancos que se cosecha en Chile, desde las tradicionales Cabernet Sauvignon, Chardonnay, Carmenère, Merlot, Malbec y Syrah, hasta los menos comunes Cabernet Franc, Viogner, Gewurztraminer y Zinfandel.

También es posible disfrutar de 24 variedades de vinos por copa, los que gracias a la moderna tecnología del wine dispenser conservan sus características originales de aroma y sabor una vez abierta la botella.

Además de vino, el Wine 365 cuenta con una gran selección de champagne importado. Elaborado y embotellado exclusivamente en Francia para los 50 hoteles de la cadena alrededor del mundo, el Ritz Champagne promete ser el

Welcome to Wine 365, an exclusive restaurant at The Ritz-Carlton Santiago, dedicated to the art of pairing Chileans finest wines with the countries spectacular culinary fare. Wine 365 offers the largest wine menu of Chilean wines in the world, with a total of 365 labels, a wine for each day of the year.

The 4,000 bottles on hand offer visitors everything from the more traditional Cabernet Sauvignon, Merlot, Syrah, Malbec, Chardonnay and Sauvignon Blanc , to the more exotic varieties of Cabernet Franc, Viognier, Zinfandel and the Chilean jewel, the unique Carmenere variety.

Guests of Wine 365 can also enjoy 24 different wines by the glass, thanks to the modern technology of our Cruvinet wine dispensing units which maintain and preserve the original aromas, flavors and properties of these wines after they have been uncorked.

In addition to the extensive wine list, Wine 365 offers a wide variety of the worlds most prestigious Champagnes and sparkling wines, including Ritz Champagne, featured in all of the Ritz-Carlton hotels around the world.

Our wine selection has been personally designed by the

THE RITZ-CARLTON®
SANTIAGO

complemento perfecto para celebrar una ocasión especial.

Contamos con la asesoría de un sommelier, quien elige cada una de nuestras botellas y organiza degustaciones y catas para quienes nos visitan. Está presente todos los días durante el almuerzo y la cena para recomendar el mejor vino, champagne o bajativo.

Por todo lo anterior, queremos darles la más cordial bienvenida a The Ritz-Carlton Santiago, e invitar a todos a pasar un agradable y grato momento en Wine 365.

countries most renowned Master Sommelier, who has selected each bottle one by one and maintains our wine list up to date with the countries most up and coming wines.

During lunch and dinner, our Sommelier is available to organize tasting or recommend the most suitable wines, champagne and cordials, working hand in hand with our Chef to assure the best marriage between our beverages and cuisine.

We truly look forward to welcoming you to Wine 365, a unique place created to share a most pleasant and delightful experience.

James C. Hughes
Gerente General / General Manager
The Ritz-Carlton, Santiago

Wine 365, The Ritz-Carlton. Santiago

James Hughes, da la bienvenida al Wine 365, un lugar con una atmósfera única para degustar una copa de vino especial para cada día del año.

James Hughes welcomes you to Wine 365, a place with a unique atmosphere to enjoy a special glass of wine, one for each day of the year.

EL RITZ-CARLTON BAR

En un entorno de intimidad y lujo, The Ritz-Carlton Bar cuenta con la mejor selección mundial de puros y una gran carta de tragos. Su mayor atractivo es el menú de martinis, con más de 100 preparaciones de la bebida en base a chocolate, frutas y vodka.

THE RITZ-CARLTON BAR

In an intimate, warm and refined atmosphere, the Ritz-Carlton Bar offers guests and visitors the largest selection of imported cigars and Havanos, displayed in our walk in humidor and kept in optimum smoking conditions. We have an

La carta ofrece un menú sencillo compuesto de tapas, sandwichs y ensaladas.

En una vitrina se exhiben, y están a la venta, 25 tipos de puros, mientras el humidificador mantiene la temperatura y humedad precisas del tabaco.

extensive cocktail menu with more than 100 different types of Martini's and a fun and creative menu offering tapas, salads, soups and sandwiches.

SALÓN DE RECEPCIÓN

Con un ambiente cálido e íntimo, donde se puede disfrutar de una biblioteca, de la compañía de la suave melodía de un piano, el Lobby Lounge es el lugar pensado para la lectura, descanso de los huéspedes y el punto de encuentro del hotel.

Entre las 17:00 y 19:00 horas, la ceremonia del té en la tarde, con diferentes variedades de té natural, scones ingleses, tartaletas de frutas y variedad de sandwichs, es uno de los atractivos del lugar.

LOBBY LOUNGE

Bearing a warm and intimate atmosphere, where you can quietly read a book chosen from our library and enjoy a sweet piano melody, the Lobby Lounge is the perfect place for our guests to relax, entertain and use as the hotel's meeting point.

Between 5:00 PM and 7:00 PM, the ceremony of tea is quite an attraction, which includes an interesting variety of natural teas, English scones, fruit pies and assorted sandwichs.

La carta gastronómica es
sencilla y refinada, combina
la rica tradición europea con
toda la excelencia de la
repostería chilena.

The menu chart is simple but
refined, and combines the
rich European traditions with
the excellency of Chilean
pastry.

Dúo de salmón ahumado y fresco con salsa de ciboulette y ajo asado.

Combination of smoked and fresh salmon served with chives and braised garlic sauce.

Caviar Osietra

Osietra Caviar

Tártaro de res con puré de cebolla morada al Oporto y caviar Osietra.

Beef tartar with Port wine, flavored red onion pure and Osietra caviar.

Turbot con ensalada del jardín tibia, emulsión de hinojo y limón.

Turbot with garden vegetables and fennel - lemon foam.

Congrio sellado a la plancha con coulis de perejil y ensalada crujiente de espárragos.

Pan fried congrio with parsley coulis and green asparagus salad.

Atún pochado en Oporto con puré de coliflor y zanahorias caramelizadas.

Port wine poached tuna with cauliflower pure and glazed carrots.

Panacotta de anis con su helado de chocolate-cereza.

Anis flavored panacotta with chocolate and cherry ice cream.

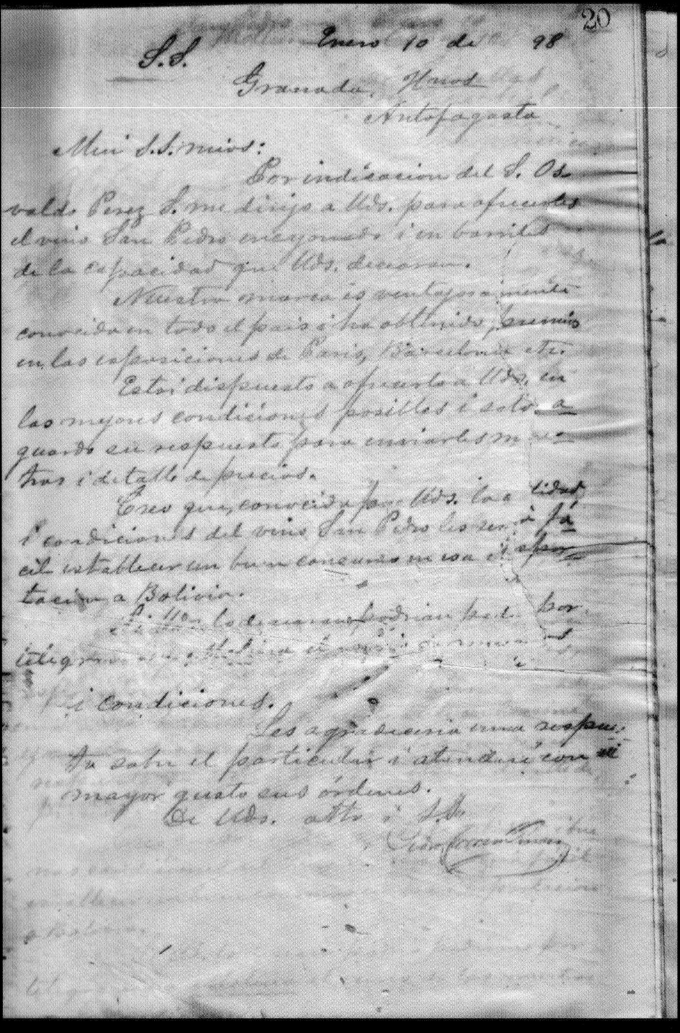

Enero 10 de 98

S.S.

Granada, Unud
Antofagasta

Mui S.S. mios:

Por indicacion del S. Os
valdo Perez S. me dirijo a Uds. para ofrecerles
el vino San Pedro enseguida i en barriles
de la capacidad que Uds. deseen.

Nuestra marca es ventajosamente
conocida en todo el pais i ha obtenido premios
en las esposiciones de Paris, Barcelona etc.

Estoi dispuesto a ofrecerlos a Uds. en
las mejores condiciones posibles i solo a
guardo su respuesta para enviarles muestras i detalle de precios.

Creo que convenidos por Uds. la calidad
i condiciones del vino San Pedro les sera facil
el establecer un buen consumo en esa i espor-
tacion a Bolivia.

Si Uds. lo desean podrian hacerlo por
telegrama [...]

i condiciones.

Les agradecería una respues-
ta sobre el particular i atenderé con
mayor gusto sus órdenes.

De Uds. Atto i S.S.

El 10 de enero de 1898 se envía carta de exportación de Vino San Pedro.

On January 10th of 1898 an export letter was sent from San Pedro Winery.

Chile: Una Vitivinicultura de Cara al Mundo
Chile: A Viticulture Facing the World

Profesor Alejandro Hernández

Enólogo, Ex-Presidente de la Organización Internacional
del Vino (OIV), Profesor y Ex-Decano de la Facultad de
Agronomía de la Pontificia Universidad Católica de Chile.

Oenologist, Ex-President of the International Wine
Organization (OIV), Professor and Ex-Dean of the Agronomy
Faculty, Pontifical Catholic University of Chile.

Reservado.

Coronel D.ª Juan Mackenna;

Pareja ante el fracaso de Jerbas
Buenas se ha encerrado en
mi pueblo natal, cuna de buena
agricultura y de parronales que
producen el mejor vino de chile
que espero no destruyan. Según
informaciones la salud de Pareja esta fuertemente resentida.—
Carrera viene de Concepción
a poner sitio a Chillán—
Rihil 30/1813.

Bernardo O'Higgins

1.er Reguimiento.

En 1813 el Libertador
Bernardo O'Higgins ya
destacaba las bondades de
su tierra natal como
productora de buen vino.

As early as 1813, Bernardo
O'Higgins, Founder of
Chile's Independence, had
already pointed out the
many blessings of his
native country as quality
wine producer.

Chile: Una Vitivinicultura de Cara al Mundo
Chile: Worlds-class Viticulture

CUANDO LA VID CONQUISTO CHILE

La historia del vino en Chile comienza a escribirse con el mismo espíritu curioso que animó los viajes hacia el Nuevo Mundo. Los exploradores del Viejo Continente sabían que se embarcaban en una aventura tan incierta como fascinante Y por eso traían consigo todo lo necesario para establecerse en esta tierra remota y prometedora. Fue así que entre los elementos esenciales para la vida social, especialmente para el cumplimiento de las celebraciones cristianas, el vino y también el óleo desembarcaron en tierra americana. Y, en efecto, el vino y la vid llegaron para quedarse.

En su viaje desde América Central hacia el Sur, aquellas primeras estacas de vitis vinífera traídas por los colonos europeos recorrieron diversas latitudes y fue en Chile y Argentina donde mejor se adaptaron. Ciertas condiciones de clima y suelo resultaron ser óptimas para que este cultivo pronto comenzara a cobrar importancia en esta región de nuestra América.

LOS PIONEROS VITIVINICOLAS

La historia resalta a tres padres fundadores en la vitivinicultura chilena. De 1548 datan las crónicas que señalan al clérigo español Francisco de Carabantes como pionero en la introducción de la vid en este país. Incluso, de esa época se conoce un documento fechado en 1555 llamado "Acta de nacimiento del vino chileno".

WHEN CHILE WAS CONQUERED BY THE GRAPE

The history of wine in Chile begins with the same spirit of curiosity as that which was behind the journeys of discovery to the New World. The European explorers were aware that they were undertaking journeys as hazardous as they were fascinating. They therefore brought with them everything that they needed to establish themselves in this remote yet promising land. Among the essential elements of social life, especially for the celebration of Christian traditions, the pioneers brought with them wine and oil. Thus it was that the vine and its fruit came to stay. In its journey from Central America towards the south, those first sprigs of vitis vinifera brought by the European colonists passed through various latitudes, and it was in Chile and Argentina that they adapted best. Certain climate and soil conditions were ideal for their cultivation soon to assume considerable importance in these regions of the Americas.

THE PIONEERS OF VITICULTURE

History highlights three founding fathers[1] of Chilean viticulture. Chronicles from 1548 pinpoint the Spanish priest Francisco de Carabantes as one of the pioneers in the introduction of the vine to this country. From the same period, a document dated 1555, records "the Act of Birth of Chilean Wine."

---

1 'Padres fundadores' no significa necesariamente sacerdotes.

Chile: Una Vitivinicultura de Cara al Mundo
Chile: A Viticulture Facing the World

Otro pilar en este relato es Don Juan Jufré, quien acompañaba al conquistador Pedro de Valdivia, y es señalado como precursor de la vitivinicultura del Valle Central (al Sur-Este de Santiago) y -según los historiadores- fue "en una encomienda en Nuñoa y Macul que recibiera de la Corona Española en pago por sus servicios durante la conquista". Allí Don Juan Jufré plantó las primeras viñas y luego continuó su viaje a través de la Cordillera de Los Andes.

Finalmente, el tercer nombre que conforma las páginas iniciales de esta historia es Don Francisco de Aguirre, lugarteniente y acompañante de Pedro de Valdivia. Francisco de Aguirre fundó Copiapó (800 kilómetros al Norte de Santiago), sitio donde realizó la primera vendimia en el año 1556.

Los documentos históricos coinciden en enfatizar que desde los tiempos de la colonia la vid se arraigó fuertemente en este pueblo que empezaba a consolidarse con un brazo en el Océano Pacífico y otro en la Cordillera de Los Andes. Este cultivo, que se extendió a todos los valles productivos de la geografía chilena, había echado raíces y a partir del siglo XIX comienza dar muestras de su potencial.

MODERNIZACION Y APUESTA A LA CALIDAD

Avanzado el 1800, la vitivinicultura ya es una actividad reconocida y promisoria. Gracias a la visión de emprendedores entre los que se cuenta don Silvestre Ochagavía, Melchor de Concha y Toro, Luis Cousiño,

---

Another key figure in this story is Don Juan Jufré, who accompanied the conqueror Pedro de Valdivia and is held to be the forerunner of Chilean winegrowers of the Central Valley (to the south-east of Santiago). According to historians, it was "in an encomienda in Nuñoa and Macul granted by the Spanish crown in recognition[2] of his services during the conquest. There Don Juan planted his first vines, then he continued his journey across the Andes.

Finally, the third figure in this story is Don Francisco de Aguirre, Pedro de Valdivia's lieutenant and companion. Francisco de Aguirre founded Copiapó (800 kilometres north of Santiago), where the first vintage was harvested in 1556.

Historical documents concur in highlighting[3] the fact that, from the colonial period onwards, vines became firmly established in this emergent country with one border along the Pacific Ocean and the other along the Andes. This cultivation, which spread to all the fertile valleys had taken root, and, from the 19th century on began to indicate its considerable potential.

---

2 'Retribution' suena a venganza.

3 'Stressing out' es muy coloquial, y no tiene el mismo sentido.

Maximiano Errázuriz, Francisco Undurraga y Tomás Urmeneta, el arte
de cultivar la vid y elaborar vinos da un importante salto cualitativo
cuando estos viticultores importan variedades desde Europa. Serán
estas cepas nobles -Cabernet Sauvignon, Cabernet Franc,
Carmenère, Merlot, Chardonnay, Sauvignon Blanc, Semillón,
Riesling, las que sentarán las bases de la vitivinicultura de calidad
que hoy distingue a Chile. Y José Gregorio Correa Albano junto
a su hermano Bonifacio fundaron en 1815 la actual Viña San Pedro.
En los paños de vid ya se destacaban los cepajes de alta calidad
enológica cuando, hacia 1870, la gran plaga de Filoxera puso en
jaque a Europa y Estados Unidos. Esta enfermedad devastó los viñedos
en estas dos grandes regiones productoras, sin embargo los cultivos de
América del Sur no fueron afectados. De ahí que en Chile se mantienen

Don Silvestre Ochagavía

plantas cuya raíz es pre-filoxérica y esto constituye un patrimonio varietal
incomparable.

Junto a esto, la segunda mitad del siglo XIX está marcada por el arribo
de enólogos franceses quienes, azorados por el ataque de la Filoxera en
Europa, desembarcaron con todo su saber respecto del cultivo y la
elaboración de vinos. Así se forjó un acervo de conocimientos europeos
y el singular ímpetu de los viticultores chilenos que trazó las líneas
directrices de la actividad vitivinícola del Chile actual.

Por su parte, en la esfera del gobierno y por orden del ministro Diego
Portales, se creó en esa época la Quinta Normal de Agricultura bajo la
concepción del experto francés Claudio Gay. En este predio, dedicado

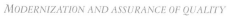

Don José Gregorio Correa Albano

MODERNIZATION AND ASSURANCE OF QUALITY

Moving into the 1800s, wine growing was by this time a well-established
and promising activity. Thanks to the vision of such entrepreneurs as
Silvestre Ochagavía, Melchor de Concha y Toro, Luis Cousiño and Tomás
Urmeneta, the art of vine cultivation and wine production took a
considerable leap forward when those viticultors began to import European
vine varieties. These noble rootstocks - Cabernet Sauvignon, Cabernet
Franc, Carmenère, Merlot, Chardonnay, Sauvignon Blanc, Semillón,
Riesling - were to set the standards of quality wine production by which
Chile is distinguished today. In 1865 José Gregorio Correa Albano and
his brother Bonifacio founded San Pedro vineyards & winery.

Highly quality wine grape varieties were flourishing in vineyards throughout
the world when, around 1870, the great phylloxera epidemic invaded
Europe and the United States. This plague devastated vineyards in both
these regions of high productivity, but plantings in South America were
not harmed. Consequently, we can find in Chile plants whose roots
predate phylloxera, an incomparable varietal heritage.

The second half of the 19th century is also marked by the arrival of French
œnologists who, fleeing the phylloxera attack in Europe, disembarked

Chile: Una Vitivinicultura de Cara al Mundo
Chile: A Viticulture Facing the World

a actividades académicas y científicas, la colección ampelográfica llegó a tener 40 variedades distintas de uvas.

Ya en 1877, los empresarios vitivinícolas chilenos comienzan a mostrar su inquietud por hacer conocer sus vinos más allá de las fronteras nacionales. Macario Ossa fue uno de los primeros en iniciar los caminos de la exportación hacia Europa.

LOS DESAFÍOS DEL MERCADO GLOBAL

La historia moderna está atravesada por las tradicionales familias que ligaron su devenir a la vid. Con el siglo XX avanzó un proceso de modernización que generó las condiciones para que en la segunda mitad de esta centuria Chile se preparara para su salida al mundo. Este proceso no se desarrolló sin complicaciones, pero las crisis significaron una oportunidad, especialmente para replantear algunas tradiciones locales que afectaban el crecimiento cualitativo de los vinos. Esto se hizo también a la luz de las primeras experiencias en el mercado global, al conocer las preferencias de un consumidor cosmopolita que marca las tendencias mundiales en materia de estilos de vinos.

La reestructuración de la vitivinicultura chilena ha sido un proceso complejo y de costos elevados, pero gracias al cual hoy Chile es uno de

with all their knowledge of cultivation and wine production. Thus was forged a powerful alliance of European knowledge and the singular energy of Chilean vinegrowers which laid the foundations of today's viticulture in Chile.

The government, for its part, created, by order of minister Diego Portales, the Quinta Normal de Agricultura, in accordance with the concepts of the French scientist Claudio Gay. In this academic and scientific research establishment, the collection of varieties included 40 different types of grape.

By 1877, Chilean wine-producing entrepreneurs had begun to demonstrate their interest in the promotion of wines beyond the borders of our national frontiers. Macario Ossa was one of the first to explore the possibilities of the export of wine to Europe.

THE CHALLENGES OF THE GLOBAL MARKET

Modern history is inextricably linked with that of the traditional families whose lives are firmly bound up with grapevine cultivation. The 20th century brought with it a process of modernization which has been taken on board by Chile to bring production up to an international level. This was not an easy process, but the crisis meant an opportunity that led to the reform of a number of local traditions which were hindering the improvement of the quality of wine. This occurred in the light of the first experiences of a new global market which demonstrated that the

los importantes productores del Nuevo Mundo; exporta más del 53% del total del vino que produce a más de 100 países, por eso está en el sexto lugar en el ranking de exportaciones globales; el interés que despierta en los inversores extranjeros, ya sea individualmente o asociados a capitales chilenos, demuestra su carácter diferencial en un mercado competitivo y desafiante.

Chile se ha ganado un sitio de privilegio entre los productores vitivinícolas de calidad apostando a la capacidad de innovación de sus empresas y a la enorme potencialidad de sus terruños, cualidad que constituye el máximo valor agregado: una naturaleza pródiga que desde hace cinco siglos viene tallando, como en una obra de arte, la expresión original de los vinos chilenos.

HABLAN LOS INVERSORES: ¿POR QUÉ ELIGIERON A CHILE?

Chile es un caso paradigmático en el Nuevo Mundo vitivinícola: sus ventajas comparativas definieron las decisiones de grandes empresarios extranjeros, quienes se arraigaron en estos terruños y combinaron sus marcas mundialmente conocidas con el sello de los vinos chilenos, cuyo valor preciado es, entre otros, la originalidad. Además, el desembarco de capitales externos, con su filosofía en la producción de vinos de calidad, insufló nuevos aires en las viñas locales y esto aceleró en gran

---

preferences of the cosmopolitan consumer were absolutely fundamental in determining[4] tendencies and styles of wines. The restructuring of Chilean viticulture has been a complex and costly procedure, but one thanks to which Chile stands today as one of the most important producers of the New World; exporting more than 53% of its production, thus occupying sixth place in global exports. The interest shown by international investors - whether individually or in association with Chilean entrepreneurs - reveals its distinctive character within a competitive and challenging market.

Chile has earned a privileged place among quality wine producers by relying on the industry's power of innovation and on the enormous potential of its terroirs; the latter quality constituting their major asset: an abundance which, for five centuries, has created the masterpiece that is the particular expression of Chile's wines.

IN THE WORDS OF THE INVESTORS: WHY CHILE?

Chile is a textbook case in the New World of viticulture: its comparative advantages were decisive[5] in leading great international entrepreneurs to invest in these terroirs and combine their own world-reputed labels with

---

4 'Determinant' es un sustantivo. No se usa como adjetivo, o si es así, tiene que calificar (y ser seguido por) un sustantivo, por ejemplo, 'a determinant factor' pero éste sería un uso muy rebuscado.
5 Ver nota anterior.

Chile: Una Vitivinicultura de Cara al Mundo
Chile: A Viticulture Facing the World

medida el proceso de modernización e innovación y catapultó la marca "Chile" a los principales mercados.

Uno de los primeros nombres que resonó en el año 1979 fue el empresario español Miguel Torres. La tradicional firma ibérica quedó fascinada por los valles andinos y, principalmente por el Valle de Curicó, donde implantó sus primeras 100 hectáreas. "Nuestro interés nació cuando nos dimos cuenta de que el Valle Central era un paraíso para el desarrollo de viñedos y la obtención de vinos de gran calidad, especialmente debido a las condiciones que ofrece su clima, sus suelos y la existencia de una antigua tradición vinícola", destacan. Hoy, la superficie vitivinícola de Miguel Torres asciende a 300 hectáreas propias y otras 86 arrendadas y se encuentran en Maquehua, San Francisco Norte, Cordillera, San Luis de Alico, La Ribera y Los Zorrillos.

En 1993, el empresario Jess Jackson, al frente del grupo estadounidense Kendall-Jackson, fundó Viña Calina y así Chile se convirtió en la primera operación del grupo fuera de Estados Unidos. "Chile me recuerda a California cabeza abajo, con un gran potencial para desarrollar vinos de clase mundial, que se ajustan al perfil que siempre hemos buscado", asegura Jess Jackson. El grupo tiene 300 hectáreas de vid plantadas en Itata y Maule donde también se encuentra la bodega, con una capacidad de 2,5 millones de litros. "Descubrimos el enorme potencial que brindaban zonas como las cadenas montañosas de la costa", afirman. El 99 % de los vinos de Viña Calina se exportan principalmente a Estados

---

the stamp of Chilean wines, whose prized virtue is, among others, that of originality. Moreover, the arrival of international capital, with its concern for the production of quality wines, breathed new life[6] into the local vineyards, and this significantly accelerated the modernizing and innovating processes that were taking place, catapulting[7] the trademark "Chile" into the principal markets of the world.

One of the first significant names in the year 1979 was that of Spanish entrepreneur Miguel Torres. The traditional Iberian company became fascinated with the Andean valleys, especially, with that of Curicó, where they planted their first 100 hectares. "Our interest was kindled when we realized that the Central Valley was a paradise for the development of vineyards and the production of high quality wines, particularly because of the privileged conditions of climate, soils and the existence of an ancient winemaking tradition", as they pointed out. Today, the Miguel Torres vineyards occupy 300 hectares owned by the company and a further 86 hectares rented in Maquehua, San Francisco Norte, Cordillera, San Luis de Alico, La Ribera and Los Zorrillos.

In 1993, the businessman Jess Jackson, Head of the North American group Kendall-Jackson, founded Viña Calina and Chile thus became this group's

---

6 Que yo sepa, el verbo 'insufflate' no existe.
7 El uso del verbo 'to catapult' es perfectamente legítimo en este contexto.

Unidos, Canadá, Reino Unido, Ecuador y Brasil.
En 1994, un joint venture unió al productor chileno
Rabat con la familia francesa Marnier-Lapostolle,
dedicada a la producción de licores finos desde 1827.
Así nació en Chile Viña Casa Lapostolle. La empresa
se instaló en el Valle de Colchagua y comentan que
encontraron allí "un gran 'terroir', con días cálidos y
noches frescas que favorecen la total maduración de
la uva. Otra de las ventajas de esta zona es su relieve
montañoso, que genera numerosas posibilidades de

laderas con variadas exposiciones al sol, con muy pocas lluvias en otoño,
lo que nos permite vendimiar cuando la maduración de la uva es óptima".
También desembarcó en Chile la viña francesa Baron Philippe de Rothschild
SA que, en sociedad con Concha y Toro, fundó en el Valle de Maipo,
Viña Almaviva en 1997. Su liderazgo y dedicación han llevado a Almaviva
a ser el primer vino chileno con categoría de Grand Cru. "Estamos
convencidos que Chile tiene mucho que ofrecer, con unas características
climáticas únicas y con la posibilidad de combinar el extenso conocimiento
de Rothschild en la producción y comercialización de vinos finos, con
la experiencia local de una familia de larga tradición en la industria
vitícola chilena, para producir un Grand vin d'assemblage", confirma la
presidenta de la firma, la Baronesa Philippine de Rothschild.

---

first operation outside the United States. "Chile reminds me of California,
but upside down, with a great potential for developing world class wines
of the character we have always sought", states Jackson. The group has
300 hectares of cultivated vines in Itata and Maule, where they also have
their 2.5 million litre capacity winery. In their words, "we discovered the
enormous potential afforded by zones like the coastal mountain ranges."
99% of Viña Calina's wines are exported, principally to the United States,
Canada, the United Kingdom, Ecuador and Brazil.

In 1994, a joint venture linked the Chilean producer Rabat to the French
family Marnier-Lapostolle, dedicated to the production of fine liqueurs
since 1827. Viña Casa Lapostolle was thus created in Chile. The company
settled in the Colchagua Valley and, as they state, founded here 'a great
terroir', with warm days and cool nights favouring the full maturation of
the grapes. Another advantage of this region is its mountainous landscape,
offering a wide range of sloping plots with varying exposure to the sun
and very little rain in autumn. This allows harvesting to take place when
the grapes have reached their full ripeness.
Another French vineyard which established itself in Chile was Baron
Philippe de Rothschild S.A. which, in association with Concha y Toro,
founded Viña Almaviva in the Maipo Valley in 1997. Its leadership and
dedication have contributed to Almaviva's becoming the first Chilean

Chile: Una Vitivinicultura de Cara al Mundo
Chile: A Viticulture Facing the World

UNA CULTURA INFINITA

Quien se inicia en la cultura del vino sabe que gran parte de su poder de fascinación deriva de su capacidad de renovar constantemente la capacidad de asombro y la curiosidad de los enófilos. Así, hay quienes se sumergen en la historia del vino para descubrir en esas crónicas el tesón de los pioneros y la perseverancia de los visionarios; otros, en cambio, se maravillan de ese momento casi mágico en el que gracias a los cuidados de los enólogos el jugo frutal se convierte en vino. Todos, sin duda, alimentan su cultura vitivinícola degustando la enorme diversidad de los vinos chilenos, descubriendo la huella que en ellos deja el terruño, disfrutando del rasgo personal que cada viña otorga a sus productos.

En efecto, desde el viñedo y hasta la copa se suceden momentos de gran riqueza cultural que el amante del buen beber sabe apreciar y que, a modo de círculos concéntricos, van conformando un saber basado en el placer de descorchar la excelencia transformada en vino.

---

wine to enjoy the category of Grand Cru. "We are convinced that Chile has much to offer, because of its unique climatic conditions, also because the combination of Rothschild's expertise in the production and marketing of fine wines with the local experience of a family with a long tradition in the wine industry makes it possible to produce a Grand Vin d'assemblage", states the President of the company, Baroness Philippine de Rothschild.

AN ENDURING CULTURE

Whoever embarks upon the making of wine knows the fascination that stems from its astonishing power of constantly regenerating the capacity for amazement and curiosity on the part of wine enthusiasts. Consequently, we find people who immerse themselves in the history of wine with the intention of discovering in its chronicles the tenacity of the pioneers and the perseverance of the early visionaries; others marvel at that almost magical moment when, thanks to the careful nurture of œnologists, the juice of the fruit is transformed into wine. All of them, undoubtedly, nourish their interest by tasting the enormous diversity of Chilean wines, savouring the traces left by the terroir and enjoying the individual character imparted by each vineyard.

From vineyard to glass, there is a sequence of moments of great cultural worth that enthusiasts of quality drinking know how to appreciate and

JOVENES Y FRESCOS

Por su fina expresión, los vinos chilenos ofrecen al consumidor una amplia gama de cepajes y estilos. Gracias a las características de clima y suelo, y la importancia de cultivar los cepajes en las regiones donde mejor muestra sus características, las uvas en Chile pueden madurar adecuadamente. Esto permite obtener vinos muy frutados, donde se exalta la tipicidad de cada variedad. Estos vinos son ideales para quienes desean iniciarse en el consumo de vinos, especialmente los jóvenes consumidores que prefieren vinos frescos, frutados y muy agradables de beber.

Acompañados por la exquisita gastronomía del Pacífico, los vinos jóvenes son ideales para resaltar los frutos de mar, las ensaladas de verano o, simplemente, ser elegidos para esos momentos fuera de las comidas, en los que el vino puede resultar sumamente refrescante y encantador. Posiblemente, las variedades que mejor se adapten a este estilo de consumo sean las blancas, como el Sauvignon Blanc, el Riesling y el Chardonnay sin crianza en roble, aunque también los rosados o los tintos ligeros pueden ser perfectos para estas ocasiones. Una pista interesante para descubrir estos vinos es que su relación-precio calidad es muy buena y no es necesario desembolsar grandes cantidades para gozar de ellos. Se recomienda beberlos a su temperatura óptima -entre 8 y 10° C- y en los dos primeros años después de la cosecha.

which, as in concentric circles, constitute a knowledge based on the pleasure of uncorking excellence transformed into wine.

YOUNG AND FRESH

On account of their fine expression, Chilean wines offer the consumer a wide range of varieties and styles. Thanks to the characteristics of the country's climate and soils, and to the accent on cultivating grapes in the regions to which these are best suited, Chilean grapes ripen well. This facilitates the production of very fruity wines, in which the characteristic features of each variety may be appreciated. These wines are ideal for those who wish to begin drinking wine, especially young consumers who prefer fresh, fruity and easy drinking wines.

Accompanied by the exquisite gastronomy of the Pacific, young wines are the ideal complement to seafood and summer salads, or they may simply be enjoyed on their own, because these wines are a superbly refreshing and charming companion for any special moment. Possibly the most suitable varieties for this style of consumption are the whites , such as Sauvignon Blanc, Riesling and oak-free Chardonnay, although rosés and light reds can also be considered perfect accompaniments to these occasions. A strong incentive to the discovery of these wines is their excellent quality-price ratio; their consumption does not entail great

Chile: Una Vitivinicultura de Cara al Mundo
Chile: A Viticulture Facing the World

LAS HORAS DE LOS VARIETALES

A medida que avanza el conocimiento sobre el vino, el consumidor busca nuevas experiencias. En este sentido, los vinos del Nuevo Mundo tienen un interesante mérito: han conquistado un gran mercado con su énfasis en los varietales. Estos vinos, en cuya composición participa sólo una variedad de uva, tienen la virtud de permitir al consumidor identificar las características propias de cada cepaje. Así, si degusta un Merlot, podrá definir más precisamente sus sensaciones en la boca, sus aromas y también comparar varietales de diferentes valles o viñas.

En los varietales es posible advertir la huella que dejan otras técnicas de elaboración, más cuidadas y que determinan que esos vinos puedan guardarse sólo por algunos años. Se trata, por ejemplo de la crianza en barrica. Generalmente, permanecen unos meses en la madera, pero esto les otorga notas que tornan al vino más persistente, con una personalidad más elegante. Un buen ejemplo son los tintos de cuerpo medio, como el Malbec, el Syrah y Pinot Noir; también el Merlot y el Carmenère, de mayores rendimientos. En todos se busca exaltar el carácter frutal, las notas de grosellas, ciruelas, mermeladas tan típicas y, en aquellos que han tenido un breve paso por la madera, es interesante descubrir los sutiles toques avainillados.

En este estilo se pueden incluir también a los bivarietales o trivarietales. Son vinos de corte en los que participan dos o tres cepas diferentes y

---

expense. Ideally, they should be drunk[8] at a temperature of between 8 and 10° C and during the first two years after being harvested.

THE VARIETALS HAVE THEIR HOUR

As knowledge of wine increases, the consumer seeks to experiment further. In this context, the wines of the New World have an interesting merit; they have conquered a considerable market by giving high importance to the varietals. These wines, composed of only one grape variety, allow the consumer to identify the characteristics particular to each root stock. Thus, by tasting a Merlot, one will be able to distinguish more precisely its sensations in the mouth, its bouquets and also compare varietals of different valleys or vineyards.

Varietals allow the possibility of distinguishing the traces left by other delicate techniques of winemaking, owing to which those wines can only be kept for a few years, one of which is barrel ageing. Generally, barrel-aged wines remain for a few months in wooden barrels, but this procedure imparts to them notes that give the wine longer after-taste, a more elegant personality. Good examples of this are the medium-bodied reds, such as the Malbec, Syrah and Pinot Noir varieties; also Merlot and Carmenère, which have greater yields. All of these seek to exhibit their fruity character,

---

8 'Advise' (con -s-) es un verbo. El sustantivo 'advice' (con -c-) no existe en el singular. Hay que decir 'a piece of advice'.

en los que se reúnen las virtudes más apreciadas de cada uva. Entre los blancos, algunas mezclas responden excelentemente a este interés por encontrar vinos que pueden beberse hoy (y son muy buenos), pero al mismo tiempo, pueden guardarse por uno o dos años. Tal es el caso de los cortes en los que intervienen cepajes como Riesling, Gewüstraminer, Chardonnay y Semillón.

notes of gooseberry, plum, jam and in those with only a short period in barrels, subtle touches of vanilla.
Bivarietals or trivarietals may also be included in these wine types. These are varietal wines composed of two or three different root stocks, combining the best characteristics of each grape. Among the whites, some blends are excellent to drink immediately (and they are very good), but at the same time, they can be kept for one or two years. This is the case with blends involving Riesling, Gewürztraminer, Chardonnay and Semillon.

---

9 'Game' es el término técnico que describe la carne de animales o aves cazados.

Chile: Una Vitivinicultura de Cara al Mundo
Chile: A Viticulture Facing the World

LOS PREMIUM EN LA CIMA

La mayor calidad también viene de la mano de la exigencia de los consumidores preparados para placeres más excelsos. Los vinos Premium constituyen la cúspide de la pirámide y dan muestra de la capacidad de las viñas para atesorar en una botella lo mejor que pueden obtener de la vid.

Estos vinos son concebidos desde el viñedo, donde se les ha procurado a los racimos la máxima atención a fin de obtener una materia prima sana, concentrada y con gran potencial. Luego, en la etapa de elaboración, la tecnología y el criterio del enólogo se encargarán de continuar en esa línea, camino a la excelencia. Los consumidores de este tipo de vino saben que cada botella es una promesa de trascendencia. Por eso es importante el papel que juega la crianza. Al estar en contacto con la madera de roble -francés o americano- el vino gana estructura y cuerpo, sus taninos se hacen más amables y redondos, su color se torna más estable y menos vulnerable ante la oxidación y los aroman gozan de una profunda complejidad que trae notas minerales, frutas secas, delicados toques ahumados o de carne de caza. En este proceso es importante que roble y vino convivan

---

PREMIUM WINES AT THE TOP OF THE RANGE

The highest quality goes hand in hand with the demand of consumers who are now ready for more exquisite pleasures. Premium wines are the apex of the pyramid and stand as true proof of the vineyard's talent for capturing in a bottle the best that a vine can yield.

These are wines conceived in the vineyard, where the grapes are treated with maximum care to obtain a healthy and concentrated raw material with great potential. Then, during the winemaking process, technology and the œnologist's judgment continue the journey in search of excellence. Consumers of these wines know that each bottle is a promise of surpassing quality. This is the reason why ageing plays such an important role. While in contact with the oak - French or American - the wine increases in structure and body, the tannins become more gentle and rounded, the colour stabilises and is less subject to oxidization, and the bouquets take on a profound complexity redolent of mineral notes, dried fruits, delicate smoky touches or a hint of game9. In this process of coexistence of oak and wine, it is important that the latter predominates; if not, the initial effort that began in the vineyard will be wasted.

Red grape varieties are the most suitable for this Premium wine type, especially blends containing Cabernet Sauvignon, Merlot and Carmenère.

siempre buscando la predominancia del vino, nunca de la madera; de lo contrario, todo el esfuerzo iniciado en el viñedo se relegará a un segundo plano.

Las cepas tintas son las que mejor se adaptan a este estilo Premium, especialmente los cortes donde tienen protagonismo el Cabernet Sauvignon, el Merlot y el Carmenère.

Vale aquí una aclaración. Así como no todos los vinos son concebidos para la guarda, del mimo modo es preciso saber que para que efectivamente esa promesa de largos y buenos años se cumpla, es necesario procurarle al vino determinadas condiciones de guarda. Básicamente, las botellas deben permanecer acostadas, para permitir que el corcho mantenga su humectación. El sitio elegido debe tener una luz tenue, sin ruidos ni vibraciones y una temperatura constante. Los vinos de alta gama mejoran con el tiempo de estiba en botella, ya que la nobleza del roble los hace más complejos conforme pasan los años. Hay en ellos otra búsqueda, la del placer de esperarlos hasta que están en su mejor momento.

An explanation. Since not all wines are conceived to undergo the ageing process, it is important that, in the cases where it is applied, optimum cellar conditions are ensured in the interests of fulfilling the promise of quality through long years of maturation. Basically, the bottles must be laid horizontally to allow the cork to preserve its moisture. The cellar must be dimly lit, free of noise or vibration and the temperature constant. High quality wines improve with a period of ageing in the bottle, and the nobility of the oak imparts a complexity which increases with time. There is then a further quest for pleasure, that of waiting until these wines reach their peak.

Geografía del Vino en Chil

Geografía del Vino en Chile
The Geography of Wine in Chile

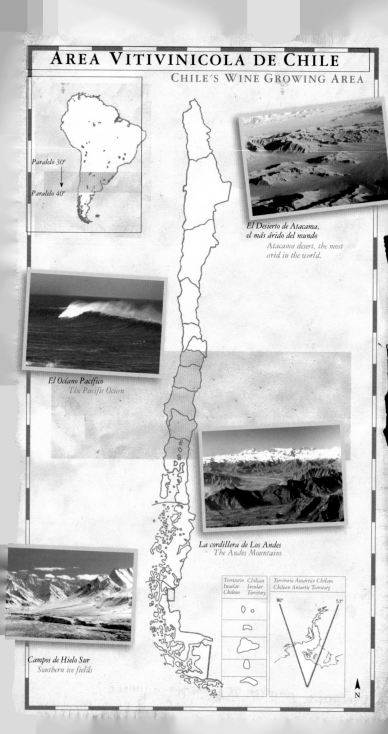

AREA VITIVINICOLA DE CHILE
CHILE'S WINE GROWING AREA

Paralelo 30°

Paralelo 40°

El Desierto de Atacama,
el más árido del mundo
*Atacama desert, the most
arid in the world.*

El Océano Pacífico
The Pacific Ocean

La cordillera de Los Andes
The Andes Mountains

Campos de Hielo Sur
Southern ice fields

Territorio Insular Chileno / Chilean Insular Territory	Territorio Antártico Chileno / Chilean Antarctic Territory
90° — 53°	

N

Geografía del Vino en Chile
The Geography of Wine in Chile

En Chile el cultivo de la vid se extiende entre los paralelos 30° y 40° latitud sur con una extensión aproximada de 1.300 km. con orientación Norte - Sur.

In Chile wine growing extends between the 30° and 40° south parallels, with a total extension of 1.300km from north to south.

Geografía del Vino en Chile
The Geography of Wine in Chile

El relieve tiene tres características dominantes:
- La Cordillera de Los Andes
- La Cordillera de La Costa
- El Valle Central que se formó por el hundimiento de la corteza terrestre.

The relief has three dominant characteristics:
- The Andes Mountains
- The Coastal Mountain Range
- The Central Valley that was formed by the sinking of the earth cortex.

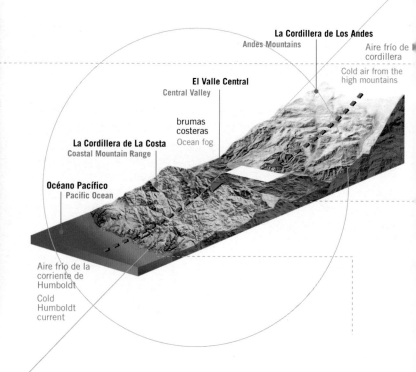

La Cordillera de Los Andes
Andes Mountains

Aire frío de cordillera

Cold air from the high mountains

El Valle Central
Central Valley

brumas costeras
Ocean fog

La Cordillera de La Costa
Coastal Mountain Range

Océano Pacífico
Pacific Ocean

Aire frío de la corriente de Humboldt

Cold Humboldt current

El clima está fuertemente influenciado por el Océano Pacífico y la Cordillera de Los Andes. Cuando las brisas marinas, llevadas por la corriente fría de Humboldt que sube por la costa oeste de América del Sur hacia el norte, encuentran masas de aire caliente de la costa, se forman las nubes bajas y brumas que penetran hacia el valle. Durante la noche el valle central recibe el aire frío que viene de las altas cumbres nevadas de Los Andes. En los viñedos la alternancia entre la frescura nocturna y el calor diurno durante el período de crecimiento, favorece el desarrollo de la acidez, la concentración del azúcar, el color y los aromas de las uvas.

La zona central de Chile goza de un clima mediterráneo con veranos cálidos, escasez de lluvia y baja humedad atmosférica. Estas condiciones agro-ecológicas son óptimas para el crecimiento y maduración de la vid. Hay 20° C de diferencia entre el día y la noche en primavera y verano; esta amplitud térmica permite que la uva madure y alcance una sanidad total.

The climate is strongly influenced by the Pacific Ocean and the Andes Mountain Range. When the ocean breezes, driven by the cold Humboldt Current that ascends along the western coast of South America, meet the warm masses of air from the coast, low clouds and fog for mand penetrate into the valley. During the night the Central Valley receives the cold air coming from the snow-covered heights of the Andes. In the vineyards, the temperature alternation of cool nights and warm days, favors the development of acidity, the concentration of sugar, color, and the aromas of the grape.

Chile's central zone enjoys a Mediterranean climate with warm summers, few rains and low atmospheric humidity. These agro-ecological conditions are the best possible conditions for the development and ripening of the grapevine. There is a difference of 20°C between day and night during the spring and summer period, temperature oscillation that allows the grape to ripen healthily.

Geografía del Vino en Chile
The Geography of Wine in Chile

Adicionalmente, la muralla que constituyen al Este la Cordillera de los Andes, al Oeste el Océano Pacífico, el Desierto de Atacama por el Norte y la condición semipolar al Sur, impiden el ingreso de enfermedades nocivas para el vid como la filoxera. De este modo, se cultivan en el país vides con pie franco, es decir, sin injertar, condición casi exclusiva de Chile.

Los suelos tienen buen drenaje y aireación, con gran variación de texturas. La escasez de lluvias permite controlar los riegos y, además, la región vitivinícola no sufre las amenazas del granizo o las heladas entre septiembre y abril. Gracias a esto, el viñedo chileno se destaca por su sanidad, sin la afectación de enfermedades fungosas, virosas o parasitarias. De ahí que esta producción de uvas es en forma natural, hace mucho más viable la producción de vinos orgánicos.

Chile dispone de 110.097 hectáreas de viñedos para la producción de vinos y es el quinto exportador mundial con 474 millones de litros.

Additionally, natural barriers as the wall of the Andes Mountains to the East, the Pacific Ocean to the West, the Atacama Desert to the North and the semipolar condition of the South, prevent the introduction of harmful diseases, as the Phylloxera pest. In this way, Chile cultivates grapevines which have never had to suffer scion insertions, that is to say, they have never been grafted, an exclusive condition of Chile.

The soils are well drained and a have a good ventilation, with a wide variety of textures. A very low range of rains enable a controlled irrigation and, besides, the viticulturist region does not suffer the menace of hailstorms or freezing between September and April. Thanks to this, the Chilean vineyard distinguishes for being a healthy vineyard, without the hazard of fungus, viruses or parasites. Thus, grapes produced in this natural way increase the feasibility to produce organic wines.

Chile has 110.097 hectares of vineyards for wine production and in place number five as a world exporting force with 474 million liters.

Chilean wines are distinguished for their fruity aromas and their excellent color, determined by the abundance of polyfenols and coloring substances, as the anthocyanins. The tannins of the grape ripen completely and, in the wine that is going to be aged, they harmonize in a short period of

Los vinos chilenos se destacan por sus intensos aromas frutales y sus excelentes colores, determinados por la abundancia de polifenoles y sustancias colorantes como las antocianas. Los taninos de la uva maduran completamente y, en el vino que se destina a la guarda, se armonizan en un tiempo corto. Consecuentemente, son vinos aptos para ser consumidos jóvenes pero, con una crianza controlada, pueden obtenerse grandes vinos que gozarán de los beneficios del tiempo.

time. Consequently, they are young wines for inmediate consumption but, under controlled ageing conditions, they can become great wines that will enjoy the benefits of time.

Geografía del Vino en Chile
The Geography of Wine in Chile

Cepajes Principales Plantados (superficie,%)		
Variedades Tintas		
Cabernet Sauvignon	39.731 hás.	47%
Merlot	12.879 hás.	15%
Carmenère	6.045 hás.	7%
Syrah	2.468 hás.	3%
Variedades Blancas		
Chardonnay	7.565 hás.	30%
Sauvignon Blanc	7.368 hás.	28%
Semillón	1.821 hás.	7%

Main varieties planted (area, %)		
Red Varieties		
Cabernet Sauvignon	39.731 hectares	47%
Merlot	12.879 hectares	15%
Carmenère	6.045 hectares	7%
Syrah	2.468 hectares	3%
White Varieties		
Chardonnay	7.565 hectares	30%
Sauvignon Blanc	7.368 hectares	28%
Semillón	1.821 hectares	7%

Volumen producido y exportado
de vinos chilenos (miles de litros)

Produced and exported volumes
of Chilean wines (thousands of liters)

Años Year	Producción Production	Exportación Exports	% exportado % exported
1990	350.000	43.050	12%
1993	330.245	86.630	26%
1996	387.765	184.084	47%
1999	428.014	229.843	54%
2002	562.000	355.300	63%
2003	668.223	387.277	58%
2004*	844.000	474.000*	56%*

* Resultados proyectados en base al volumen exportado a Agosto 2004.
Fuente: Elaboración propia sobre la base de información del SAG y Chilevid.

* Results projected based on volume exported up to August 2004.
Source: Own projections based on information from SAG and Chilevid.

Exportaciones de vino embotellado por área geográfica junio 2004 - mayo 2005
(valor)

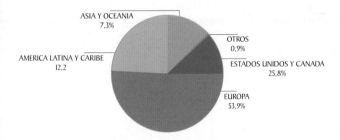

ASIA Y OCEANIA
7,3%

OTROS
0,9%

AMERICA LATINA Y CARIBE
12,2

ESTADOS UNIDOS Y CANADA
25,8%

EUROPA
53,9%

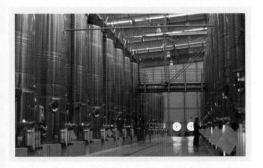

Cepas

Max Eyzaguirre J.

Tipo de vino:	Vino tinto de gran cuerpo, acidez moderada y taninos agresivos.
Origen:	Burdeos, Francia.
Color:	Color profundo púrpura a granate. Toma notas cafés y arcillosas con la edad.
Descripción:	El vino frecuentemente tiene aromas a grosellas negras y moras y dejos de menta y cedro. En Chile también puede desplegar notas a eucaliptos. En el paladar siempre es lleno, fuerte y muy tánico. El sabor va desde cassis a grosellas negras y moras. En ciertas áreas puede desarrollar notas a ciruela y cerezas. El Cabernet Sauvignon, con frecuencia, es mezclado con Merlot o Cabernet Franc, para suavizar los taninos del Cabernet Sauvignon. En Chile las diferentes expresiones de los distintos valles imparten su terroir especifico. Aun así permanece claramente un Cabernet Sauvignon.
Envejecimiento:	La gran cantidad de taninos en este vino le permite envejecer por largo tiempo, esto suavizará sus taninos pero al mismo tiempo el vino irá perdiendo su frutosidad.
Comidas:	El Cabernet Sauvignon acompaña bien a las carnes rojas y de caza así como a platos contundentes con sabores fuertes.

Type of Wine:	Full bodied red with moderate acidity and high tannins.
Origin:	Bordeaux, France.
Color:	Cabernet Sauvignon dark garnet purple in color. It turns to brown with aging.
Description:	The wine frequently has a fragrance of blackcurrant and blackberry with hints of mint and cedar. In Chile it can also display eucalyptus notes. The palate is always full, strong, highly tannic. The flavor ranges from cassis to blackcurrants and blackberries. In certain areas it can develop plum cherry notes. Cabernet is frequently blended with Merlot or Cabernet Franc, to soften the high levels of tannin in Cabernet Sauvignon. In Chile it takes many different expressions as the various valleys impart their terroir on the wine. Although it always remains distinctively Cabernet Sauvignon.
Aging:	The high amount of tannins in this wine allows it to age for long periods, this will soften the tannins but will reduce the fruitiness of the wine.
Food Pairings:	Cabernet Sauvignon goes well with meats, game and hearty dishes.

Tipo de vino:	Vino tinto de cuerpo medio, acidez moderada y bajos taninos.
Origen:	Burdeos, St. Emillion y Pomerol, Francia.
Color:	El Merlot es de color púrpura brillante con dejos azules en su juventud.
Descripción:	Esta uvas producen un vino suave y sedoso lleno de fruta con notas de grosellas negras, especies y en los mejores, dejos de chocolate. Puede ser herbáceo en aromas y sabores si las uvas no son cosechadas suficientemente maduras.
Envejecimiento:	El Merlot puede ser envejecido por unos 8 a 12 años y aun más en sus mejores expresiones, si se ha madurado en barricas de roble.
Comidas:	Es el acompañamiento perfecto para aves o pescados aceitosos como el salmón o atún.

Type of Wine:	Medium bodied red with moderate acidity and low tannins
Origin:	Bordeaux region of France. St. Emilion and Pomerol.
Color:	Merlot is bright purple in color with a bluish tinge when young.
Description:	The grapes produce a smooth wine full of fruity with notes of blackcurrants and spiices, at it's best it will have hints of chocolate. Merlot can be herbaceous both in flavor and aroma when not fully ripe.
Aging:	Merlot, at their best, can be aged for 8 to 12 years. if it it is matured in oak barrels to add tannin.
Food Pairings:	Merlot is the perfect accompaniment for poultry or oily fish like salmon and tuna.

Tipo de vino:	Vino tinto de cuerpo medio a lleno, con taninos medios a altos pero suaves, acidez baja a media.
Origen:	Burdeos, Francia.
Color:	Color violeta a púrpura profundo y brillante.
Descripción:	El vino es suave y lleno en boca, cuando las uvas han sido cosechadas bien maduras puede ser untuoso con muy buenas características a frutos rojos. Tiene un cierto carácter especiado que recuerda a pimienta negra. Una uva difícil de madurar, por lo cual a veces tiene notas a vegetales verdes y pimentón debido a la poca madurez al cosechar.
Envejecimiento:	Aunque no se le conoce por una gran capacidad para envejecer, los mejores pueden guardarse por un largo tiempo.
Comidas:	Acompaña bien las pastas y las aves, los más maduros se llevan bien con carnes rojas.

Type of Wine:	Medium to full bodied, with medium to high soft tannins and low to medium acidity.
Origin:	Bordeaux, France.
Color:	Deep bright violet and purple color.
Description:	The wine is soft and full bodied and when grapes are picked ripe it can be jammy with good red fruit character A certain spiciness, reminiscent of black pepper. A difficult to ripen grape; it can have green vegetable and green bell pepper aromas when unripe.
Aging:	Although It is not known for its aging capacity; the best samples can age a considerable time.
Food Pairings:	It can go well with pastas and poultry.

Tipo de vino:	Vino tinto de buen cuerpo, acidez y taninos altos.
Origen:	El Syrah puede rastrearse a la región del Ródano en Francia. Algunos creen que pueda haberse originado en Siracusa Italia o Persia (Irán).
Color:	Este vino tiene un color violeta profundo con dejos azules en las orillas cuando aún es joven.
Descripción:	El Syrah tiene aromas a mora y frambuesas con notas a pimienta negra y menta. En ciertas áreas mas frías puede adquirir aromas a carne asada. Produce vinos especiados con dejos de liquorice y anís en áreas más cálidas.
Envejecimiento:	Dependiendo de la vinificación puede ser ideal para beberlo joven o si es madurado en roble puede envejecer con gracia por muchos años.
Comidas:	Sus notas especiadas lo hacen ideal con cualquier suculento plato de carnes rojas como vacuno o animales de caza.

Type of Wine:	Full bodied red with high acidity and high tannins.
Origin:	Syrah traces its origin to the Rhone region in France. Some believe it may be originally from Syracuse in Sicily from Persia (Iran).
Color:	Syrah has a deep, violet red color, with a blue tinge around the edges in tits youth.
Description:	The wine has blackberry and raspberry aromas with black pepper and mint overtones. In certain cooler areas it can have roasted meat aromas. It produces spicy wines with hints of licorice and anise when grown in warmer
Aging:	Depending on Vinification it can be ideal for early drinking or if it is matured in oak it can age gracefully for many years.
Food Pairings:	Its spiciness makes this wine ideal with any hearty red meat dish like beef or wild game.

Tipo de vino:	Blanco, de cuerpo medio con acidez moderada y bajos taninos.
Origen:	El Chardonnay está extendido en gran parte del mundo, pero sus raíces históricas están asentadas en Borgoña, Francia.
Color:	El vino Chardonnay tiene tonos dorados cuando no ha tenido paso por barricas de madera y su color será más profundo cuando se tenga maduración en madera.
Descripción:	Esta cepa produce vinos muy versátiles y cambiará considerablemente dependiendo si se pase por madera o no, o si ha pasado por fermentación maloláctica. Puede tener dejos de manzanas verdes, melón, o puede tener aromas tropicales de plátano o piña. Sabores de manzanas verdes, mantequilla y peras, en ciertas áreas tomará notas minerales.
Envejecimiento:	Cuando ha sido madurado en barricas de roble, puede envejecer un tiempo considerable.
Comidas:	Dependiendo del estilo de Chardonnay, este puede ser consumido con una gran variedad de platos, desde carnes blancas a cualquier tipo de mariscos y pescados inclusive salmón o atún.

Type of Wine:	Medium bodied white with moderate acidity and low tannins.
Origin:	Chardonnay is widely grown throughout the world but finds it historical roots in the Burgundy region of France.
Color:	Chardonnay has light golden hues of yellow when not oaked and will acquire deeper color when matured in oak.
Description:	This grape produces wines that can be very versatile and will change considerably depending if it matured in oak or not, or if it has gone through malolactic fermentation. It can have hints of green apples, melons or can have tropical aromas of bananas and pineapples. It can tastes of butter, green apples, pears and in certain areas it can have minerals notes.
Aging:	When oak aged the wine can age for considerable amount of time.
Food Pairings:	Depending on the style of Chardonnay can be consumed with a wide variety of foods, ranging from white meat to any seafood or fish even salmon and tuna.

Tipo de vino:	Blanco, de cuerpo ligero y con acidez alta y bajos taninos.
Origen:	Burdeos, Francia.
Color:	Amarillo ligero con reflejos verdes.
Descripción:	El vino tiene aromas a hierba de limón, pudiendo ser herbáceo. Tiene aromas a frutas verdes como grosella y algunas notas cítricas como limón o lima.
Envejecimiento:	Este vino debe beberse joven, dentro de los dos años de su cosecha para preservar sus aromas y sabores.
Comidas:	Acompaña bien algunos mariscos y pescados de carnes blancas y ligeras como el Turbot, lenguado, camarones y otros.

Type of Wine:	A White light wine with a high level of acidity and low tannins.
Origin:	Bordeaux, France.
Color:	Light yellow with green highlights.
Description:	The wine has aromas of lemon grass, can be herbaceous, it can have hints of green fruits like gooseberries, and some citric notes of lemon or lime.
Aging:	This wine is made to be to be drunk young, within two years of its vintage to preserve its fresh aromas and flavors.
Food Pairings:	It does well is when served with seafood.

Tipo de vino:	Blanco, de cuerpo medio a lleno con acidez alta y bajos taninos.
Origen:	Burdeos, Francia.
Color:	Amarillo bronce que se torna anaranjado con la edad.
Descripción:	El vino tiene pocas características aromáticas únicas, tiende a tener aromas a pasto o herbáceos con dejos de limón y cera de abejas. En el paladar el vino es robusto con un sabor agudo a limón y textura untuosa.
Envejecimiento:	Este vino puede envejecer por largo tiempo si se vinifica correctamente.
Comidas:	Acompaña bien varios platos de mariscos, pescados y aves de carnes blancas.

Type of Wine:	White wine, medium to full body and high acidity.
Origin:	Bordeaux, France.
Color:	Deep yellow color that turns orangey with age.
Description:	This wine has few distinct characteristic aromas most tend to be grassy or herbal and lemony with a bit of honey wax. On the palate the wines is robust with a crisp lemony flavor and a rich texture.
Aging:	This wine can age very well when correctly vinified.
Food Pairings:	It goes well with a number of fish and seafood dishes as well as some poultry.

Valle del Limarí
Limarí Valley

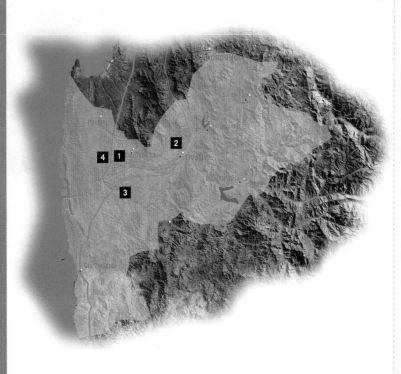

Viñas del Valle
Valley Wineries

1 🍇 Casa Tamaya
2 🍇 Tabalí
3 🍇 Francisco de Aguirre
4 🏠 Casa Tamaya 🚐

Simbología
Symbols

🍇	🏠	🚐
Viñedos	Viña y Bodega	Visitas
Vineyard	*Winery*	*Visits*

Valle del Limarí
Limarí Valley

30° 36´

Ubicado a los 30° 36' de Latitud Sur, es un valle semi-desértico, de gran luminosidad, que debido a las influencias del mar y las frecuentes neblinas, logra producir vinos de calidad. La acción del mar claramente disminuye hacia el Este. Los suelos son arcillosos y con presencia abundante de piedras en algunos sectores. Los cerros tienden a ser más pobres con composición granítica donde las parras se plantan hasta los 1000 mt de altura snm. Las temperaturas fluctúan entre 9°C y 27°C en verano. Las precipitaciones no pasan de 60 a 80 mm por año. Los vinos que se obtienen en el valle son frescos y de buena acidez. En general son de gran intensidad aromática con énfasis en los aromas florales y de frutas dulces.

Located at 30°36' South Latitude, it is a semi deserted valley of great luminosity where due to the influence of the Pacific Ocean and the frequent fogs, produces quality wines. The influence of the ocean clearly diminishes to the East. The soils are mainly clay in the valley and there are sectors with numerous surface stones. The hills tend to have poor soils and a granite base. The vines are planted up to 1.000 meters above sea level. The temperatures fluctuate between 9° and 27°C in the summer. Rainfall does not go over 60 to 80 mm per year. The wines produced in the valley are fresh and have a good acidity, and in general exhibit a great aromatic intensity emphasizing its floral and sweet fruity expression.

Max Eyzaguirre

Valle de Aconcagua
Aconcagua Valley

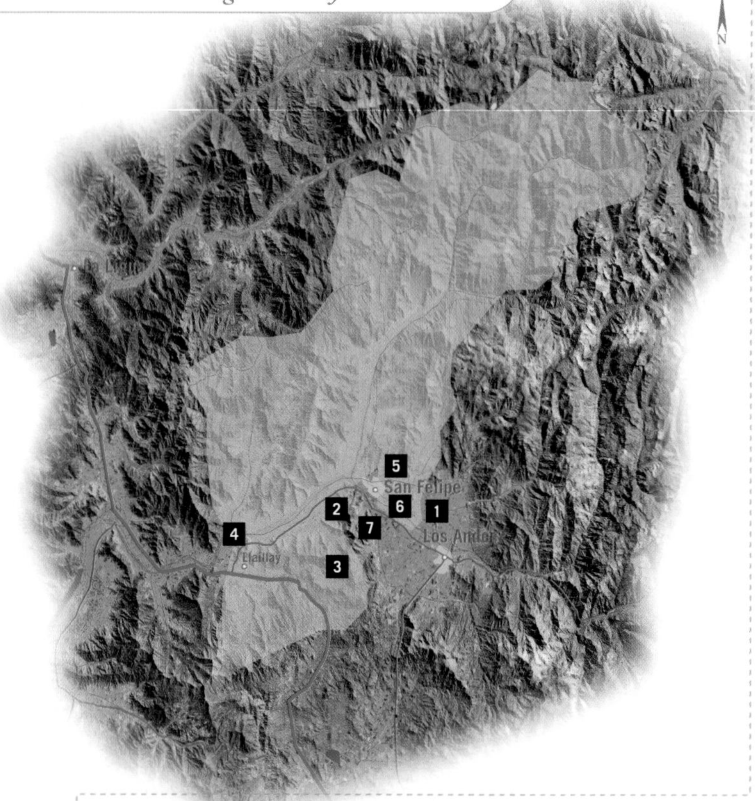

Viñas del Valle
Valley Wineries

- **1** San Esteban
- **2** Von Siebenthal
- **3** Errázuriz
- **4** Seña
- **5** Gracia
- **6** Porta
- **7** Errázuriz

Valle del Aconcagua
Aconcagua Valley

32° 48′

Es un valle de clima mediterráneo, con una temperatura media anual de 14.2°C y máximas en Enero de 30°C. La amplitud térmica varía entre 15°C y 20°C. Tiene gran luminosidad y pocas lluvias, excepto en invierno, cuando alcanzan un promedio anual de 230 mm. Los suelos son mayormente de arcilla y limo, y el subsuelo es calcáreo con permeabilidad media a alta en el valle, y arenoso pedregoso cerca del lecho del río. Las viñas se extienden desde 16 Km del borde costero hasta 60 km tierra adentro. Las más próximas al mar son afectadas por las neblinas, por ello tienen temperaturas menores, dando como resultado frutos con maduración lenta y piel delgada. En el interior las temperaturas más altas producen fruta de buena maduración que permite obtener vinos con grados alcohólicos altos y de buen cuerpo. La aún presente influencia marítima, más los vientos de la cordillera ayudan a mantener esta acidez media.

It has a mediterranean climate with an average yearly temperature of 14°C. The maximum temperature in January is 30°C. The valley has a great difference of temperatures between day and night, 20°C. It has a great luminosity and few rains, except in winter, when they reach an annual average rate of 230 mm. The soils are mainly clay with loam and a rocky sub soil, which present a medium to good drainage in the valley. Rocks and sands are present near the river. Vineyards start about 16 km. from the sea and extend to about 60 km. inland. The ones closer to the sea are subject to fogs with lower temperatures, which as a result, produce fruits that mature slowly with a thin skin. Inland, the higher temperatures produce fruits that mature well, enabling the production of wines with a high degree of alcohol, medium acidity and a full body. The influence of the ocean, still present, plus the mountain winds help maintain this acidity.

Max Eyzaguirre

Valle de Casablanca
Casablanca Valley

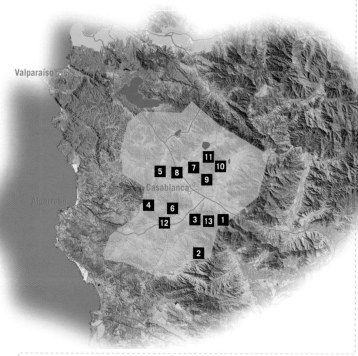

Viñas del Valle
Valley Wineries

1 Veramonte
2 Viña Mar
3 Villard Estate
4 Casas del Bosque
5 Casablanca
6 Viñedos Emiliana
7 Concha y Toro

8 Carmen
9 Morandé
10 Santa Rita
11 Errázuriz
12 Casa Lapostolle
13 Ventisquero

Valle de Casablanca
Casablanca Valley

33° 20´

Está ubicado a 40 Km. de la costa y rodeado por cerros bajos de no más de 380 metros de altura. Los suelos son pobres de composición franco arenosa y origen aluvial con buen drenaje. La neblina recurrente en la zona, permite la lenta maduración de la fruta lo cual preserva los aromas típicos de cada cepa que es ideal para las blancas. El Pinot Noir y el Merlot también pueden tener buen potencial en este valle. Los Cabernet se dan mejor en las partes superiores de las lomas del valle. El Sauvignon Blanc, Gewurztraminer, Chardonnay y Viognier son los reyes del valle; de aromas pronunciados, sabores frescos, frutosos, ligeros, de gran acidez, preservando la tipicidad varietal.

It is located 40 Km. from the coast and it is surrounded by low hills of no more than 380 meters. The soils are poor in organic matter, composed mainly of loam and sand, alluvial in origin with good drainage. The frequent fogs enable the fruit to ripen slowly, a condition which preserves the classical aromas of each variety; specially for whites. Pinot Noir and Merlot can also find their potential in this valley. The Cabernets do better in the upper slopes of the hills. Sauvignon Blanc, Gewürztraminer, Chardonnay and Viognier are the kings in this valley, exhibiting pungent aromas and fresh, fruity flavors. They are light and have a great acidity which expresses the typical character of these varieties.

Max Eyzaguirre

Valle de San Antonio
San Antonio Valley

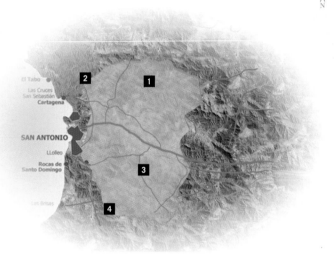

Viñas del Valle
Valley Wineries

1 🍇 Matetic
2 🍇 Casa Marín
3 🍇 Leyda
4 🍇 Garcés Silva

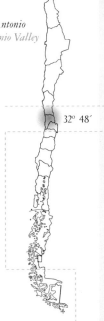

Valle de San Antonio
San Antonio Valley

32° 48´

El Valle de San Antonio nace oficialmente durante el año 2002, ubicado a orillas del mar, en la V región. Este valle se ubica sobre la cordillera de la costa, en franjas con ondulantes lomajes que van en forma longitudinal de norte a sur. Está fuertemente influenciado por el Océano Pacífico que incide en el clima, brindando en promedio más bajas temperaturas respecto a sus vecinos valles de Casablanca y Aconcagua.

Este Valle es rico en diversidad de suelos que van desde arcillosos, granitos y rocosos.

Las temperaturas al ser más bajas hacen que la vendimia se realice en forma más tardía, incluso con un mes de diferencia. Las variedades que logran mejor expresión son en el caso de las Blancas el Sauvignon Blanc, Gewurztraminer, Sauvignon Gris y Chardonnay, y en las tintas, el Pinot Noir y Syrah.

Las viñas que actualmente están presentes en este Valle se ubican en micro zonas; Rosario, Lo Abarca y Leyda, con diferencias internas de suelos, climas y geografía, lo que hace que los vinos por ellas producidas tengan características propias de cada sector, pero todas ellas están fuertemente unidas a la marcada influencia del mar.

Located near the seaside in Chile's Fifth Region, the San Antonio Valley appellation was officially born in 2002. It is located near the coastal cordillera, along sloping hills that longitudinally extend from north to south. Its climate is heaily influenced by the Pacific Ocean that yields lower temperatures than those at Casablanca and Aconcagua Valleys. It is blessed with a diversity of solis, including clays, granites and rocky terrains.

As the temperatures are lower, the harvest is delayed as much as one month, compared to other regions in Chile. The varietals that best express this valley are Sauvingon Blanc, Gewurtztraminer and Chardonnay, among the whites; the red varietals include Pinot Noir and Syrah.

Those vineyards that are currently producing wines are located in three sub appellations: Rosario, Lo Abarca and Leyda. Each exhibits unique soils, climatic and geographic patterns which yield wines that show their own character; nevertheless, all are heavity influenced by their proximity to the ocean.

María de la Luz Marín

Valle del Maipo
Maipo Valley

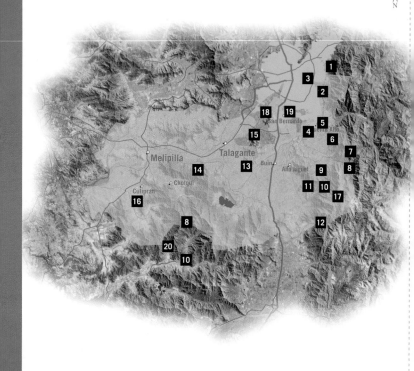

Viñas del Valle
Valley Wineries

1 Aquitania
2 Cousiño Macul
3 Santa Carolina
4 Viñedos Chadwick
5 Almaviva
6 Concha y Toro
7 El Principal
8 Haras de Pirque
9 Carmen
10 Santa Rita

11 Portal del Alto
12 Pérez Cruz
13 De Martino
14 Tarapacá
15 Undurraga
16 Ventisquero
17 Terra Andina
18 Morandé
19 Errázuriz
20 Gracia

Valle del Maipo
Maipo Valley

Cercano a Santiago, es un gran valle, que comienza en la base de la Cordillera de Los Andes hasta la Cordillera de la Costa. Comprende microclimas diferentes entre el Alto Maipo, Alto Jahuel, Buin y Paine hasta llegar a Isla de Maipo, El Monte y Talagante. El clima cambia en el valle presentando en un extremo una alta fluctuación de temperaturas, mediterráneo templado y con pocas lluvias en verano, a otro extremo más caluroso y de menor oscilación térmica, con muy pocas lluvias en verano. Todo lo anterior da por resultados una amplia gama de variedad y estilos de vinos: hay tintos, de buen color, concentrados, gruesos, de taninos agresivos con gran acidez; y hay otros suaves, elegantes, con taninos redondos y acidez media. Los aromas van desde salvajes a frutos rojos maduros. En los vinos blancos encontramos Chardonnay jugosos, de buen cuerpo, con aromas y sabores tropicales; también Sauvignon Blanc florales y delicados.

33° 36´

Near Santiago, it is a large valley that starts at the base of the Andes Mountains and extends all the way to the coastal range. With many different microclimates, it encompasses the High Maipo through Alto Jahuel, Buin, and Paine to reach Isla de Maipo, El Monte and Talagante. The climate changes in the valley, from one with a great oscillation of temperatures between day and night and a very small amount of rainfall in the summer, to the other end where it is hotter with smaller temperature extremes, and almost no rain in summer. This translates into a wide variety and range of wine styles: there are red wines with great color, concentrated, full bodied, sharp tannins and high acidity; and there are others which are soft, elegant, with rounded tannins and medium acidity. Aromas that range from wild and animal to red fruits. The white wines go from tropical aromas, juicy, full bodied Chardonnays to delicate and floral Sauvignon Blancs.

Max Eyzaguirre

Valle del Cachapoal
Cachapoal Valley

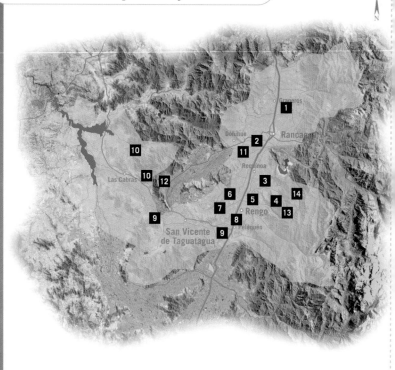

Viñas del Valle
Valley Wineries

1 Porta

2 Santa Mónica

3 Anakena

4 Altaïr

5 Gracia

6 Chateau Los Boldos

7 Torreón de Paredes

8 Misiones de Rengo

9 Morandé

10 La Rosa

11 Santa Rita

12 Concha y Toro

13 San Pedro

14 Casa Lapostolle

Valle del Cachapoal
Cachapoal Valley

Aquí sobresale la diversidad de suelos, en los que predominan los aluvio coluviales, de textura franco arcillosa y buen drenaje. También posee varios microclimas: mediterráneo con algo de humedad en la franja cerca de la costa y próximo al pie de monte más húmedo y menos caluroso. En el pie de monte de la cordillera, cerca de Rengo, la amplitud térmica alcanza entre los 15°C y 18°C. En algunos sectores, hacia Peumo, la amplitud térmica disminuye un poco por la acción moderadora del Océano Pacífico. En esta área los vinos tintos son frutosos, con aromas de frutillas y moras, y taninos suaves. El Merlot se da muy bien en este valle y el Chardonnay puede adquirir ribetes extraordinarios.

34° 10'

It has a large diversity of soils with the predominance of the alluvial-colluvial types, and has a topsoil of loam and clay with good drainage. It also has a wide variety of microclimates: mediterranean with some humidity in the strip near the coast, and less warm and more humid near the mountains. Near the city of Rengo, close to the mountains, there is a 15°C to 18°C temperature oscillation between day and night. Near Peumo these extreme differences drop due to the moderating influence of the ocean. In this area red wines are fruity with sweet aromas of fresh strawberries and blackberries, and smooth tannins. Merlot does well in this valley and Chardonnay can reach extraordinary levels.

Max Eyzaguirre

Valle de Colchagua
Colchagua Valley

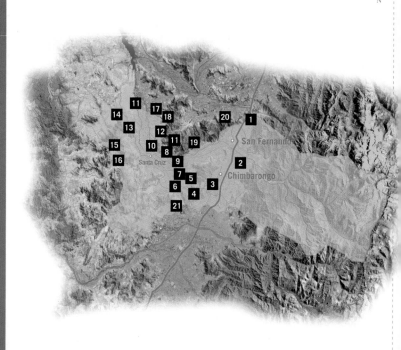

Viñas del Valle
Valley Wineries

1 Casa Silva
2 Cono Sur
3 Viñedos Emiliana
4 Viu Manent
5 VOE
6 Casa Lapostolle
7 Montes
8 Santa Laura
9 El Huique
10 Estampa
11 Siegel
12 La Playa
13 Bisquertt
14 Sutil
15 San Diego de Puquillay
16 Los Vascos
17 Santa Rita
18 Undurraga
19 Carmen
20 Portal del Alto
21 San Pedro

Valle de Colchagua
Colchagua Valley

34° 40´

Esta es otra región para los vinos chilenos. Aquí se encuentran algunas de las zonas que producen los mejores vinos tintos de Chile. La temperatura media anual es de 15°C. Los suelos son de origen aluvial, de buen drenaje y composición franco arcillosa, limosa y más arenosos cerca del río Tinguiririca. Tiene características similares al Valle del Maipo, pero está dividido en dos por una cadena de cerros y en ambos lados hay una buena ventilación hacia el mar, marcando a los vinos con con una excelente dualidad de influencia del mar por un lado, y la cordillera por el otro. Hacia la cordillera están las zonas de Chimbarongo, San Fernando y Placilla, avanzando hacia la costa encontramos Nancagua, Chépica, Santa Cruz, Palmilla y Apalta. Más cerca de la costa está Peralillo, Lolol y Marchigüe. Esta geografía le permite a la uva una maduración lenta, favoreciendo la generación de aromas y sabores. El valle produce tintos de gran color, melosos, de acidez media a baja, aterciopelados, maduros y de sensación dulce en la boca. El Cabernet Sauvignon, el Merlot así como el Carmènere, pueden madurar sin apuro. El Syrah también obtiene un gran nivel. Los vinos blancos tienden a ser de estilo tropical, cremosos con una acidez media a baja.

Another great valley for Chilean wines. Here we find some of the best areas for red wine production in Chile. The average annual temperature is 15°C. The soils are of alluvial origin and drain well, and have a loamy clay topsoil, which becomes sandier near the Tinguiririca river. It is like the Maipo in a lot of ways, but this valley is split into two by a chain of hills, and there is good ventilation towards the ocean, marking the wines with a duality of influences from the sea on the one side, and from the mountains, on the other. Towards the mountains are the Chimbarongo, San Fernando and Placilla areas, and as we move towards the coast, we find Nancagua, Chépica, Santa Cruz, Palmilla and Apalta. Closer to the sea we find Peralillo, Lolol and Marchigüe. This geography allows the grapes to ripen slowly thus enhancing the generation of aromas and flavors. In general the valley produces deep color reds, of a ripe velvety smoothness with low to medium acidity that leave a sweet sensation in the mouth. The Cabernet Sauvignon, the Merlot and the Carmènere do very well, as they can achieve the perfect ripeness without being rushed. Syrah is another variety that achieves a great level. White wines tend to be of a tropical style, creamy and of low to medium acidity.

Max Eyzaguirre

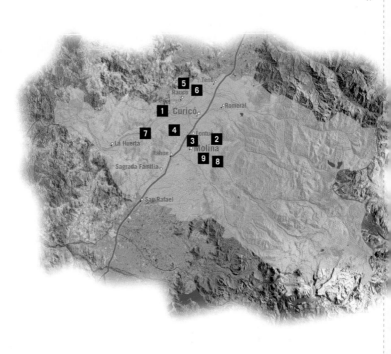

Viñas del Valle
Valley Wineries

1. 🍇 Miguel Torres 🚜 🏠
2. 🍇 Valdivieso 🚜 🏠
3. 🍇 Echeverría 🚜 🏠
4. 🍇 San Pedro 🚜 🏠
5. 🍇 Concha y Toro 🏠
6. 🍇 Montes 🏠
7. 🍇 Errázuriz
8. 🍇 Santa Rita 🏠
9. 🍇 Carmen

Valle de Curicó
Curicó Valley

Esta gran área abriga dos grandes valles, el Valle del río Teno con sus zonas de Rauco y Romeral, y el Valle del rió Lontué, con sus zonas de Sagrada Familia y Molina.

En Teno, la amplitud térmica alcanza los 20°C, o más, permitiendo a las diferentes cepas que se potencien y desarrollen su carácter típico. Posee suelos franco arcillosos y, por lo general de buena permeabilidad. Se producen vinos de buena acidez y vivacidad sin sobremaduración.

El Valle del rió Lontué tiene una gran variedad de microclimas, que le permite cobijar una gran variedad de cepas. Es de gran luminosidad y soleado, ideal para el desarrollo de vinos tintos como Cabernet Sauvignon, Merlot y Syrah, debido a sus temperaturas más altas. Al este de Molina las temperaturas son más bajas, lo cual le permite producir excelentes Pinot Noir, Sauvignon Blanc y Chardonnay.

This large area contains two large valleys, the Teno River Valley and its areas of Rauco and Romeral, and the Lontué River Valley and its areas of Sagrada Familia and Molina. The Teno Valley can have a temperature variation of 20°C or more during the summer, allowing the different varieties to develop to the limit their own unique characteristics. The soils are loam and clay, and generally drain well, producing wines of good high acidity and nerve, without over ripeness.

The Lontué River Valley has a wide variety of microclimates that allow it to sustain a great number of grape varieties. A luminous and sunny valley, ideal for the development of red wines like Cabernet Sauvignon, Merlot and Syrah, thanks to the high temperatures. East of Molina the temperatures are lower, therefore producing excellent Pinot Noirs, Sauvignon Blanc and Chardonnay.

Max Eyzaguirre

34° 58´

Valle del Maule
Maule Valley

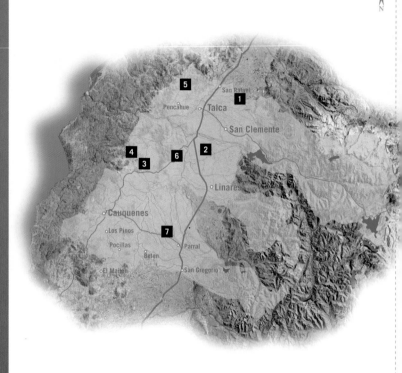

Viñas del Valle
Valley Wineries

1 🍇 Calina 🚜 🏠
2 🍇 Cremaschi Furlotti 🏠
3 🍇 Gillmore Estate 🚜 🏠
4 🍇 J. Bouchon
5 🍇 San Pedro
6 🍇 Concha y Toro
7 🍇 Portal del Alto

Valle del Maule
Maule Valley

35° 25´

Es el valle de mayor producción de vinos en Chile. Aquí también apreciamos dos grandes áreas, el Valle del Río Claro y el Valle del Ríó Loncomilla. Ambos de suelos más bien fértiles y con mayor variedad de microclimas. En el valle del Claro, los vinos tintos -especialmente el Merlot- encuentran su mejor terroir especialmente en las áreas de San Clemente y Pencahue. Hacia el Sur del Valle de Loncomilla, en zonas como Parral, la temperatura media es notoriamente más baja y propicia para los vinos blancos. La mayor parte de los viñedos son de la cepa "País", de la cual hay un par de viñas intentando rescatarla para la producción de vinos finos. Sus suelos son de origen aluvial y volcánico, siendo estos últimos preponderantes en la zona de Talca.

It is the valley with the largest production in Chile. Here we can distinguish two large areas, the Rio Claro Valley and the Rio Loncomilla Valley. Both have rather fertile soils with one of the greatest diversity of microclimates. On the Rio Claro Valley the red wines - mainly Merlots - find here their terroir, especially in the San Clemente and Pencahue areas. In the southernmost areas of the Loncomilla Valley, like in the area of Parral, the temperature is notably lower, making it more suitable for white wines. The majority of the vines planted here are from the País variety, and there are a couple of vineyards trying to rescue it for the production of fine wines. These soils are of alluvial and volcanic origin, the latter prevalent in the Talca area.

Max Eyzaguirre

Valles del Sur
Southern Valleys

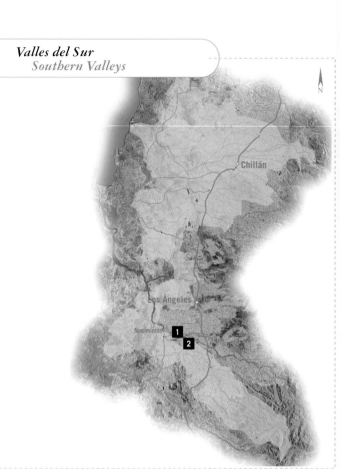

Viñas del Valle
Valley Wineries

1 🍇 Gracia
2 🍇 Porta

Valles del Sur
Southern Valleys

37° 25′

Los valles de Itata, Biobío y Malleco. EL Valle del Itata presenta condiciones ideales para la vid, con buenas temperaturas durante el verano y la cosecha, y diferenciales térmicos de 20°C. Se logran aquí vinos tintos de colores muy intensos y finos aromas a frutos rojos. En la boca se aprecian con una buena acidez que está en equilibrio con los taninos suaves. El Valle del Biobío difiere en que sus temperaturas son más bajas, especialmente en su franja sur y es de mayor pluviosidad. Su cosecha es al menos tres semanas después que en el valle central, permitiendo que sus uvas maduren lentamente. Esta característica climática lo hace especialmente adecuado para la producción de variedades blancas como el Riesling, Chardonnay y Sauvignon Blanc. En tintos, la zona es propicia para el Pinot Noir. En el Valle del Malleco las condiciones son aún más frías y lluviosas, pero la presencia de fuertes vientos y de buen sol permiten que las uvas lleguen a su madurez estando secas y en buen estado, lo que ocurre casi 60 días más tarde que en el Maipo. La longitud del período de maduración les permite entregar aromas complejos con taninos suaves. El Chardonnay ha producido ejemplares de calidad mundial.

There are here three distinct valleys: Itata, Biobío and Malleco. The Itata Valley has ideal conditions for the vines, with good temperatures during the summer and harvest time, and a temperature oscillation going as high as 20°C. It produces red wines of intense hues and fine red fruit aromas. On the palate, it shows good acidity in balance with soft tannins. The Biobío Valley differs as its temperatures are lower, especially in the far south section, with more rainfall. The harvest takes place at least three weeks later than in the central valley, allowing the fruit to ripe slowly, making it specially well suited for the production of white wines like Riesling, Chardonnay and Sauvignon Blanc. Pinot Noir is a good red variety to grow in this valley. The Malleco Valley has colder conditions with more rain, but the presence of strong winds and good sunshine allow the grapes to reach maturity, dry and in good conditions. Maturity occurs almost 60 days after than in the Maipo Valley. This extraordinary length of the ripening period generates complex aromas with soft tannins. This valley's Chardonnay has produced world-class samples.

Max Eyzaguirre

Texto / Text
Max Eyzaguirre

Los Especialistas hacen
Foco en Chile

Los Especialistas
hacen Foco en Chile
Experts Focus
their Interest in Chile

Chile aún puede sorprender al mundo con su potencial
Chile can still surprise the world with its potentialities

Michel Rolland es uno de los enólogos más reconocidos mundialmente. Desde hace varios años asesora a empresas de todos los países vitivinícolas, a excepción de Australia, donde aún no ha intervenido dada la gran demanda que tiene su tarea como consultor. Su fino conocimiento del negocio global del vino, los principios del trabajo vitícola que profesa y el carácter que otorga a los vinos en los que compromete su nombre son el sello de uno de los profesionales más influyentes en la vitivinicultura moderna.

"Definitivamente, creo que se pueden desarrollar muy buenos vinos en Chile, aunque quedan pocos lugares donde se podría continuar implantando viñedos. De todos modos, siempre hay pequeños terruños para descubrir. Esto es prometedor y alienta a las viñas locales y a los inversores.

Todos sabemos que Chile no ha tenido mercado interno, o que ha sido muy pequeño, sin embargo esto potenció la salida al mundo de los vinos chilenos desde hace muchos años. Cuando comenzó a exportar sus vinos, Chile no había alcanzado la excelencia en términos de calidad y esto determinó que se posicionaran con precios buenos - relativamente bajos- y lo interesante fue que en esa franja había vinos realmente muy buenos. Esto mostró al mundo el potencial de la vitivinicultura chilena. Con el tiempo y la experiencia, las empresas poco a poco han ido mejorando su

Michel Rolland is one of the most renowned oenologists in the world. He has served for years as counsellor in different companies in all of the viticulturist countries, except Australia, where he has not been able to participate because of the huge demand for his work as expert adviser. His fine knowledge of the global wine business, the principles he sustains in regards to the viticultural work and the character he grants the wine in which he commits his name stand as a personal imprint of one of the most influencing professionals in modern viticulture.

"I'm definitively certain that you can produce very good wines in Chile, although there are few spots left to continue growing vineyards. Anyway, there will always be some small terroirs to be discovered. A promising and motivating fact for local vineyards and investors.

We all know that Chile has lacked of home market, or has have a rather small one; this situation triggered the projection of Chilean wines to the world, many years ago. When the country started exporting wines, Chile had not reached the range of excellence required in terms of quality, and therefore its wines were positioned at very convenient and relatively low prices. And what was even more interesting, was the fact that in that range Chilean wines shared positions with truly good wines. This was a demonstration to the world that Chile bore a great

calidad, han perfeccionado las técnicas y esto ha atraído a muchos inversores.

Igualmente, no hay que restar complejidad a este proceso de cambios porque tuvo su grado de complicación. Pasar de una franja de precios a otra superior implica un replanteo en una bodega, aún más difícil al nivel país. Además, durante los últimos años los precios subieron bastante y no en todos los casos este aumento fue acompañado con una mejora cualitativa. Entonces, es posible que esto dañe un poco la imagen integral del país en el negocio del vino, especialmente en las expectativas que se hace el consumidor.

La otra cara de este proceso de cambio es que se plantaron nuevas hectáreas en Chile y las viñas desarrollaron muchos más vinos. Todo eso afectó en cierta medida la relación precio-calidad, con una producción más alta, una cantidad de vino más importante donde el consumidor está un poco perdido porque puede pagar U$S 20 por un vino fantástico y el mismo precio por un vino de calidad media. Es posible que el consumidor se asuste un poco por esta situación, aunque creo que va a recuperarse, pero no

viticulturist potential. Over time and experience, wine growers have begun, little by little, to increase their quality, improve their techniques, and this has attracted the attention of many investors.

In any case, we must not subtract complexity to this process of changes, because it was a rather complicated one. To pass from one range of prices to a higher one involves a complete re stating of schemes within the vineyard, not an easy task to accomplish at country level. Besides, during the last years, prices have significantly risen, but this increment has not always been accompanied by a proportional increase in quality. It is possible, therefore, that this may cause a detriment to the country's image in wine business, and more precisely, to the expectations of the consumer.

The other face of this changing process is that in Chile new hectares have been planted and the vineyards are producing more wines. All this affected, in certain measure, the quality-price relation; with a greater production, a more important quantity of wine, the consumer feels somewhat lost because he/she can pay US$ 20

Chile aún puede sorprender al mundo con su potencial
Chile can still surprise the world with its potentialities

hay que desatender a estos procesos que pueden implicar una pequeña pérdida de confianza. En el mercado global, que no es el más fuerte que hemos visto en los últimos 20 años, hay más competencia que nunca. Por lo que la atención frente a los comportamientos y las demandas del consumidor es fundamental.

Creo que si bien Argentina y Chile tienen muchos elementos diferenciales, que hacen al carácter particular y a lo que pueden comunicar en su discurso ante el mundo, ambos países también poseen atributos comunes que pueden potenciarse mutuamente. Porque de un lado y otro de la cordillera se hacen muy buenos vinos. Los vinos chilenos y los argentinos son diferentes, es decir que son competidores y no lo son tanto, porque cada país tiene lo suyo para mostrar aunque conjuntamente forman un bloque interesante para desarrollar imagen y ser más eficientes en el mercado".

for a fantastic wine, and the same price, for a medium quality wine. It could occur that this situation might frighten the consumer a bit, and although in my opinion the conditions will recover their normal pace, one must not disregard these processes which could cause a loss of confidence. In global market - which has not been the strongest one during the last 20 years - there is more competition than ever. For this reason the attention placed on the behavior and demands of the consumer is absolutely fundamental.

I believe that though Argentina and Chile have differentiating elements, which determine their individual character and discourse to the world, both countries have common attributes which they could use to enhance mutual potentialities. Because very good wines are produced on either side of the Cordillera. Chilean and Argentine wines are different, that is to say, they compete with one another, but at the same time, this is not absolutely so, because each country has distinctive features to exhibit, though in conjunction they could form an interesting block to develop their image and face the market in a more efficient way.

Michel Rolland
Enólogo / *Oenologist*

Las Viñas y el Vino, Chile y el Mundo
Wine and Wineries: Chile and the World

Chile es un productor de vino de importancia intermedia, siendo el décimo país en el ranking de los productores. No obstante, Chile es posiblemente el país que exporta una proporción más grande del vino que produce, con aproximadamente un 65%, lo que nos significa ser el quinto país del mundo en el volumen de vino exportado. En otras palabras, el mercado de exportación es de vital importancia para este noble producto.

¿Cómo se ve, entonces, el mercado mundial de vino?
Este mercado ha estado prácticamente estancado, incluso con ligeras bajas globales, en los últimos 15 a 20 años, pero con cambios importantes: Los países que eran grandes consumidores en términos per cápita, hoy lo son mucho menos, en tanto en aquellos países en que casi no se conocía ni se bebía vino, hoy se consume mucho más. Otro cambio importante es que la calidad mundial del vino ha aumentado enormemente en los últimos 15 a 20 años, producto de la tecnología y de la competencia, a veces despiadada. Un tercer cambio ha sido la aparición explosiva de los países del "nuevo mundo" (Australia, Chile, California en EEUU, Sud Africa, Nueva Zelandia y Argentina) como los grandes exportadores emergentes, con calidades y estilos de vino que hoy desafían abiertamente a los productores tradicionales o del viejo mundo (Francia, España e Italia, fundamentalmente). Un cuarto

Chile is a wine producer of average size: It ranks ten in volume as wine producer in the world. However Chile is arguably the one country that exports the most wine as a percentage of its production, exports being some 65% of output, which places it as the fifth country in the world in terms of exports. In other worlds, the export market is of vital importance for the wine industry in Chile.

What does the world market for wine look like?
This market has been practically stagnant, even with some small global declines, in the last 15 to 20 years, but these global figures hide certain important changes: Those countries that used to be great wine drinkers on a per capita basis, today drink a lot less, whereas those countries where wine was practically unknown and hardly drunk, drink now a lot more. Other important change is that the world wide quality of wines has greatly improved over this same 15 to 20 year period due to better technology and to (sometimes cut-throat) competition. A third change relates to the explosive entry into the industry of the, so called, "new world" countries (Australia; Chile; California in the U.S.A., South Africa, New Zealand and Argentina) which have become the great emerging exporters, with wine styles and qualities that today openly challenge the traditional or "old world" exporters (mostly France; Spain and Italy). A fourth change is the "consolidation" of

cambio es que, siendo la industria vitivinícola mundial, una de las más atomizadas o fraccionadas, con cientos de miles de pequeños y medianos productores, desde los últimos diez años se ha estado observando un proceso de "consolidación" por el cual grandes consorcios internacionales compran e incorporan viñas y viñedos, formando enormes compañías que han pasado a ser los principales actores en el comercio internacional del vino.

Dentro de este panorama es que Chile ha desarrollado su estrategia exportadora y ha logrado el quinto lugar en el ranking mundial, pero ¿qué se espera a futuro?

Chile es muy poco conocido internacionalmente como país, pero aquellos que tienen una imagen de nuestros vinos, los identifican como un producto de buena relación calidad/precio, pero a nivel económico. Esto se agravó con el gran aumento de la superficie plantada de vides durante la década de los 90, lo que significó grandes aumentos en la producción de vino hacia fines de esa

the industry. The winemaking industry is one of the most highly divided in the world, with hundreds of thousands of small and average size producers. For the last 5 to 10 years, however, a few large international groups have undertaken a process of mergers and acquisition that have led to very large wine-business concerns which have become very important players in the wine trade.

It is within this scenario that Chile has developed its export strategy that has led to its fifth place as an exporter, but what is there to be expected in the future?

Chile is hardly known internationally by the public at large, but those who know about wines and wine producing countries identify Chile as a producer of good quality/price ratio wines, but at relatively low prices. This perception got worse with the very large increase in the acreage of vineyards that took place during the 90's which caused big wine volume increases towards the end of that decade and the beginning

década y comienzos de la actual. En el proceso de colocar esa producción, los precios se vieron deteriorados y la proporción de vino a granel exportado, como válvula de escape a la sobre-producción, subió de alrededor de un 25% de los litros exportados en 1998/99 a un 38% en el 2003/04.

En la actualidad se observa un proceso inverso pues las plantaciones en Chile casi no han crecido a partir del 2001/02 y, frente al éxito de las exportaciones, se ha producido una relativa escasez de uva con el consiguiente aumento en sus precios. En tanto en Australia están literalmente "ahogados" en uva, tanto así que hay predios que no se cosecharon y se dejaron los racimos colgando de la vid, por su bajo precio. En Francia están también "ahogados" en vino por la baja en el consumo interno y en la falta de competitividad para exportar que les ha significado la revaluación del euro, y los productores claman por ayuda para que el estado les compre el superávit de vino y lo transforme en alcohol.

¿Qué estrategia le cabe a Chile en un mercado tan competitivo y con sobreproducción en otras partes del globo, y nosotros con una materia prima con precios en aumento y un dólar deprimido?

Me parece que la única respuesta satisfactoria es luchar por un nivel cada vez mayor de calidad, que nos permita ingresar de lleno al club de los países de vinos premium, con precios también premium que permitan pagar los mayores costos.

of the current century. In the process of selling this output, Chilean wine prices dropped and a large amount of the wine was exported in bulk, as an escape valve to over-supply.

Currently the opposite is happening: Chilean vineyard acreage has hardly increased since 2001/2002 and the success in wine exports has led to a relative scarcity in the grape market and, therefore, to an increase in the price of grapes. At the same time Australia is literally "drowned" in grapes, so that certain vineyards were not havested and the grapes were left hanging in the vines due to its low prices. France is also "drowned" in grapes due to a double decrease both in local consumption and in exports, and producers are crying for help and for the Government to buy their surpluses and distil them into alcohol.

What strategy can Chile follow in such a competitive market environment, with excess production in other world regions and us with raw material (grapes) on the rise and a depressed peso/US dollar rate?

The most satisfactory answer seems to be for the Chilean wine industry to strive as never before towards higher quality levels that allow us full entry into the Premium Wine Country Producers Club, with prices that also reach the premium level that allow to pay for the increased costs.

Aurelio Montes
Enólogo / Oenologist

CHILE Respetada Tradición - Admirable Renovación
CHILE Respected Tradition - Admirable Renovation

A pesar de que la primera etapa del vino del llamado "Nuevo Mundo" tuvo su origen con la llegada de los misioneros en el siglo 16, es mucho mas tarde, a mediados del siglo 19 que empieza a desarrollarse en este mundo una viticultura fina con la llegada de colonos europeos, que traen de sus países de origen, especialmente de Italia, sus cepas y tradiciones.

Chile fue la excepción, donde se desarrolló actividad vitivinícola como complemento a sus intereses agrícola. Así, se diferenció del resto del nuevo mundo, creando lo que fue la primera cultura vitivinícola fina de esta nueva tendencia, diferencia que ha tenido importantes repercusiones hasta el día de hoy. En nuestro país durante mas de un siglo y hasta hace muy pocos años, nos dedicamos a producir vinos de las cepas bordolesas (Cabernet, Merlot, Carmenère, Sauvignon Blanc, Malbec) exclusivamente. Otro efecto de esta estructura única, fue que la plantación se hizo en las propiedades agrícolas de grandes familias cerca de Santiago.

La demanda internacional por vino de calidad despertó a un grupo de empresarios que descubren el gran potencial de este país en zonas y cepas diferentes a las cultivadas hasta ahora. Comenzaron a replantarse los viñedos, a desarrollarse zonas nuevas, y a producirse vinos de clones, tipos y calidades desconocidos hasta entonces en nuestro país. Gran parte de los viñedos antiguos, se van transformando en busca de calidad y diversidad. Nacen cientos

Although the first wine period of the so called "New World" had its origin with the arrival of missionaries in the XVI century, it was much later, during the mid XIX century when fine vine growing starts to be developed in this part of the world, upon the arrival of European colonists who brought along vine stocks and traditions from their places of origin, especially Italy.

Chile was an exception, where the vine growing activity was developed as a supplement to agricultural interests. Indeed, it differentiated itself from the rest of the new world, creating what turned out to be the first fine vine growing culture of this new world; attribute which has had repercussions until now a days. In our country, during over a century up until a few years ago, we have been dedicated exclusively to produce wines from Bordeaux vine stocks (Cabernet Sauvignon, Merlot, Carmenère, Sauvignon Blanc, Malbec). Another result of this unique structure was the fact that the planting of vines was carried out in agricultural properties belonging to old families, near the city of Santiago. The international demand for quality wine attracted a group of entrepreneurs, who discover this country's great potential in zones and different vines from the ones being cultivated thus far. Consequently, vine replanting commenced as well as the development of new planting zones, the production of cloned wines and other types and qualities

pequeñas bodegas, manejadas
r una nueva generación de
ombres del vino" que buscan mas
e nada sobresalir en calidad.

replantación de los viñedos
tiguos, el descubrimiento de
evas zonas de alta calidad, la
corporación de cepas de diversos
genes de alta alcurnia e interés,
a promoción de una nueva
neración de enólogos, viticultores
empresarios apasionados por la
a calidad; aplicado todo a un
rritorio especialmente dotado para
producción de "vitis vinífera" de
idad, hacen que el pronóstico
ra el vino chileno en el mundo
obalizado sea excelente.

zustín Huneeus
icultor / Vintner

unknown to our country at that
time. Most of the old vineyards
began a process of transformation
seeking quality and diversity.
Hundreds of small wine cellars
were born, managed by a new
generation of "wine men" in search
of nothing but outstanding quality
excellence.
Finally, the replanting of old
vineyards, the discovery of
additional high quality zones, the
incorporation of vine stocks of
various origins with high lineage
and interest, along with the
promotion of a new generation of
winemakers, vine growers and
entrepreneurs with a passion for
high quality; all of which, applied
to a territory especially endowed
for the production of high quality
"vitis vinífera", contributes to an
excellent outlook for the Chilean
vine industry within the present
state of world globalization.

Las Viñas y sus Vinos

Las Viñas y sus Vinos
Wineries and Wines

Viña Almaviva

Baron Philippe de Rothschild
Viña Concha y Toro

Almaviva

Almaviva es el nombre de la viña y el vino producido por el Joint Venture entre Baron Philippe de Rothschild, responsable de Chateau Mouton Rothschild, y Viña Concha y Toro.

Esta nueva síntesis entre la tradición francesa y la tierra americana se traduce en un vino excepcional que recoge lo mejor de ambas, un vino "Primer Orden" que realmente marca la diferencia.

En Chile aún no existe una clasificación oficial para los vinos. Sin embargo, tras el lanzamiento de Almaviva, nace en Chile la clasificacion de "Primer Orden" equivalente a la categoria "Grand cru classé" en Francés y First Growth en Inglés.

Para merecer esta calidad, un vino de "Primer Orden" debe proceder de un viñedo único, ser vinificado en una bodega exclusiva para el producto y contar con un equipo técnico y enologico dedicado solamente a su producción.

Especial mención merece la bodega, un proyecto arquitectónico inédito en Chile, que incorpora perfectamente el paisaje del valle central chileno y el Know How francés en el arte de hacer vino.

Almaviva is the name of both the winery and the wine produced by the joint venture between Baron Philippe de Rothschild, responsible for Chateau Mouton Rothschild, and Viña Concha y Toro.

This new combination of the French tradition with American soil has produced an exceptional wine that brings together the best of both worlds: a "Primer Orden" that truly makes a difference.

There is still no official classification of wines in Chile. However, the launch of Almaviva has given rise to the "Primer Orden" category, a Spanish term that corresponds to the French concept "Grand Cru Classé" and the English First Growth. In order to qualify as "Primer Orden", a wine must come from the grapes of a sole vineyard, be made in one single bodega, and have its own technical team, all three dedicated exclusively to the production of one wine.

The winery deserves special mention: it is an architectural achievement without precedent in Chile, merging to perfection the landscape of the Chile's Central Valley and French know how in the art of wine-making

95 puntos Wine Spectator

Almaviva 2001

Cabernet Sauvignon 70%, Carmenère 27%, Cabernet Franc 3%

Cata Color rojo rubí intenso. El aroma presenta frutillas salvajes maduras, chocolate pimentado, toques de hojas de menta fresca, moras, tabaco, granos de café y cuero concentrados en una nariz mineral muy intensa. Este poderoso vino se presenta en boca sedoso, lleno de cuerpo, con un amplio ataque y una masiva y balanceada estructura. Un extraordinario vino con un increíble potencial de guarda.

Tasting notes: This dark ruby red wine is deep and opaque. Ripe wild strawberry confiture, peppery chocolate, hints of fresh mint leaves, blackberries, tobacco, whole coffee beans and leather are concentrated in a very rich mineral nose. This powerful wine reveals a silky, ample attack with a full bodied, massive and balanced structure. Dark chocolate, cypress, dried currants, and plums are persistent throughout the long-lasting finish. This is a superb wine with great aging potential.

Tod Mostero
Enólogo - Winemaker

Viña Altaïr

El año 2001, Viña San Pedro y Château Dassault (Grand Cru Classé de Saint Emilion, Francia), se unieron con el fin de producir un vino de la más alta calidad que la naturaleza, la experiencia y el talento fueran capaces de crear. Un vino de Prestigio.

Altaïr evoca el cosmos. Es la estrella más brillante de la constelación del Águila. Gracias a la pureza y a la blancura de su luz, tiene la particularidad única de ser observada en los dos hemisferios.

La Bodega Altaïr se ubica a 100 kilómetros al sur de Santiago, en el valle del Alto Cachapoal, en el piedemonte de la Cordillera de los Andes; gobernando el valle en su totalidad, desde donde la vista se pierde en el infinito. Su emplazamiento sobre la cota del cerro da origen a un proceso perfectamente lineal, que al aprovechar el desnivel del terreno, deja el patio de vendimia a 4 metros por sobre la base de la nave, lo que permite la descarga de granos por gravedad.

De sus 72 hectáreas de viñedos situados a más de 600 metros de altitud nacen dos grandes vinos de "assemblage" Altaïr y Sideral. Cada uno se produce separadamente, con su propia personalidad y características.

En su primera cosecha (2002), Altaïr y Sideral lograron el reconocimiento de sus pares al haber sido elegidos dentro de los diez mejores vinos premium de Chile, según el panel de cata de la Guía de Vinos de Chile 2005 que agrupa los 60 enólogos chilenos más destacados.

www.altairwines.com

In 2001, Viña San Pedro and Château Dassault, Grand Cru Classé de Saint Emilion, France, formed a joint venture for the common goal of creating a wine, in order to produce a Chilean wine of the highest quality that nature, experience and talent are capable of creating. A prestige Wine.

Altaïr Cellar is located 100 kilometers south of Santiago, at the Alto Cahapoal Valley, and set against the imposing Andes, that govern the valley in all their splendour and depth and where the view extends to infinity. The cellar's raised location gives rise to a perfectly lineal process which takes advantage of the unevenness of the landscape. The harvest unloaded a full 4 meters above the cellar floor, allowing the grapes to fall by natural gravity.

From the 72 hectares of vineyards, situated at about 600 meters of altitude, two blended wines are born: Altaïr and Sideral. Each one is produced separately, to develop its own unique personality and characteristic.

In their first vintage (2002), Altaïr and Sideral won the recognition as the top ten premium wines in Chile, a tasting panel between the 60 top Chilean winemakers and wine journalist of the Guía de Vinos de Chile.

www.altairwines.com

Altaïr 2002

86% Cabernet Sauvignon, 7% Carménère, 7% Merlot

Cata Altaïr es un vino de excepción. Está compuesto mayoritariamente por un elegante Cabernet Sauvignon que nace en la precordillera, con proporciones pequeñas de Merlot y Carménère, ésta última para darle un toque típico chileno. Su color intenso, tiene buena concentración y un equilibrio adecuado entre su sabor a frutas rojas y los toques de pino quemado, cedro y tabaco. Como vino excepcional, se privilegia la elegancia por sobre la fuerza, destacándose su expresión y originalidad. Por todos estos atributos está llamado a ser una de las estrellas más brillantes de la vitivinicultura mundial.

Tasting notes: Altaïr is a wine of exceptional character. Its broad shoulders are made up principally of the Cabernet from the steep surrounding hillsides with small proportions of Merlot for balance and Carménère, for a rustic touch of Chilean heritage. Its aroma is captivating, its colour is deep and intense, and it packs powerful concentration, elegant structure, heaps of red fruits, and hints of toasted pine, cedar and tobacco. Altaïr is wine of tremendous finesse whose elegance tames its brute force and then lingers through a long silky finish.

Ana María Cumsille
Enólogo - Winemaker

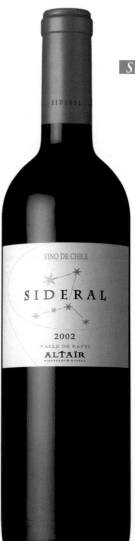

Sideral 2002

70% Cabernet Sauvignon, 20% Merlot,
10% Carménère, Syrah, Cabernet Franc, Sangiovesse

Cata Su estilo es rico y denso, y por lo mismo, accesible y fácil de saborear en las más diversas ocasiones. Predomina en él, el particular Cabernet Sauvignon del terroir de Totihue, con un poco de Merlot y cierto toque de una mezcla de varias cepas, entre las que se incluyen Carmenère y Cabernet Franc. Su composición también contempla frutos provenientes de otros viñedos, lo que le confiere una complejidad especial.

Tasting notes: Sideral is a wine rich and powerful with gorgeous garnet red notes. THe nose is almost immediately ready, open and warm, with smokey notes and hints of hot spices that blend into a complex varietal composition including Carmenère and Cabernet Franc. Its heart incorporates fruit from other valleys, handled by our oenologist, lending it a complexity that places it with the best Chile's premium wines. Whilst drinkable today, Sideral has the potential for several years of bottle-ageing.

Ana María Cumsille
Enólogo - Winemaker

Viña Anakena

CHILE
VINEYARD & WINERY

Anakena está situada a los pies de la Cordillera de Los Andes en el Alto Rapel, y en las raíces de nuestros viñedos están representadas las bondades de una tierra excepcional, cuna de nuestras culturas ancestrales. Anakena, está comprometida en buscar suelos y climas excepcionales y la esencia de nuestros reconocidos vinos se recoge en el Alto Cachapoal en el Valle de Rapel, en Leyda en San Antonio y en cerro Ninquén en Colchagua.

Para Anakena la calidad es un valor esencial y la excelencia y la búsqueda de nuevas expresiones para el vino de Chile orientan nuestro quehacer. Producimos nuestros vinos de un modo especial para ofrecer a los exigentes consumidores algo diferente y único. Buscamos que nuestros vinos denoten que están elaborados por un alguien en particular y que provienen de un lugar muy característico. Asimismo, estamos comprometidos con el cuidado del medio ambiente, utilizando sólo métodos de producción limpia. Esto incluye, un sistema de agricultura integrada que nos permite reciclar recursos, reprocesar residuos, y emplear compuestos orgánicos como fertilizantes.

Anakena is rooted at the foothills of the Andes in the Alto Rapel Valley, and the roots of our vines extract the full expression of our Andean soil, birthplace of our ancestral cultures. We are also committed to seeking out singular terroirs which constitute the essence of exceptional wines, and our specially selected terroirs include Alto Cachapoal in the Rapel Valley, Leyda in San Antonio, and the Ninquén hill in Colchagua.

Anakena is also about quality wines. For us quality is more than a goal, it is a true obsession. We are driven by excellence and by the search for new expressions in Chilean wines, and we make wines our way to offer something special and different to more discerning consumers. We want our wines to be genuinely Chilean and to show that they come from 'somewhere', and are made by 'someone'. Furthermore, we are committed to the preservation of the environment, using environmentally friendly methods. These include and 'integrated system' of agriculture, recycling resources, reprocessing any waste and the use of organic compost as fertilizers.

Varietal — *Cabernet Sauvignon 2003*

Cata: Este Cabernet Sauvignon de color púrpura presenta aromas a ciruela, guinda y notas especiadas. En el paladar es suave y bien estructurado, destacándose por su fruta madura y taninos redondos. De buen equilibrio y largo final es especial para acompañar carnes rojas y blancas, y quesos.

Tasting notes: A full bodied Cabernet Sauvignon with plums, red cherry and spice aromas. Smooth on the palate with ripe fruit flavours and rounded tannins, this deep purple wine is well balanced and has a lasting finish. Delicious with red and white meats and cheeses. Recommended serving temperature is 18 - 20°C.

Single Vineyard — *Carmenère 2003*

Cata: De color cereza intenso este Carmenère Reserva presenta notas a mora madura, pimienta y especias, aromas característicos de esta variedad icono de Chile. Fue envejecido en barricas de roble francés y americano, y en el paladar se distingue como un vino único, con cuerpo y elegante. Delicioso para acompañar carnes rojas y blancas, pastas o quesos.

Tasting notes: This Carmenère Reserve is bursting with ripe blackberry, damson and spice aromas. These notes are unique to this variety which has become the flagship wine for Chile. Intense fruit flavours and velvety tannins make this an exceptional wine. Delicious with red and white meats, pasta and cheese. Recommended serving temperature is 18-20°C.

Single Vineyard — *Viognier 2004*

Cata: De color oro es un vino intensamente aromático con notas a lima, damasco y frutas tropicales. En este Viognier se distingue la perfecta combinación de fruta y roble que produce vinos únicos, jóvenes y vibrantes. Delicioso como aperitivo o para acompañar aves y pescados al horno.

Tasting notes: Golden straw in colour, this Viognier has intense apricot and citrus aromas with a hint of tropical fruit. A crisp and well balanced wine. Delicious as an aperitif, or with poultry, seafood, salmon, and salads. Recommended serving temperatures is 12-24°C.

Ona — *Viognier - Chardonnay - Sauvignon Blanc 2004*

Cata: Un delicado ensamblaje de Viognier, Chardonnay y Sauvignon Blanc. 40% del vino fue fermentado en barricas de encina francesa. Combina las notas florales del Viognier, las notas tropicales del Chardonnay y las notas de lima del Sauvignon Blanc.
Un vino equilibrado, fresco y de final persistente. Delicioso para acompañar aves, mariscos y salmón.

Tasting notes: A delicate blend of Viognier, Chardonnay and Sauvignon Blanc. 40% of the wine was fermented in French oak barrels, and it combines the apricot and floral notes of Viognier with the tropical aromas of Chardonnay, and the lime notes of Sauvignon Blanc. Delightfully fresh and well balanced with a long finish. Delicious with poultry, seafood, and salmon.

Gonzalo Pérez
Enólogo - Winemaker

En 1984, Bruno Prats y Paul Pontallier, conocidos agrónomos enólogos de la región de Burdeos, comienzan a buscar en Chile un terroir de calidad para crear un viñedo original. Para ello se asocian con un amigo común, Felipe Solminihac, agrónomo y enólogo chileno de origen francés. En 1990 adquieren 18 hectáreas en los alrededores de la ciudad de Santiago, al pie de la Cordillera de Los Andes, en la "Quebrada de Macul", en el corazón histórico del Valle del Maipo.

Las primeras plantaciones se hacen con cepas de origen bordolés, presentes en Chile desde fines del siglo XIX. La bodega de vinos termina de construirse en 1993.

En enero de 2003, Ghislain de Montgolfier, agrónomo y enólogo de la Región de Champagne, y viejo amigo de los fundadores, se convierte en el cuarto socio, o como él dice recordando la novela de Alexandre Dumas, "el cuarto Mosquetero".

In 1984, Bruno Prats and Paul Pontallier, two well-known agronomists and oenologists from Bordeaux, France, decided to look for high quality land in Chile to plant a totally new vineyard.
Their third associate was their friend Felipe de Solminihac, Chilean agronomist and oenologist whose origins are actually French.

In 1990 they acquired 43 acres in the "Quebrada de Macul" - historically the heart of the Maipo Valley - at the foot of the Andean Cordillera, near the city of Santiago.

They planted typical Bordeaux varieties, grown in Chile for many years already. The construction of the cellar was completed in 1993.

In January 2003, Ghislain de Montgolfier, an agronomist and oenologist from the Champagne Region of France and an old friend of the founders, became the fourth associate, or "the fourth Musketeer", as he says, evoking the novel of Alexander Dumas.

SoldeSol — *Chardonnay*

100% Chardonnay

SOL de SOL

Cata: Es un Chardonnay puro, proveniente del viñedo más austral de Chile, plantado a 650 km. al sur de Santiago. Las uvas se benefician del clima frío para conservar su acidez natural, lo que permite al vino tener un perfecto equilibrio combinado con su gran fuerza y un impresionante frescor mineral.

Tasting notes: This Chardonnay is grown in the most southern vineyard of Chile, four hundred miles south of Santiago. It enjoys a cooler climate, preserving the natural acidity of the grapes. This pure Chardonnay combines a great richness with an attractive freshness.

Lazuli — *Cabernet Sauvignon*

100% Cabernet Sauvignon

Cata: Su nombre rinde homenaje a la piedra preciosa de Chile, el lapislázuli. Es la joya de la producción de Viña Aquitania. Cabernet Sauvignon puro, obtenido de una cuidadosa combinación de uvas de la viña y otras rigurosamente seleccionadas de terroirs complementarios del mismo Valle del Maipo. Potente y de gran estructura, este vino de inspiración bordelesa impresiona por su equilibrio, fuerza y elegancia.

Tasting notes: A name that pays homage to lapis lazuli, the precious gemstone from Chile, is the jewel of Aquitania. This pure Cabernet Sauvignon is prepared from and intelligent assembly of grapes from the Domaine and other selected, complementary, grapes grown in the Maipo Valley. Powerful and structured, this wine, impressively balanced and charmingly smooth, is directly inspired by the Bordeaux tradition.

Felipe de Solminihac
Enólogo - Winemaker

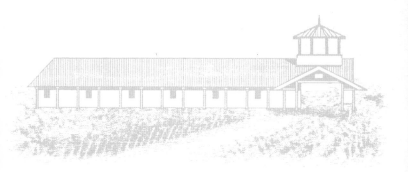

VIÑA BISQUERTT

ESTATE **VB** BOTTLED
BY
VIÑA BISQUERTT
FAMILY VINEYARDS

Si el terroir imprime el carácter y el hombre la calidad, estos se han complementado a la perfección en los vinos producidos bajo la marca Bisquertt. Las magníficas tierras de Colchagua han dado sus frutos bajo el ojo atento de esta tradicional familia afincada por generaciones en el valle.

El consumidor educado, tanto en Chile como en los principales mercados del mundo, ha podido distinguir e identificar plenamente sus vinos por su logrado estilo superior.

Todo partió en el corazón de Colchagua. La familia ha estado vinculada al cultivo agrícola y vitivinícola por más de 100 años, desde que generaciones anteriores a Don Osvaldo Bisquertt plantaron viñedos a fines del siglo pasado. En el año 1975, Don Osvaldo, actual presidente de Viñas Bisquertt, comenzó un selectivo plan de plantaciones, especialmente de Cabernet Sauvignon, Merlot, Carmenère, Sauvignon Blanc, Semillón, Malbec, Syrah y otras como Pinot Noir, Petit Verdot y Viognier que, con el correr de los años, han conformado las 800 hectáreas en producción de Viña Bisquertt.

Las bodegas de Bisquertt poseen hoy una sofisticada tecnología de temperaturas controladas, fermentación en estanques de acero inoxidable, con capacidad para 15 millones de litros en 1000 barricas de roble francés y americano para la guarda de los vinos Reserva. Don Osvaldo y la familia se han empeñado en mantener y conservar la arquitectura colonial de la bodega, combinando tradición y modernidad, llevando a cabo nuevas construcciones para brindar el mejor servicio al turismo de Viñas de Colchagua.

Existe un solo espíritu en Viña Bisquertt, excelencia, liderazgo, modernismo, visión de futuro, y tradición familiar, además de su constante elaboración de proyectos, que la han llevado a situarse entre las más grandes productoras de vinos finos del país. Ha recibido, entre otros, el galardón al Mejor Merlot del Mundo en el International Wine Competition de Londres Inglaterra 2002.

Great wines come from the best vineyards and the most talented people. We have the right blend.

More than 100 years ago, the first Bisquertts arrived in the Colchagua Valley from the French Basque country. After many generations of practicing agriculture in the Colchagua Valley, they founded Viña Bisquertt and began pursuing the goal of producing fine wines. Over the next several years, they carefully selected the finest vines available in Chile, descendants of the original ones brought over from France in the 19th century. Each bottle is a reflection of the family's passion, pride and dedication to the production of fine quality wines, rightfully renowned as the "Jewels" of Chile.

The valley's micro-climate is heavily influenced by its proximity to the Pacific Ocean. The cool frost-free nights typical of the area are coupled with dry, sun-drenched days that, together, create optimal growing conditions. Colchagua's pairing of excellent soils with an outstanding microclimate has led to its recognition as one of the finest viticultural areas of Chile. In the early 1990s, Viña Bisquertt began to bottle and sell its wines under its own label. At the same time, the company increased its plantations to its current total of 1000 ha. of Cabernet Sauvignon, Merlot, Chardonnay, Sauvignon Blanc, Malbec, Syrah, Pinot Noir, Petit Verdot and Viognier. The company now exports its wine to Europe, North America, South America, Oceania and Asia.

The spirit of Viña Bisquertt embodies excellency, leadership, modernity, vision, and family tradition. This, together with the constant elaboration of new projects, has carried the vineyard to its prestigious position among the country's greatest fine wine producers and has earned it the award Best Merlot of the World at the International Wine Competition of London, England 2002.

Cabernet Carmenère

Cata: Intenso color rojo rubí. Aromas complejos y elegantes de frutos silvestres y frutas secas, matizados con suaves aromas a especias y vainilla. En boca es potente, de gran estructura y suavidad. Deja sabores a chocolate y café en grano, con agradable y larga persistencia.

Tasting notes: Intense ruby red color.
Complex and elegant aromas of wild and dried fruits tinted with subtle aromas of spices and vanilla.
On the palate, it is vigorous, well structured and soft. Lingering tastes of chocolate and grain coffee with a pleasant long persistence.

Johana Pereira
Enólogo - Winemaker

DIVINE CREATION

A pioneer in the field of fine export wines, Viña Bisquertt's brands are currently found in the leading markets of the world. Reinforcing its reputation of excellence through major awards and lofty market achievements, the vineyard has firmly established its position as a leading brand among discriminating consumers.
The company's family structure has evolved with the entrance of new generations, each of which has contributed its own vision of excellence. Thanks to its tradition as a family enterprise, Bisquertt had long-ago laid the groundwork for what could be an Ultra Premium Wine. Up until now, however, it had not yet taken that last step.
The ultimate expression of excellence had yet to be achieved.
With this in mind, Don Osvaldo Bisquertt thoroughly reviewed his estates, in search of an area that had historically yielded superiour quality grapes. Such an area had to exhibit exceptional characteristics of soil, climate, and homogeny, to give rise to Bisquertt's Ultra Premium wine: ZEUS.
With the expertise of Don Osvaldo, the critical eye of the consulting oenologist, Mario Geisse and the experienced knowledge of the production manager, Felipe Bisquertt, the requisite land and vines were identified with absolute precision and, with the unanimous agreement of all three experts, the origins of Zeus had been located. This meticulous process resulted in a small plot of land measuring 2.25 hectares, inhabited by 35 year-old plants. In the next step, specialists managed the plant growth from the pruning stage to harvest, so as to yield the desired properties, according to a rigorous set of guidelines: the specific quantity and positioning of buds, particular shoot characteristics and number of clusters, and precise orientation to the sun. The resulting balance obtained from the vineyard was such that, according to oenologist Mario Geisse, treatments such as trimming and defoliation were, in fact, absolutely unnecessary.
The grapes were hand-picked and sorted into small lots of no more than 10 kilograms each They were gently de-stemmed, so as not to crush the fruit, then cold-macerated for three days at a temperature of 12° C. Select yeasts were added and the wine was stirred ("battonage") in special tanks during the alcoholic fermentation process, while maintaining a temperature between 28 and 30° C. Once the alcoholic fermentation was complete, a post-fermentation maceration at 22° C was carried out for 15 days, followed by the transfer to new French oak barrels for malolactic fermentation After 14 months of aging in the barrels, the wine was bottled in September, one year after its harvest, followed by three and a half years of aging in the bottle, to date. This extensive process, from the painstaking selection of terrain to the extra care in vinification, was built upon the long-standing foundation of Bisquertt's skilful production of exceptional wine – the supreme expression of the Bisquertt tradition.

Gran Reserva Merlot

Cata: Color rojo rubí con tintes rojo rubí.
En nariz, el vino es especiado con notas de regaliz, cassis y chocolate negro.
En boca, es un vino de cuerpo medio con excelente equilibrio de frutos silvestres, caracteres de chocolate y roble tostado.

Tasting notes: Medium gold in colour with a green tinge. A complex nose showing an excellent integration of the toasty oak with the tropical fruit flavours.
On the palate, the wine is creamy with mango, pineapple and white peach flavours overlying the toasty, nutty oak flavours.
The ideal accompaniment to confit de canard or creamy chicken dishes.

Gran Reserva — *Cabernet Sauvignon*

Cata: Color rojo profundo con bordes rubí.
En nariz, este vino presenta una mezcla de cassis, mentol, tabaco y una insinuación de humo.
Un vino complejo con taninos aterciopelados y la perfecta integración de roble especiado con grosella negra.

Tasting notes: Medium to deep red in colour with a ruby edge.
On the nose this wine presents a blend of cassis, menthol, tobacco and a hint of smokiness.
A complex wine with velvety tannins and the perfect integration of spicy oak flavours with blackcurrant. Ideal with mature cheeses or exquisite meat dishes.

Gran Reserva — *Carmenère*

Cata: Color rojo rubí profundo.
En nariz, el vino muestra características de arándano con especias y tostado.
En boca presenta sabores a fruta silvestre, taninos suaves; es un vino de cuerpo con excelente persistencia.

Tasting notes: Deep red in colour with a black middle.
On the nose, the wine shows blueberry fruit characters with some spice and a toastiness from the oak.
On the palate, this full bodied wine has smooth tannins, an excellent persistence and berry fruit flavours, supported by toasty oak.
Ideal with barbequed or roasted meats.

Reserva — *Cabernet Sauvignon*

Cata: Color rojo violeta profundo.
En nariz, el clásico aroma a cassis de los Cabernet Sauvignon de Colchagua, acompañado por un toque de eucaliptus y café.
En boca, un vino de cuerpo medio, complejo, con notas a grosella negra y sabores ahumados.

Tasting notes: Deep red to purple in colour.
On the nose, classic Colchaguan Cabernet sauvignon with aromas of cassis, underlain by a touch of eucalyptus and coffee.
On the palate, a medium to full bodied, complex wine with rich blackcurrant flavours, supported by smoky, toasty oak flavours. A wine to be enjoyed with rich meat dishes.

Reserva — *Merlot*

Cata: Color rojo cereza profundo con tintes rubí.
Nariz compleja con aromas de frutos rojos silvestres, chocolate y un toque de menta.
En boca, este vino de cuerpo medio despliega taninos suaves y caracteres de fruta silvestre.
Complejo y rico, con sabores que recuerdan berries y chocolate.

Tasting notes: Medium to deep cherry red with a vibrant ruby edge.
A complex nose with aromas of red berry fruits, spicy raspberries, chocolate and a touch of mint.
On the palate, this medium bodied wines displays smooth tannins and berry fruit characters. Complex and rich with a berry and chocolate persistence, this wine is the perfect accompaniment to delicate beef dishes.

Reserva — *Malbec*

Cata: Un color rojo violeta profundo con un tinte ciruela.
Una combinación compleja de frutas silvestres maduras y de ciruela seca en nariz con un toque de roble tostado.
La ciruela y la frambuesa condimentan el paladar firmemente; taninos suaves. La madera respeta la fruta con un final de boca con sabores secos afrutados.

Tasting notes: Medium to deep red with a plum tinge.
A complex mix of ripe berry fruits and dried plums on the nose with a touch of toasty oak.
Plum and raspberry flavours on the palate with firm, but not astringent tannins. The spicy oak supports the fruit and the wine finishes with spicy dried fruit flavours.
Ideal as an accompaniment to wild mushroom risotto or osso buco.

Reserva — *Syrah*

Cata: Color rojo rubí con bordes violáceos.
En nariz se presenta complejo con notas a menta, notas tostadas, frutas rojas silvestres y chocolate.
Sabores ahumados, de taninos dulces. Excelente persistencia.

Tasting notes: Medium red in colour with a purple edge.
Minty with red berry fruits and some chocolate licorice.
Smoky flavours and toasty oak, supported by sweet, almost jammy berry fruits. Excellent persistence.
Wine for the barbeque! Or open a couple of hours before a rich meal of roasted meats.

Reserva — *Sauvignon Blanc*

Cata: Color amarillo brillante con tintes verdosos.
Predominan en nariz las frutas tropicales y aromas de flor de naranja. En boca, este vino de cuerpo medio y complejo muestra frutas tropicales, sabores de espárragos y minerales, con un final cremoso.

Tasting notes: Brilliant, light yellow with a green tinge.
Passionfruit and orange blossom aromas predominate on the nose.
On the palate, this medium bodied, complex wine shows passionfruit, asparagus and lime flavours with a creamy finish from the extended lees ageing. The perfect aperitif or as an accompaniment to tuna or prawn dishes.

Varietal — *Carmenère*

Cata: Color rojo profundo con intensos tintes violáceos.
En nariz el vino muestra frutas rojas maduras con un toque floral. Un vino fácil de beber, de taninos dulces y agradables sabores a fruta silvestre.

Tasting notes: Deep purple in colour with a black middle.
On the nose, the wine shows ripe red fruits with a touch of rosemary.
An easy drinking wine, with sweet tannins and rich berry fruit flavours. This wine is the perfect accompaniment to grilled vegetables or mixed antipasto.

calina ALCANCE™ BRAVURA®

VIÑA CALINA

Viña Calina, ubicada en un lugar privilegiado de Chile, pone énfasis en la producción de vinos de clase mundial. Para ello aplica las afamadas prácticas vitivinícolas y enológicas desarrolladas por Kendall-Jackson en California, junto con la utilización de uvas provenientes de los mejores terroirs de Chile.

Al contrario de las viñas tradicionales chilenas, que se ubican en las zonas más cálidas del Valle Central, Viña Calina fue pionera al adoptar la misma visión que con éxito desarrollara Kendall-Jackson en California: producir uvas en los mejores valles que poseen climas con influencia marítima. Días cálidos, noches frescas y mañanas brumosas permiten vinos de calidad superior, intensos en frutas, acidez balanceada y taninos suaves.

Calina selecciona los mejores viñedos y utiliza las mejores prácticas vitivinícolas y técnicas en la vinificación, en sus marcas Calina Reserva, Alcance y Bravura.

Desde sus inicios en 1993, Calina ha recibido numerosos reconocimientos internacionales y, año tras año, ha sido destacada, Calina Reserva como "Best Buy" por renombrados críticos de vinos. Estos premios sustentan la iniciativa de Calina de crear vinos de inimitable calidad a un precio accesible.

Calina Winery brings together the best of the Americas in its endeavor to create a world-class wine. Calina uses the famed vineyard practices and winemaking technology developed by Kendall-Jackson in California, while sourcing the best fruit from the emerging top Chilean coastal appellations.

While Chile's traditional wineries are generally located in the warm central regions, Calina Winery pioneers the same vision that brought success to Kendall-Jackson Wine Estates in California: to produce and source the best fruit from the best producing regions along Chile's expansive cold coast. The climate of warm days, cool nights, and morning fog results in consistently superior, fruit-forward wines with acidity and soft tannins.

Wine Estates Collection, Calina simply uses some of the best vineyards, the best farming practices and the best winemaking technology in the brands Calina Reserva, Alcance and Bravura.

Since it began making wine in 1993, Calina has received international acclaim and, most importantly, it has been recognized, Calina Reserva, year after year as a "Best Buy" from leading wine critics. These awards support Calina's initiative to create wines of inimitable quality at an affordable price.

Reserva 2003

Chardonnay

Cata: Mezcla perfecta de los valles de Casablanca y Limarí; este chardonnay muestra un color amarillo pajizo con ribetes verdosos, su nariz es de carácter tropical con tonos minerales, acomplejada por su fondo tostado y lácteo. En boca es elegante y equilibrado. Valle de Casablanca, 9 meses en barricas francesas.

Tasting notes: The perfect blend of Casablanca and Limari Valley, this Chardonnay shows golden yellow with a slight green edge. The nose has a tropical character with mineral under - tones, complex with a milky toasted finish. The mouth-feel is elegant, long and creamy, with a fresh overall, due to its balanced natural acidity. Casablanca Valley, aged 9 months in french barrels.

Reserva 2002

Merlot

Cata: La Nariz de este Merlot es de frutos negros como ciruelas y moras, sumado a los tonos florales típicos del Maule. En boca, destaca su gran acidez, entregándonos la frescura exquisita del Merlot con un perfecto equilibrio entre fruta y roble. Valle del Maule, 9 meses en barricas francesas.

Tasting notes: On the nose, this merlot is full of black fruit like plum and blackberries, which adds to the floral notes which are typical of Maule. In the mouth, a nice acidity is prominent which delivers the exquisite freshness of the Merlot. Add this to the voluminous mouth feel due to the soft tannins, it allows us to say that the balance between the fruit and the oak is perfect. Maule Valley, aged 9 months in french barrels.

Reserva 2004

Carmenère

Cata: Vino de color púrpura. Su naríz está llena de frutas negras, como moras y cerezas, acomplejado con sutiles notas de moca, butterscotch y especies. En boca se mezclan un sinnúmero de sensaciones, gran cuerpo, taninos aterciopelados de frutas negras frescas combinadas con especies y toques de humo y roble. Valle del Maule, 9 meses en barricas francesas y americanas.

Tasting notes: A deep purple wine... the nose is full of black fruit, blackberries and cherry, complex due to the subtle notes of mocha and butterscotch. The mouth is complex, with diverse sensations, strong body, velvety tannins of fresh fruit combined with hints of smoke and oak. Maule Valley, aged 9 months in french and American barrels.

Reserva 2002

Cabernet Sauvignon

Cata: Reserva, Cabernet Sauvignon 2001:
La nariz nos muestra frutas rojas maduras combinadas con menta y guinda negra. En la boca los sabores rojos se potencian con taninos muy maduros, adornados por toques de café y moca, aportados por la guarda. Valle de Colchagua, 9 meses en barricas francesas y americanas.

Tasting notes: The nose shows mature red fruit combined with mint and black cherry. In the mouth, red notes are empowered by mature tannins, adorned with a hint of coffee and mocha imparted by 9 months of aging. Colchagua Valley, aged 9 months in French and American barrels.

Felipe García Reyes
Enólogo - Winemaker

Viña Chateau Los Boldos

Existe un Chateau francés en Chile.

CHATEAU LOS BOLDOS pertenece a la famosa familia MASSENEZ de ALSACIA, Francia.

Sinónimo de prestigio y elegancia, se estableció hace más de un siglo como lider mundial en la producción de aguardientes de pera y frambuesa.

En 1990, adquirió un viñedo chileno plantado desde 1850 por una familia de origen vasco, siendo una de las primeras inversiones extranjeras en Chile. Esto permitió la resurrección de la propiedad.

La calidad que hemos logrado nos ha permitido destacar en los más selectivos concursos del mundo. Gracias a incansables esfuerzos, los vinos CHATEAU LOS BOLDOS son vendidos en más de 70 países.

CHATEAU LOS BOLDOS PERTENECE A LA ELITE PREMIADA EN EL MUNDO. ESTE ES EL RECONOCIMIENTO A LOS CONSTANTES ESFUERZOS DE CALIDAD DE LA FAMILIA MASSENEZ.

There is a French chateau in Chile

Chateau Los Boldos belongs to from the famous family Massenez from Alsace in France. Synonymous with prestige and elegance, the family has established itself for over a century as the world leader in the production of "eaux - de - vie" made from pear and raspberry.

In 1990, Dominique Massenez bought a Chilean vineyard planted in 1850 by a Basque family, being one of the first foreign investment in Chile. This allowed for the resurrection of the domaine.

The quality that we have reached allowed us to win awards in the most selective competition of the world. Thanks to these inexhaustible efforts, Chateau Los Boldos wines are sold in more than 70 countries.

CHATEAU LOS BOLDOS BELONGS TO THE AWARDED ELITE IN THE WORLD. THIS IS THE RESULT OF THE MASSENEZ FAMILY'S CONSTANT DEVOTION TO QUALITY.

Grand Cru

Cabernet Sauvignon - Merlot

Cepa
Cabernet Sauvignon (1948)
Merlot (1959).
Cosecha
2000
Vinificación
18 meses en barricas de
roble francés.
Cata Color rubí azulado.
Nariz intensa exhala
perfumes de frutas rojas y
madera.
Vino amplio de taninos
generosos.

Variety
Cabernet Sauvignon (1948)
Merlot (1959).
Variety
2000
Vinification
18 months in french oak
barrels.
Tasting notes
Deep ruby colour.
Intense nose exhales red
fruits and woody.
Rich wine with generous
tannins.

Nombre Apellido
Enólogo - Winemaker

VIÑA CARMEN

VIÑA
CARMEN

Fue en 1850 cuando Christian Lanz decide poner en marcha la visionaria iniciativa de producir vinos de calidad Premium con cepas provenientes del viejo continente, fundando así la primera viña productora de vinos en Chile, cuyos viñedos bautizó con el nombre de Carmen, en honor a su esposa.

Desde el primer momento se preocupó por definir el principio que regiría cada una de las acciones que se emprenderían en esta nueva empresa: dedicación absoluta por la calidad e innovación permanente en el proceso de elaboración de vinos finos.

En 1985 la marca Carmen fue adquirida por el grupo Claro, iniciándose una nueva etapa con el desarrollo de los mercados internacionales a principios de los '90. La nueva administración dio gran impulso a la empresa, introduciendo grandes adelantos destinados al continuo desarrollo de vinos Premium, lo cual rápidamente significó ganar importantes premios y reconocimientos en el ámbito nacional e internacional, posicionando a la marca como una de las más reconocidas y preferidas productoras de vinos del nuevo mundo.

La permanente innovación en la producción de vinos de calidad superior, sumado a la adquisición de terrenos en los privilegiados valles del Maipo, Casablanca y Rapel, es fruto de la constante busqueda de la mejor combinación entre cepas, climas y valles, que permite obtener las uvas que dan origen a los grandes vinos de Viña Carmen.

Lo anterior permite ubicar sus productos en los más altos escalafones de calidad en nuestro país y en el resto del mundo, asegurando la sólida posición que mantiene dentro del competitivo mercado del vino.

Christian Lanz, in 1850, decided to launch the foresighted initiative to produce Premium quality wines with varieties coming from the Old World, thus, giving birth to the first vineyard to produce Chilean wines. He honored his wife by naming the vineyard after her name: Carmen.

From the very beginning, he cared about defining the principle that would rule each action to be undertaken by this new enterprise: total dedication towards quality and endless innovation in the fine wine elaboration process.

During 1985, the Carmen brand was purchased by the Claro Group, initiating in the 90s a new phase,: international market development. The new administration gave quite an impulse to the enterprise by introducing great innovation destined to the continued development of Premium wines, which very quickly translated into winning important awards and recognition in the domestic and international markets. This positioned the brand as one of the best known and preferred wine producers of the New World.

The continuous innovation towards superior quality wine production, plus land acquisition in the privileged Maipo, Casablanca and Rapel valleys, is the result of the constant quest for the best combination of varieties, climate and valleys, thus obtaining the grapes that give birth to Viña Carmen's great wines.

All of the above allows the vineyard to position its products at the highest quality levels worldwide and domestically, ensuring the solid position attained within the competitive wine market.

Gold Reserve — *Cabernet Sauvignon 2001*

CARMEN

2001
Cabernet Sauvignon
D.O. Valle del Maipo

VINO

Cata: De color rojo rubí profundo con aromas y sabores intensos, complejos y elegantes. La identidad del Terroir del valle del Maipo se encuentra claramente expresada en la riqueza de este vino. Aromas a mermelada de cassis maduros, menta y guindas. Se mezclan también aromas a cedro, laurel, chocolate, tinta, vainilla, cajetilla de cigarros y caracteres especiados. En boca tiene taninos firmes y bien balanceados de excelente persistencia aromática. Este vino tiene una gran estructura, fuerza, fruta y riqueza. Este es un gran vino, de larga vida. El vino envejeció en barricas de roble francés con un período de 16 meses. El vino fue embotellado y descansó en nuestros casilleros por 12 meses antes de ser lanzado al mercado.

Tasting notes: A full deep ruby colour with intense and complexes aromas of blackcurrant , ripe cassis jam, dark chocolate and cigar box. Some mint nuances and fumé character. Perfectly integrated with cedar, laurel , inky aromas, vanilla, cigar box and spicy flavours. Wonderfully rich on the palate; a beautiful structure and ripe tannins. There is plenty of fruit, power and elegance .This is a huge and long life wine. The terroir identity of the foothills of the Andes Mountain in the Maipo Valley can be found unmistakable in the richness of this wine. The wine was blended and aged in new French oak barrels for a period of 16 months. The wine aged for additional 12 months in bottle, prior to its release.

Wine Maker's Reserve Red — *2000*

CARMEN

Wine Maker's
Reserve

2000
Red
D.O. Valle del Maipo

VINO

María del Pilar González
Enólogo - Winemaker

Cata: El vino Wine Maker's Reserve Red muestra un color rojo rubí profundo y brillante con intensos aromas a cassis, cerezas, ciruelas, cedro y notas a menta, violetas y pimienta. En boca es un vino rico en frutas negras, pimienta, sabores a especias, de fina estructura y sólidos taninos. Carmen Wine Maker's Reserve Red fue envejecido por 12 meses en barricas de roble francés. Una vez embotellado descansó por 12 meses en nuestros casilleros hasta lograr su madurez.

Tasting notes: This blend has a particular personality and a remarkable complexity; the big expression of our Maipo's estate vineyard terroir through the tipicity of our best red varieties. Richly concentrated and intense; with a deep and vibrant colour. Full bodied, with strong cassis, cherry fruit, plums, cedar aromas with hints of mint, violets and pepper. Very seductive and structured palate, elegantly proportioned with sweet spicy oak, fleshy, mocha, berry, truffle and liquorice flavours and smoky nuances. A firm backbone of velvety fine grained tannins, and excellent length. Long and flavourful finish. The final blend was made, the same year, after both fermentations. 100% of the wine was aged in French oak barriques for a period of 12 months. After bottling, the wine was aged for additional 12 months prior to its release.

Reserva — *Grande Vidure Cabernet Sauvignon 2003*

CARMEN
RESERVA
2003
GRANDE VIDURE
CABERNET SAUVIGNON
D.O. VALLE DEL MAIPO

Cata: Este vino muestra un color rojo rubí profundo, con intensos aromas a frutas maduras rojas, guindas silvestres maduras, laurel, trébol, menta, pimienta, chocolate amargo y aceitunas negras. En el paladar es concentrado y bien estructurado y equilibrado en.- María del Pilar González El vino fue mezclado y luego envejecido durante 8 meses en barricas de roble francés y americano. Una vez embotellado descansó en nuestros casilleros por 6 meses hasta lograr su madurez

Tasting notes: Dark ruby red in colour. A rich and refined wine, with plenty of ripe fruits character and spices. Intense wild black cherry fruit aroma, followed by notes of laurel, clove, mint, pepper, dark chocolate and black olives. Well structured and concentrated with a lovely balance of jammy and dark ripe fruit along peppery flavours and sweet oak. Fine grained, smooth and velvety tannins. A complex wine with a long finish. The wines were blended and 80% of the wine aged in French and American oak barriques for 8 months. After bottling, the wine aged in our cellar for additional 6 months prior to its release.

Nativa — *Cabernet Sauvignon 2003*

CARMEN

2003
CABERNET SAUVIGNON
D.O. VALLE DEL MAIPO

VINO

Cata: El vino muestra un color rojo rubí brillante e intenso. Usted encontrará cassis maduros, cerezas, eucaliptus, menta, tostado, café y tabaco. Muchas especies con taninos finos y maduros. Este es un vino orgánico elegante y de mucho cuerpo, equilibrado y largo y de un gran final que muestra la gran persistencia aromática propia de los vinos del valle del Maipo. El vino fue envejecido por 12 meses en barricas de roble francés. Una vez embotellado, descansó por 12 meses en nuestros casilleros hasta lograr su madurez.

Tasting notes: Red ruby colour. Intense fruity aromas of ripe cassis, black berries, cherries, a bit of tobacco and nuances of sweet mint. In the palate, has a big structure with ripe, soft tannins and a long lingering finish. The wine was aged in french oak barrels for a period of 12 months were they made malolactic fermentation. An additional ageing of 12 months was made in bottles before released.

VIÑA CASABLANCA

Viña Casablanca fue fundada en 1992 con el objetivo de mostrar el potencial de los mejores terroirs chilenos, creando una organización vitivinícola única y moderna. A principios de los noventa, Viña Casablanca fue una de las empresas pioneras en el conocido Valle de Casablanca al adquirir y comenzar el cultivo de lo que llegaría a ser su predio insigne: el Viñedo Santa Isabel.

Una década más tarde, Casablanca se erige como una de las más prestigiosas viñas emergentes de Chile, famosa por sus vinos elegantes, exuberantes y frescos, encarnando a la modernidad en el marco del idílico paisaje de las regiones vitivinícolas chilenas. La viña se ha destacado por su amplia variedad de productos, tanto en vinos blancos como en tintos, motivo por el cual ha recibido numerosas distinciones en Chile y el extranjero. A fines de los noventa, Viña Casablanca obtuvo la distinción "Bodega de la Década" en Chile.

El enólogo jefe de Viña Casablanca es el español Joseba Altuna, quien realizó sus estudios en Madrid (España) y Montpellier (Francia), antes de lograr fama internacional en la Bodega Guelbenzu en Navarra, España. Hoy, además de ser enólogo jefe de Viña Casablanca en Chile, Joseba se dedica a interesantes proyectos vitivinícolas en España.

Viña Casablanca was founded in 1992 with the objective of showing the potential of the finest Chile's terroirs, building an exclusive and modern winemaking organization. At the beginning of the nineties, Viña Casablanca was one of the pioneers in the renowned Casablanca Valley, purchasing and planting the property that would become its flagship vineyard: Santa Isabel Estate.

After one decade, Viña Casablanca has become one of the most prestigious boutique wineries in Chile, and is known for its consistently fresh, exuberant and elegant wines, which represent the modern embodiment of Chile's idyllic wine-growing regions. Since the introduction of Viña Casablanca wines, the winery has been recognized for its complete portfolio of both white and red wines, and has been awarded with a myriad of distinctions in Chile and abroad. At the end of the nineties, Viña Casablanca was awarded the "Winery of the Decade" in Chile.

The winemaker in chief of Viña Casablanca is the spanish Joseba Altuna, who was educated and trained in Madrid (España) and Montpellier (France), before attaining international recognition for his wines at the Guelbenzu, Navarra. Today, Joseba participate in interesting winemaking projects in Spain.

Neblus 2002 — *Cabernet Sauvignon, Carmenère, Merlot*

70% Cabernet Sauvignon,
20% Carmenère, 10% Merlot

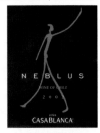

Cata: Neblus, es un assemblage único de Cabernet Sauvignon, Merlot y Carmenère. Presenta un intenso y brillante color rojo con notas púrpuras y delicados aromas florales de violeta, y frutos rojos maduros. Su exuberante carácter frutal se integra sutilmente con las especies dulces de la crianza en barricas. Sus redondos taninos brindan una deliciosa y aterciopelada textura. Complejo y elegante, es el perfecto representante de todo el potencial de los vinos tintos de Viña Casablanca.

Tasting notes: Neblus, a unique red assemblage of Cabernet Sauvignon, Merlot and Carmenère. This wine features a deep and bright red colour with purple hints and delicate floral aromas of violets and rich ripe fruit. Exuberant fruit characters combine subtly with spicy and sweet notes of oak on the palate, and its round tannins provide a delicious velvety texture. Complex and elegant, this wine is the perfect example of all the potential of Viña Casablanca red wines.

Santa Isabel Estate 2005 — *Sauvignon Blanc*

100% Sauvignon Blanc

Cata: Este Sauvignon Blanc Santa Isabel Estate presenta un abanico de aromas florales y de frutas frescas, tales como jazmín, lima, durazno blanco y piña. En boca es chispeante, fresco y de una agradable acidez que acentúa las notas cítricas; es un vino refrescante y balanceado. Un vino redondo, con buen cuerpo. Atractivo e innovador en su estilo.

Tasting notes: This Santa Isabel Estate Sauvignon Blanc presents a wide range of fresh fruit and floral aromas, including jasmine, lime, white peach, and pineapple. Crisp and lively acidity accentuates the citrus notes on the palate. This is a refreshing and well-balanced wine with good body and an attractive, innovative style.

Santa Isabel Estate 2003 — *Merlot*

100% Merlot

Cata: Este Merlot Santa Isabel Estate es de color rojo rubí violáceo y se distingue por una gama de sabores de frutos rojos y negros, tales como moras, arándanos y pasas, que se integran armoniosamente con elegantes tonos de barrica francesa. Sus taninos contribuyen a una textura deliciosamente aterciopelada. Complejo y elegante, este Merlot es el ejemplo perfecto de todo el potencial del terroir del Valle de Casablanca.

Tasting notes: This Merlot from Santa Isabel Estate impresses with its ruby red and violet color and its wide range of red and black fruit flavors such as blackberries, blueberries, and raisins harmoniously integrated with elegant notes from the French oak barrel. The tannins contribute a delicious velvety texture. Complex and elegant, this Merlot is the perfect example of the true potential of Casablanca Valley terroir.

El Bosque 2004 — *Syrah*

100% Syrah

Cata: Este Syrah tiene un profundo e intenso color rojo rubí violáceo. Sus aromas dulces y especiados se entremezclan suavemente con las notas de vainilla. En boca, destaca la potencia de las frutas berries, negras y rojas, elegantemente equilibradas con las notas de tostado y coco entregadas por sus 12 meses de guarda en barrica francesa.
Un vino redondo y completo, de un largo y persistente final.

Tasting notes: This Syrah has a deep ruby red color with a violet hue and features sweet and spicy aromas nicely blended with a touch of vanilla. Red and black berry fruit flavors come forward on the palate, elegantly balanced by notes of toast and coconut from its 12 months of French oak barrel aging. The long finish is round, complete and persistent.

Joseba Altuna
Enólogo - Winemaker

Casa Lapostolle

Durante seis generaciones la familia Marnier Lapostolle ha desarrollado su liderazgo en la industria de licores y vino. De esa tradición viene Alexandra Marnier Lapostolle quien buscó en Chile el "terroir" indicado para elaborar los vinos CASA LAPOSTOLLE.

En l994, Alexandra estableció su bodega con los mejores avances tecnológicos para producir vinos de calidad. Desde la cuidadosa cosecha manual de los racimos hasta el envejecimiento en barricas de roble francés, estos apreciados vinos se caracterizan por su gran concentración y personalidad. El espléndido microclima de los valles de Rapel, Colchagua y Casablanca - junto con la experiencia de Michel Rolland, enólogo de Bordeaux de renombre mundial - han dado como resultado vinos de prestigio que responden al lema de la viña "chileno por naturaleza y francés por diseño".

Hoy, los vinos CASA LAPOSTOLLE tienen una presencia destacada en los hoteles Ritz Carlton, que se origina en una antigua amistad. En 1880, Alexandre Marnier Lapostolle le dio a probar a su amigo César Ritz un licor que acababa de crear con cognac y esencia de naranja. El que sería dueño del hotel parisino más famoso, lo encontró "grandioso" y sugirió que lo llamara GRAND MARNIER. Más tarde, cuando Ritz quiso comprar el edificio del número l5 de Place Vendôme para instalar su hotel, fue su amigo Marnier quien le aportó parte del capital.

Al igual que su bisabuelo, Alexandra Marnier Lapostolle no sólo ha creado un destacado producto, sino que ha continuado con la tradición de excelencia acuñada por su familia. Y siguiendo con la costumbre, escogió el nombre de su abuelo para su línea Cuvée Alexandre, y el nombre del valle "Apalta" en Colchagua para su vino Súper Premium Clos Apalta.

For six generations the Marnier Lapostolle family has exhibited a leading position in the industry of wines and liquors. From this tradition proceeds Alexandra Marnier Lapostolle, who searched in Chile the appropriate "terroir" for the elaboration of the CASA LAPOSTOLLE wines.

In 1994, Alexandra established her winery with the best technological improvements to produce quality wines. Starting with a careful manual harvesting of the grapes, till the ageing processes in French oak barrels, these highly praised wines stand out for their great concentration and personality. The excellent micro climate of the Rapel, Colchagua and Casablanca valleys - together with the experience of Michel Rolland, worldly famous oenologist from Bordeaux - have combined to produce prestigious wines that honor the slogan of this vineyard "Chilean by nature, French by design".

Today, the CASA LAPOSTOLLE wines exhibit a noticeable presence in Ritz Carlton Hotels, derived from an old friendship. In 1880, Alexandre Marnier Lapostolle let his friend Cesar Ritz taste the liquor he had just created with cognac and orange essence. The person who would later become the owner of the most famous Parisian hotel found it "great" and proposed the name GRAND MARNIER. Later on, when Ritz wanted to buy the building n° 15 of Place Vendôme to install his hotel, it was his old friend Marnier who lent him part of the capital.

Just like her great grand father, Alexandra Marnier Lapostolle has not only created a distinguished product, she has continued with the tradition of excellency affixed by her family. And to continue with the tradition, she chose the name of her grand father for her Cuvée Alexandre line, and the name of the "Apalta" Valley in Colchagua, for her Super Premium Clos Apalta wine.

Clos Apalta 2002

65% Merlot-Carmenère,
35% Cabernet Sauvignon
del Valle de Colchagua

Vinificación

- El mosto fue fermentado
  por 15 días a 27-29°C,
  seguido de 15 días de
  maceración.
- Envejecido durante 21
  meses en barricas nuevas
  de encina francesa.
- No clarificado y no filtrado.
- Embotellado en
  Febrero 2000.

Cata Color rojo púrpura e
intenso. Compleja y atractiva
nariz de frutas rojas, moras,
cerezas y frambuesas,
mezclado con notas tostadas
de vainilla, chocolate y café.
En la boca, el Clos Apalta tiene
densidad, volumen y riqueza.
La excepcional calidad de
sus taninos da al vino, no
sólo una textura fina y suave,
sino también un carácter
bien estructurado, con un
gran potencial de
envejecimiento. El final es
largo, aterciopelado y sedoso.

Vinification

- Must was fermented for
  15 days at 27-29°C
  followed by a 15 day post-
  fermenting maceration.
- Aged for 21 months in new
  French oak barrels.
- Unfined and unfiltered.
- Bottled in February 2002

Tasting notes Deep and
intense red purple color.
Complex and seductive nose
of red fruits, blackberries,
black cherry and raspberries,
mixed with toasted notes of
vanilla, black chocolate and
coffee. On the palate, Clos
Apalta has density, volume
and fullness. The exceptional
quality of its tannins lend
the wine not only a fine and
smooth texture, but also a
well-structured character,
with great ageing potential.
The finish of this lovely wine
is long, velvety and silky.

Cuvée Alexandre 2003 — *Merlot*

Cata: Profundo color rojo con reflejos oscuros. En nariz limpio y complejo, rico en frutas rojas maduras (como cerezas negras), higos y moca. En boca, redondo y pleno en el paladar, con taninos aterciopelados, acompañados por una clara acidez que permanece hasta el final. Muy bien balanceado y de gran persistencia.

Tasting notes: Deep red with dark inky reflections. Clean and complex, rich in ripe red fruit (such as black cherries), figs and mocha. Round and full on the palate, with velvety tannins accompanied by a clean acidity that remains till the finish. Very good balance and great persistence.

Cuvée Alexandre 2003 — *Cabernet Sauvignon*

Cata: Intenso y profundo color rojo rubí. Nariz intensa, aromas a frutas rojas, ciruelas, cerezas y cassis, mezcladas con elegantes toques de suaves especias, vainilla y notas tostadas. En boca, el vino muestra un perfecto balance, cremoso y taninos redondos y aterciopelados. Concentración y elegancia le dan una firme identidad. Un final largo y persistente.

Tasting notes: Deep and bright red ruby color. Intense nose, aromas of red fruit, plums, cherries and cassis mixed with elegant touches of sweet spices, vanilla and toasty notes. In the mouth the wine shows a perfect balance, creamy and velvety round tannins. Concentration and elegance give a firm identity. Long and persistent finish. This wine can be enjoyed now or cellared for several years.

Cuvée Alexandre 2002 — *Syrah*

Cata: Color púrpura oscuro, profundo e intenso. Explosivo en nariz con mucho sabor a frutos rojos y sutiles tonos de tocino ahumado y especias. En el paladar el vino es denso con una sensación en boca suave y completa. Los taninos son redondos y sedosos, conduciendo a una terminación aterciopelada y larga. Un vino lleno de sabores y de gran personalidad para beberlo ahora o guardarlo por varios años.

Tasting notes: Deep, intense black purple color. Explosive nose with plenty of red fruit flavors and undertones of smoky bacon and spice. Toasty notes imparted by the oak ageing complement the fruit. On the palate the wine is very dense, with a full, smooth mouth feel. The tannins are round and refined, leading to a long, velvety finish. A full-flavored wine of great personality to drink now or be cellared for many years.

Cuvée Alexandre 2003 — *Chardonnay*

Cata: Atractivo y brillante color amarillo oro. Nariz compleja, elegante y limpia. Con aromas a frutas tropicales, predominando las notas a citrus y piña dominando notas muy delicadas a tostado y miel que provienen de una madera de encina francesa bien integrada. En boca es un vino denso, cremoso y bien estructurado con una acidez bien balanceada que le aporta una frescura explosiva otorgándole un final persistente y placentero.

Tasting notes: Attractive, brilliant golden-yellow color. Complex, elegant and clean nose, with tropical fruits, pineapple and citrus tones dominating very delicate toasty and honey notes coming from a fine and well integrated French oak. Dense, creamy and nicely-structured wine in mouth, with a well balanced acidity that makes it alive and fresh, with a very pleasant and persisting finish.

Jacques Begarie
Enólogo - Winemaker

VIÑA CASA MARIN

Casa Marín está ubicada a sólo 4 kms. de la costa en el Valle San Antonio, convirtiéndose en el viñedo más cercano al Océano Pacífico. Ha sido descrito como "el más osada e innovador" en Chile, y su único microclima y variados tipos de suelos, dan vida al "terroir" recientemente descubierto en los vinos finos.

Fundada por María Luz Marín, enólogo y mujer emprendedora, el viñedo nace alrededor del año 1999, en donde diferentes cepas fueron plantadas en 25 hectáreas, destacando su Pinot Noir, Gewurztraminer, Sauvignon Blanc y Sauvignon Gris. Suaves inviernos, libres de heladas, junto a brisas marinas del Pacífico, hacen de nuestra viña una locación ideal para el desarrollo de vinos con nuevo caracter frutal. Estas condiciones junto a la experiencia de destacados enólogos convierten a Viña Casa Marín en una viña con vinos sorprendentes.

Casa Marín is located only 4 kms. from the coast in the San Antonio Valley, making in the country's closet vineyard to the Pacific Ocean. It has been described as the "most daring and innovative vineyard" in Chile, and the unique microclime and wide variety of solis found here, give birth to a "terroir" recently discovered for the viticulture of fine wines.

Founded by María Luz Marín, winemaker and business entrepreneur, the vineyards date back to 1999, when different varietals were planted in the firts 25 hectares: Pinot Noir, Gewurztraminer, Sauvignon Gris and Sauvignon blanc. Gentle winters, free of frost, together with gusts of wind from the Pacific, make our vineyards the ideal location for the development of wine with a new character of fruit. These conditions, coupled with the expertise of three winemarkers, make Viña Casa Marín a unique winery with truly outstanding wines.

Laurel Vineyard

Cata: Sorprendente caracter varietal con claras notas minerales. Vino fresco con intenso caracter frutal, refrescante acidez y suaves notas de melón, buena estructura en boca entregan una gran complejidad y persistente final. Vino recomendado para una guarda prolongada.

Tasting notes: Expressive, aromatic, round in mouth and mineral. Strong fruit character in line with varietal archetype with lush acidity and soft melon sweetness on the middle palade. Finish is clear, fresh and telling of great potencial for in-bottle evolution.

María Luz Marín
Enólogo - Winemaker

2004   Bottle N° 008/1400

CASA MARIN
Laurel Vineyard

SAUVIGNON BLANC
D.O. SAN ANTONIO VALLEY
WINE OF CHILE

La pasión de la familia Silva por la tierra y el vino que produce, su permanente atención a los detalles y su compromiso con las generaciones venideras definen la forma en que miran al mundo desde el Valle de Colchagua.

Viña Casa Silva es una empresa en la que cada miembro de la familia participa con total dedicación y compromiso. Es parte de su estilo, el mismo que le otorga a sus vinos el sello que los caracteriza.

La primera generación de la familia que se dedicó en Chile a la elaboración de vinos llegó desde Francia durante los primeros años del siglo pasado; pioneros en el Valle de Colchagua. En 1977 Mario Silva Cifuentes recuperó la propiedad del fundo de Angostura, donde se plantaron las primeras viñas. En 1997, el espíritu innovador y visionario de Mario Pablo Silva inspiró el nacimiento de Viña Casa Silva, que muy pronto ya era reconocida como uno de los productores más selectos de vinos premium de Chile.

Sus vinos reflejan fielmente la personalidad de su terroir. El íntimo conocimiento de la tierra y la permanente búsqueda de las condiciones ideales para cultivar cada cepa han dado como resultado Carmenère de calidad sin igual proveniente de Los Lingues; un Sauvignon Gris que definitivamente encontró su lugar en Angostura y Viognier y Syrah que en Lolol han brindado resultados extraordinarios.

La personalidad y calidad de sus vinos ha sido reconocido y premiado. Viña Casa Silva fue elegida como El Mejor Productor de Sudamérica en The International Wine & Spirit Competition el 2000 en Londres; El Mejor Productor de Chile en Catad'Or Hyatt en cuatro oportunidades –la más importante competencia nacional, patrocinada por OIV–; y resultó ser la viña más premiada del mundo en Vinalies 2003. Por sobre todo, la Viña ganó el más importante de los reconocimientos: la preferencia de sus consumidores.

The kinship with the land and the search for perfection, in each task carried out, define the true spirit in which Silva family looks out to the world from Colchagua Valley. Viña Casa Silva is an entirely Chilean and family-run company, built with dedication and commitment second to none, which hopes to descend through generations.

Historical accounts tell of the Silva family's predecessors as pioneers of vine plantations in Colchagua, bringing grapes varieties from France from whence the family's first wine making generation came over a century ago. In 1977, Mario Silva Cifuentes began recovering the land on which the old vines were planted; Angostura. In 1997, Mario Pablo Silva, innovative and visionary, transformed the bulk business to a bottling enterprise, exporting fine wines with brands of their own and Viña Casa Silva rapidly became widely recognised as one of the most significant Chilean producers of premium wine.

Viña Casa Silva wines' unique character truly represents the characteristics of each terroir. Every wine's origin, every plot from each estate is known to perfection. On its constant search to discover the best place for each grape, Los Lingues Estate stands out for the unparalleled quality of Carmenère, in Angostura Estate Sauvignon Gris has certainly found its place and the dry and virgin lands of Lolol Estate, near the Ocean, have proved to be wonderful settings for Syrah and Viognier.

Viña Casa Silva has been awarded as The Best South American Producer in The International Wine & Spirit Competition, London 2000; four times as The Best Chilean Producer in The CataDo'r Hyatt – the most important Chilean competition, sponsored by OIV– and became the world's most awarded winery at the Vinalies competition in 2003. Above all, Viña Casa Silva wines have won the preference of the most demanding panel: its consumers.

Viña Casa Silva cuenta con un exclusivo Hotel y Restaurante, que recoge las expresiones más exclusivas de la tradición de Colchagua.

Al visitar el Hotel usted será parte de la historia de la familia, ya que su antigua casa, del más puro estilo chileno, ha sido remodelada con instalaciones de calidad internacional para ofrecerle a sus visitantes una estadía placentera.

Los huéspedes del Hotel y quienes visiten el Restaurante y su Wine Bar, que se encuentran al interior de la más antigua sala de barricas de la bodega, podrán disfrutar de una finísima carta de comida internacional, de la mejor comida chilena y de la amplia variedad de vinos de la Viña. En una nota del libro de visitas de la Viña un turista cita: "La calidad de su comida sólo es superada por la de su Carmenère".

Viña Casa Silva has and runs an exquisite hotel and restaurant, both typically Chilean in design.

The hotel was restored in large part to its original condition, an authentic Colchaguan house of yesteryear: the founding family farmhouse on the Angostura Estate. It has been renovated to grant guests a perfect stay and facilities of international standards. While staying at the hotel, visitors will be able to relive part of the family history.

The Restaurant itself and the Wine Bar downstairs are situated within the oldest barrel room in the Cellar. Hotel guests and visitors to the restaurant will be presented with a selection of wonderful Chilean food as well as international dishes. A quote on the restaurant visitors' book reads: "The quality of your food is only excelled by your Carmenère".

Altura es el vino más fino que la familia Silva ha producido; sólo 4.575 botellas que provienen de mini parcelas escogidas del Fundo Los Lingues.

Altura is the finest wine the Silva family can produce. Its extremely limited production –only 4.575 bottles– comes from selected mini plots on the family's Los Lingues Estate.

Altura 2001

Cata: Vivo, intenso y profundo color rojo rubí. Aroma complejo y elegante con notas a frutas rojas maduras, mora y ciruela seca. Excelente equilibrio entre el roble francés y la fruta, entregando sensaciones de gran complicidad. En boca es intenso, lleno, sabroso y expresivo. Taninos elegantes, plenos y redondos, llevando una armonía completa hasta un muy largo final. Este vino refleja con gran claridad la expresión del potente terroir de Los Lingues.

Tasting notes: Intense, deep ruby colour. On the nose: elegant, complex with ripe, red fruits, blackberries and dry plums. Wonderful balance between the fruit and the French oak. On the palate: intense, full, rich and expressive with elegant tannins. A harmonious and very long finish. This is a wine that clearly demonstrates the extraordinary terroir of Los Lingues.

Mario Geisse
Enólogo - Winemaker

Cata: Vivo e intenso color rojo rubí. Aroma a frutas rojas, pimienta y café, perfectamente armonizados con la madera francesa, con leves toques a chocolate. En boca se siente maduro, potente, de gran cuerpo, y con notas a chocolate negro. Sus suaves y potentes taninos llevan a un largo final.

Tasting notes: Intense and lively ruby colour. On the nose, red fruits, pepper and coffee, in perfect harmony with the French oak, leaving hints of chocolate. On the palate, ripe, powerful, great body, notes of dark chocolate, soft, sweet tannins which lead into a very long finish.

Cata: Limpio y brillante color amarillo pálido. Intenso aroma, elegante y expresivo, con notas a frutas tropicales como membrillo y piña, con un toque a vainilla perfectamente integrado. Equilibrio perfecto entre fruta y roble francés. En boca se siente cremoso, muy concentrado y complejo. Persistente final.

Tasting notes: Intense and lively ruby colour. On the nose, red fruits, pepper and coffee, in perfect harmony with the French oak, leaving hints of chocolate. On the palate, ripe, powerful, great body, notes of dark chocolate , soft, sweet tannins which lead into a very long finish.

Los Lingues 2002

Cata: Profundo e intenso color rojo púrpura. Complejos aromas a chocolate, ciruelas, especias, pimienta negra y toffee, en perfecta armonía. En boca se siente redondo y potente, con dulces y persistentes taninos, y un maravilloso equilibrio entre frutas y roble francés. Pura expresión del terrior incomparable de Los Lingues, que produce vinos potentes, elegantes y de persistente final.

Tasting notes: Deep, intense red-purple colour. On the nose, complex: aromas of chocolate, plums, spices, black pepper and toffee, working in perfect harmony. On the palate, round and powerful with sweet and persistent tannins and a marvellous balance between the fruit and French oak. The purest expression of the incomparable terroir of Los Lingues: producing powerful yet very elegant wines with long finishes.

Viognier Lolol 2003

Cata: Color amarillo trigo brillante. Potente en nariz, con predominantes notas de damasco, mandarina y elegantes aromas florales. En boca se siente expresivo, fresco, de larga persistencia, grato retrogusto y de equilibradas sensaciones frutales. Excelente armonía de fruta madura que le otorga complejidad y elegancia.

Tasting notes: Bright yellow colour. On the nose, floral with notes of apricot and mandarin. On the palate is expressive, fresh and well balanced. A complex, elegant wine with a long, long finish.

Gran Reserva Lolol — Shiraz

Cata: Intenso, limpio y brillante color rubí con tonos violáceos. Aroma típico varietal, complejo, con evidentes notas a ciruelas maduras y mora, elegantemente equilibrados con toques a cuero y humo. En boca se siente potente, redondo, confitado y largo.

Tasting notes: Intense, brilliant ruby colour with a violet rim. On the nose, an excellent example of this variety; complex, with evident notes of ripe plums and blackberries, elegantly balanced with a hints of leather and smoke. On the palate, powerful, round, jammy and long.

2005 — Sauvignon Gris

Cata: Color amarillo verdoso. Intensos aromas típicos de esta variedad, con toques a fruta cítrica fresca, plátano y piña. En boca se siente fresco y juvenil, con una excelente acidez natural que lleva a un largo y elegante final.

Tasting notes: Off green-yellow colour. Intense aromas typical of the variety with hints of fresh citrus, banana and pineapple. Young and fresh, on the palate it is full with excellent natural acidity, which leads to a long, elegant finish.

Reserva 2004 — Carmenère

Cata: Color rojo intenso y profundo. Aroma complejo a frutas rojas maduras como ciruela y mora. En boca se siente potente, sabroso y llenador, de taninos dulces y redondos que se muestran en perfecta armonía con la fruta y la madera. Final grato y persistente.

Tasting notes: Intense, deep ruby colour. On the nose, complex and ripe red fruits, plums and blackberries. On the palate, powerful with sweet, round tannins, the fruit in perfect harmony with the French oak. Wonderful long finish.

2004 — Cabernet Sauvignon

Cata: Color rojo rubí brillante. Aroma fuerte y expresivo de la variedad, con gran concentración de mora y frutilla. Presencia de tostados y chocolate. En boca es potente, equilibrado y de buena concentración, ayudando a una excelente persistencia.

Tasting notes: Brilliant ruby colour. On the nose, expressive characteristic varietal aromas: notably blackberries, strawberries and chocolate. On the palate powerful, well balanced, of good concentration. Lingering finish.

Viña Casas del Bosque es una viña boutique, dedicada a la producción de vinos de calidad Premium. Por este motivo, su ubicación está centrada en uno de los valles más prestigiosos de nuestro país, el Valle de Casablanca, en un predio rodeado por la Cordillera de la Costa y abierto a las brisas de Océano Pacífico, manteniendo un clima ideal para la maduración de la uva.

Los primeros viñedos fueron plantados en el año 1993 con las cepas blancas Sauvignon Blanc y Chardonnay, pero su fundador, el empresario chileno descendiente de italianos, Juan Cúneo apostó también por las cepas tintas y plantó, sin equivocarse, unas de las primeras hectáreas de Merlot en el Valle. Con el paso del tiempo se han ido incorporando más cepas tintas como el Pinot Noir, Syrah y también se han realizado algunas pruebas en las zonas más altas con el Carmenère. En la actualidad la viña tiene más de 180 hectáreas de viñedos propios en Casablanca y se planea seguir creciendo. Además tenemos 13 hectáreas de Cabernet Sauvignon en el Valle de Rapel, con parras de más de 35 años de antigüedad.

La filosofía de esta viña boutique esta basada en la constante búsqueda por la excelencia: las uvas se cosechan a mano y se controlan en 2 mesas de selección, escogiendo así las mejores uvas para la producción de sus vinos reserva. Todo el proceso nace con un manejo especializado para cada una de sus cepas, desde sus viñedos hasta los principios enológicos impartidos por nuestro equipo de enólogos, buscando siempre la excelencia en nuestros productos y obedeciendo la premisa de "Calidad en vez de Cantidad". Toda la bodega cuenta con la más alta tecnología, utilizando sólo materias primas de calidad superior en todas las líneas de productos de acuerdo a su categoría

Casas del Bosque Vineyards is a boutique winery, dedicated to the production of Premium quality wines. For this reason, its location is centered in one of the most prestigious valleys of our country, the Casablanca Valley, in a field surrounded by the Coastal Mountain Range and open to the breezes of the Pacific Ocean, maintaining an ideal climate for the maturing of the grape.

The first vineyards were planted in 1993 with the white varieties Sauvignon Blanc and Chardonnay, but its founder, the Chilean businessman of Italians descendant, Juan Cúneo bet also on the red vines and planted, without being mistaken, some of the first hectares of Merlot in the Valley. With time they have been incorporating more red vines like the Pinot Noir, Syrah and also some tests in the highest areas with Carmenere have been carried out. Currently the vineyard has more than 180 hectares of plantations of its own in Casablanca and is planned to continue growing. We also have 13 hectares of Cabernet Sauvignon in the Rapel Valley, with vines of more than 35 years old.

The philosophy of this boutique winery this based on the constant search for excellence: the grapes are hand harvested and they are controlled in 2 selection tables, choosing the best grapes for the production of their reserve wines. All the process is born with a specialized handling for each one of its vines, from its vineyards to the oenology principles given by our team of wine makers, seeking always the excellence in our products, and obeying the premise of "Quality instead of Quantity". All the winery counts with the highest technology, using only upper quality raw materials in all its product lines according to its category.

Gran Bosque Family Reserve *Cabernet Sauvignon*

Cata: Intenso color rojo rubí, gran complejidad aromática con suaves notas a especias, pimienta y mentol. Frutas negras y aterciopelados taninos. Expresivo, bien balanceado. Buena presencia de madera, un vino con personalidad, que permite guardarlo por largo tiempo.

Tasting notes: Intense dark ruby red color, rich aromatic complexity with delicate notes of spices, pepper and menthol. Black fruits with ripe and velvety tannins. Expressive, well-balanced. With a good presence of oak, it is a wine with its own personality, that allows a long cellaring period.

Reserva *Merlot*

Cata: Color rojo rubí. Expresivo aroma, cassis, especias, pimienta negra y ciruela madura. En boca es equilibrado, con taninos maduros y aterciopelados, concentrado, expresivo. Un final placentero y muy larga persistencia

Tasting notes: Ruby red color. Very expressive in aroma, cassis, spices, black pepper and ripe plum. In the mouth, balanced, with ripe and velvety tannins, concentrated, expressive. A pleasant finish and a long persistence.

Reserva *Syrah*

Cata: Color rojo oscuro. Intensas notas a pimientas mezcladas con frutas negras. Buena integración entre sabores animales y humo. Gran persistencia.

Tasting notes: Dark red color. Intense black pepper notes mixed with black fruits. A good integratin between animal flavors and smoke. Great persistence.

Casas del Bosque *Sauvignon Blanc*

Cata: Color verde neutro, vibrante aroma frutal varietal, elegante e intenso; notas minerales, cítricas, manzana, hierba, olivas verdes asociadas a fruta tropical. En boca una acidez bien marcada, fresco y potente. De larga persistencia.

Tasting notes: Natural green colour, vibrant fruity with citric and varietal aromas, clean varietal notes, insteed of grass, mineral and gooseberry fruity notes. Full mouth exhibit apple and floral aromas, and at the end a long persistence.

Senior Winemaker **Camilo Viani**
Winemaker **Vicente Johnson**
Consultant Winemaker **David Morrison**

Viña Casa Tamaya

A 400 km. al norte de Santiago y a 20 km. del Océano Pacífico, con una superficie total de 210 hectáreas, se encuentra Viña Casa Tamaya.

Bajo los cielos luminosos de un valle mágico, el Valle del Limarí, cerca del desierto más seco del mundo, con suaves y frescas brisas que provienen del mar, existe un lugar único impregnado de historia, que se diferencia por su terroir privilegiado.

En medio de sinuosas quebradas y a los pies de la Cordillera de los Andes, Tamaya ha logrado el perfecto equilibrio con la combinación de diferentes cepas, tales como, Chardonnay, Viognier y Sauvignon Blanc, en uvas blancas; Cabernet Sauvignon, Merlot, Carmenère, Syrah y Sangiovese en uvas tintas; otorgando el máximo de calidad a cada una de las variedades cuidadosamente cosechadas a mano, dando vida así a los mejores y más innovadores vinos del Norte de Chile.

Viña Casa Tamaya tiene como principal objetivo el mercado externo. Casi el 90% de la producción de la empresa se destina a la exportación, llegando hoy a más de 25 países alrededor del mundo.

Viña Casa Tamaya, with its 210 hectare estate, is located 400 km. north of Santiago and 20 km. inland from the Pacific Ocean.

Under the bright skies of a magical valley, close to the driest desert in the world, and cooled by refreshing maritime breezes, there exists a unique place that is blessed with a privileged terroir and which is instilled with a colourful history - the Limarí Valley.

In between winding ravines and the foothills of the Andes Mountains, Tamaya has attained perfect equilibrium with the combination of different varieties, such as Chardonnay, Viognier and Sauvignon Blanc in whites, and Cabernet Sauvignon, Merlot, Carmenère, Syrah and Sangiovese in reds. Every one of the wines made from carefully hand picked grapes achieves supreme quality, bringing to life the best and most innovative wines from the north of Chile.

Viña Casa Tamaya focuses principally on the export markets, with almost 90% of the production currently being sent to 25 countries around the world.

Reserva Especial 2003 — *Chardonnay - Viognier*

Cata: Deleitan la mirada su dorado color de espiga de verano y brillantes reflejos de musgo nuevo, en tanto que a la nariz atrapan cautivadores aromas a piña, vainilla, durazno y fruto de la pasión. En la boca, en tanto, la sabrosa frescura de su personalidad llega con rapidez a todos los rincones, para luego irse sin prisa, dejando tras de sí complejas notas minerales, de mandarinas, higos secos, vainilla, mantequilla y miel.

Tasting notes: Its colour captivates the eye, with stunning golden yellow tones blending majestically with brilliant green nuances. Mouth watering aromas jump out on the nose, with delicious notes of pineapple, peach, vanilla and passion fruit stealing the show. The palate is a veritable delight, dominated by complex flavours of mandarins, dry figs, vanilla, butter and honey, rounded off by mineral characteristics, and a lively, refreshing acidity.

Reserva Especial 2002 — *Cabernet Sauvignon - Carmenère - Syrah*

Cata: De vivo y profundo rojo. A la nariz aparecen ricos y finos aromas a pequeños frutos negros: casis y moras; a maderas finas: cedro y roble, y a trufas, menta, tabaco y chocolate. En la boca sus taninos son firmes, pero al mismo tiempo finos y elegantes. Esto hace que el vino se deslice con suavidad por el paladar, y que su estructura se sienta fuerte, equilibrada y muy personal. Su final de boca es largo, amable y distinguido.

Tasting notes: Wonderfully intense and lively in colour. The nose explodes with a marvellous variety of aromas that include fruits, such as blackcurrant and blackberry; noble woods, such as cedar and oak; and complex notes of truffles, mint, tobacco and chocolate. On the palate the wine is elegant and opulent, with firm tannins. It is well balanced and beautifully structured, and leaves a long, smooth, friendly finish.

Reserva 2002 — *Carmenère*

Cata: Un rojo profundo y aromas a moras, café y cassis son su carta de presentación. Luego, en la boca, una suavidad elegante, junto a finas notas vegetales y una vainilla sutil, completan, cual trazos dados por una mano firme, el boceto de su especial personalidad.

Tasting notes: Deep red in colour, this wine presents an unforgettable nose that bursts with aromas of blackberries, coffee and blackcurrants. On the palate it is smooth and elegant, expressing all the typical characteristics of this variety, which was "rediscovered" in Chile a few years ago. Beautifully complex, this wine exudes a very special personality.

2003 — *Late Harvest*

Cata: Hecho con uvas recogidas muy tarde, ya casi comenzado el invierno, este vino es un tesoro de aromas a miel, flores silvestres, rosa y mandarinas. En la boca la consistencia del volumen, el perfecto engarce de dulzor y acidez y las finas notas de pasas, piña y melocotón se entrelazan con naturalidad, tejiendo el alma de un vino noble, complejo y original.

Tasting notes: Produced from very late harvested grapes, almost at the start of the winter, this wine brings together mouth-watering aromas of honey, wild flowers, roses and mandarines. In the mouth, the perfect harmony of sweetness and acidity, and the elegant notes of raisins, pineapple and peach, create the soul of a noble, complex and original wine.

Carlos Andrade N.
Enólogo - Winemaker

VIÑA CONCHA Y TORO

En 1883 Don Melchor Concha y Toro y su esposa, Doña Emiliana Subercaseaux, trajeron a Chile las más nobles cepas viníferas de la región de Burdeos. Sobre la base de ellas fundaron Viña Concha y Toro, una de las viñas más importantes y respetadas de Chile.

Sus embarques llegan a más de 110 países y posee un sólido portafolio de vinos para todos los segmentos. De hecho, cada una de sus líneas ha logrado los más altos puntajes dentro de su categoría, cuyos máximos exponentes son Casillero del Diablo, Marques de Casa Concha, Terrunyo y Don Melchor, el vino ícono de Concha y Toro, que año a año sigue aumentando el prestigio del terroir de Puente Alto, su viñedo de origen.

In 1883 Don Melchor Concha y Toro and his wife, Doña Emiliana Subercaseaux, brought the noblest viniferous grapevine ofthe Bordeaux region to Chile and established one of Chile's most important and revered wineries, Viña Concha y Toro.

Its solid portfolio targets all market segments and the wines are exported to over 110 countries. All of its wine ranges has been awarded top scores in their category, with outstanding wines such as Casillero del Diablo, Marques de Casa Concha, Terrunyo and Don Melchor. The winery's icon wine, Don Melchor, is born in a prestigious terroir, the Puente Alto vineyard.

Mayor variedad de cepas premium de Chile
Chile's largest range of premium grapes

Casillero del Diablo

Sauvignon Blanc - Riesling - Chardonnay - Viognier -
Gewürztraminer - Shiraz Rosé - Pinot Noir - Merlot -
Malbec - Carmenere - Shiraz - Cabernet Sauvignon.

Hace más de 100 años comenzó esta leyenda, cuando Don Melchor Concha y Toro, fundador de la Viña Concha y Toro, se reservó una pequeña partida de los mejores vinos que allí se producían. Y para alejar a todo extraño de esa guarda tan especial comentó que en aquel lugar habitaba el Diablo. De ahí su nombre: Casillero del Diablo.

This legend began more than 100 years ago, when Don Melchor de Concha y Toro, founder of the winery, reserved for himself and the exclusive batch of the best wines produced there. And, to keep strangers away from this special private reserve, he spread the rumor that the Devil lived in that place. Whence the name: Casillero del Diablo (Cellar of the Devil).

Origen: Valle de Rapel.
Vendimia: Cosecha manual y mecánica. Finales de abril y comienzos de mayo.
Cosecha: 2004
Suelo: Terrenos ubicados en riberas.
Guarda: 70% guardado en pequeñas barricas de roble americano y 30% en tanques de acero inoxidable durante 6 a 8 meses.
Color: Rojo oscuro y brillante.
Aroma: Atractivos aromas a ciruelas negras, grosellas y chocolate.
Sabor: Textura plena en boca, suave y bien estructurada con notas a especias y enmarcado generosamente por roble americano tostado.
Acompaña platos frescos y livianos a base de carnes, hierbas frescas, vegetales y quesos maduros.

Appellation: Rapel Valley.
Harvest: Hand picked and mechanical harvest. End of April and May.
Vintage: 2004
Soil: Riverbench associated soils.
Aging: 70% aged in small American oak barrels and 30% in stainless steel tanks for about 6 to 8 months.
Color: Dark and deep red.
Nose: Dark plums, blackcurrant, and chocolate.
Taste Soft and well structured mouthfilling texture.
Enjoy with Fresh and light dishes based on meat, vegetables, fresh herbs and ripe cheese.

Marcelo Papa
Enólogo - Winemaker

Un vino premium producto del ensamblaje de tres variedades
A premium wine blend from three varieties

Trio

Cabernet Sauvignon - Shiraz - Cabernet Franc 2003

Color: Rojo profundo.
Nariz: Muy especiado. Complejo; notas a chocolate, cassis, cedro, pimienta negra, guindas y grafito.
Boca: Llenador, sabroso. Notas a chocolate, cuero, canela. Exquisito retrogusto.
Estas tres variedades se entremezclan creando un ensamblaje de gran concentración frutal, buena estructura y delicada fineza aromática
Colour: Deep red. **Aroma:** Very spicy. Complex; chocolate, cassis, cedar, black pepper, cherries, pencil lead.
Palate: Mouth filling - flavorful. Chocolate, leather, cinnamon. Superb aftertaste.
These three varieties come together to shape a well structured, concentrated and intensely aromatic blend.

Merlot - Carmenere - Cabernet Sauvignon 2003

Este atractivo y generoso ensamblaje entrega un vino expresivo, de taninos suaves, redondos y aterciopelados.
This attractive and generous blend delivers an expressive wine of soft and velvety tannins.

Chardonnay - Pinot Grigio - Pinot Blanc 2004

Estas tres variedades se complementan perfectamente generando un fresco, exótico, sofisticado y equilibrado ensamblaje.
These three varieties complement each other perfectly in a fresh, sophisticated, exotic and well balanced blend.

Ignacio Recabarren
Tamara de Baeremaecker - Max Weinlaub
Enólogos - Winemakers

Don Melchor 2002 — Cabernet Sauvignon

96% Cabernet Sauvignon
4% Cabernet Franc

Cata: Rojo rubí intenso. Gran expresión de frutos negros, ciruelas, chocolate, cassis y notas de café le entregan gran complejidad al vino. 14 meses en barricas de roble francés. Bien estructurado y un gran balance en boca, con taninos suaves y maduros que le aportan un muy buen final y persistencia al vino.

Tasting notes: Intense ruby red. Superlative expression of black fruits, plum, chocolate, blackcurrant and coffee notes, all of which add complexity to the wine. 14 months in French oak. Well structured; shows great balance in mouth, with smooth, ripe tannins playing a big part in the wine's fine and persistent end.

Enrique Tirado
Enólogo - Winemaker

Amelia 2003 — Chardonnay

Cata: Amarillo claro con trazas de verdes. Muy compleja, con tonos a miel y minero-calcáreos. Notas frutales a pera madura e higos, duraznos. Concentrado y largo en boca. Buen equilibrio, acidez fresca, nueces asadas, almendras, higos; sabroso y persistente, jugoso.

Tasting notes: Light yellow with green hues. Very complex, mineral calcareous and honey tones, fruit notes such as ripe pear and figs, peaches. Concentrated and long in mouth. Good balance, fresh acidity, grilled nuts, almonds, figs, flavorful and persistent, juicy. Seasoned fish dishes and character-filled recipes.

Ignacio Recabarren
Enólogo - Winemaker

Terrunyo 2002 — Carmenere

Cata: Profundo color rojo oscuro. Fuertes notas de bayas, chocolate, pimienta. Sabroso y potente, elegante y con final largo en boca.

Tasting notes: Dark and deep red color. Intense hints of berries. Cigar box pepper and chocolate. Tasty and full-bodied. Elegant, powerful and lingering in mouth.

Ignacio Recabarren
Enólogo - Winemaker

Marqués de Casa Concha — Merlot

Cata: Rojo oscuro y profundo. El color oscuro da la pauta para las notas de este vino, que son tan rojas y oscuras como su tonalidad: guindas, ciruela y regaliz, chocolate negro, grosellas y alquitrán ahumado en el final. Aunque algo tánico de momento, este vino debiera evolucionar. Ya muestra complejidad en su boca firme, serena y dúctil.

Tasting notes: Dark and deep red. The dark color sets the tone for this wine's notes, which are as red and black as its shade: cherries, plums, licorice, dark chocolate, cassis and lingering smoked blacktar on the finish. Though tannic now, this wine should evolve. There's already some complexity beginning to develop out of its firm, quiet, supple core.

Marcelo Papa
Enólogo - Winemaker

VIÑA CONO SUR

Viña Cono Sur nació en 1993, con el propósito de crear vinos innovadores y expresivos que transmitieran el espíritu del Nuevo Mundo. Desde entonces, nuestros productos se han distinguido por entregar lo mejor en expresión y carácter que brindan las diversas zonas vitivinícolas de Chile. En los vinos Cono Sur convergen la riqueza de sus suelos de origen, la originalidad de nuestra enología y la pasión puesta en cada etapa de su elaboración; la combinación de estos elementos se traduce en intensidad aromática y paladares elegantes y llenos.

Hoy ya es posible afirmar que el énfasis puesto en los vinos ha rendido sus frutos. Nuestra posición dentro de las primeras cuatro viñas exportadoras de Chile y más de cuarenta países en los que se encuentran los vinos Cono Sur, así lo ratifican.

Cono Sur Vineyard & Winery was born in 1993, with the specific goal of producing innovative and expressive wines conveying the spirit of the New World. Ever since then, our products have been extensively recognized for delivering the best character and expression that Chile's diverse viticultural regions have to offer. Cono Sur wines bring together the richness of their home soils, the uniqueness of our winemaking approach and the passion invested in them every step of the way, all blended together in aromatic intensity and elegant, full palates.

Nowadays we can proudly confirm that the emphasis we placed on producing quality wines has been fruitful. Cono Sur Vineyard & Winery is currently among Chile's top four exporting wine companies, and our products are marketed in more than 40 countries.

Ocio — *Pinot Noir*

Cata: Intenso color rojo, brillante. Nariz exuberante y distintiva de cassis, moras, guindas ácidas y ciruelas que refleja la riqueza de su fruta; mientras que los 12 meses en guarda incorporan notas complejas de tabaco y cuero. Paladar sutil y refinado.
Vinificación: Tras fermentación en estanques abiertos de acero inoxidable, el vino es guardado 12 meses en barricas nuevas de roble francés y 1 a 4 años en botella.

Tasting notes: Intense and bright red colour. An exuberant and distinctive nose of cassis, blackberries, black cherries and plums mirrors the richness of its fruit; while the 12 months-long oak ageing add complex notes of tobacco and leather. Subtle and refined palate.
Vinification: After fermentation in open stainless steel tanks, the wine is aged for 12 months in new French oak barrels and for 1 to 4 years in bottle.

20 Barrels Limited Edition — *Chardonnay*

Cata: Este Chardonnay lleno de personalidad posee un color amarillo dorado, con sutiles trazas de verde oliva. El carácter mineral se revela en la nariz, junto con notas de pera, manzana verde, durazno y piña. Rico y complejo en boca, estilo moderno, fresco y vivaz.
Vinificación: Fermentación en estanques de acero inoxidable, guarda de 11 meses en barricas nuevas de roble francés.

Tasting notes: This personality filled Chardonnay makes its opening statement through a golden yellow colour, with subtle olive-green hues. To the nose, the mineral character reveals itself, along with notes of citrus, pear, green apple, peach and pineapple. Rich and multifaceted in mouth, modern style; fresh and lively.
Vinification: Fermented in stainless steel tanks, aged for 11 months in new French oak barrels.

Reserve — *Merlot*

Cata: Color rojo-violáceo oscuro, profundo, casi negro. La nariz entrega notas de ciruela, cassis y guindas ácidas, entrelazadas con chocolate amargo y moka. La boca es suave, aterciopelada, con buena concentración y estructura. Elegante y distinguido.
Vinificación: Guarda de 10 meses en estanques de acero con Innerstave 100% roble francés.

Tasting notes: Deep, clean violet-red almost black colour. The nose boasts notes of plums, cassis and sour cherries, combined with bitter chocolate and mocha. The mouth is soft, velvety, with good concentration and tannic weight. Elegant and classy.
Vinification: Aged for 10 months in stainless steel tanks set with French Oak Innerstave.

Single Varietal — *Cabernet Sauvignon*

Cata: De color rojo rubí limpio y brillante; notas de cassis, ciruelas ácidas, yogurt de frambuesa y vainilla dominan la nariz. Al paladar se muestra firme y equilibrado; impresiona su estructura.
Vinificación: Fermentación en estanques de acero inoxidable, guarda de 6 meses en barricas de roble Francés (30% de la mezcla).

Tasting notes: Clean, bright ruby red colour; notes of cassis, sour plum, raspberry yoghurt and vanilla dominate its nose. In mouth its remarkable structure takes over, providing a both firm and balanced taste.
Vinification: Fermented in stainless steel tanks, aged for 6 months in French oak barrels (30% of the blend).

Adolfo Hurtado Cerda
Enólogo - Winemaker

Viña Cousiño Macul

Fundada en 1856, Cousiño Macul es la única viña en Chile entre las establecidas en el siglo XIX que continúa en las manos de la familia fundadora. La compañía sigue estando 100% bajo el mando de la familia, con la misión de producir vinos de calidad mundial que sean inequívocamente chilenos, manteniendo el carácter distintivo del Valle del Maipo.

Cousiño Macul no ha comprado ni comprará uva de terceros productores. Sus vinos son producidos, vinificados y embotellados en origen. Esta completa supervisión, desde el viñedo hasta el vaso, es una característica que Cousiño Macul comparte con las grandes viñas del mundo.

Cousiño Macul tiene dos propiedades localizadas en el Valle del Maipo: "Macul" en el sur este de Santiago, y la nueva propiedad en el sur del Maipo, cerca del pueblo de Buin. Ambas están literalmente a los pies de la Cordillera de Los Andes y, debido a la altitud sobre el nivel del mar, forman parte de la sub-región conocida como el "Alto Maipo".

Los vinos blancos de Cousiño Macul son conocidos por su elegancia, riqueza de fruta y acidez bien equilibrada. Los tintos, por su parte, son reconocidos por su elegancia y redondez, equilibrando frutosidad varietal, cuerpo, madera, un color profundo y excelente acidez. La mezcla correcta de estos elementos ofrece al consumidor vinos que pueden beberse jóvenes, pero que también tienen la capacidad para envejecer y madurar, como sólo los grandes vinos lo hacen.

La producción se limita aproximadamente a 250.000 cajas por año, de las que se exportan, aproximadamente, un 65%. Los vinos de Cousiño Macul se encuentran en más de 40 países alrededor del mundo, deleitando a sus seguidores con un sabor y estilo consistentes, resultado de modernos procedimientos de vinificación, un talentoso equipo de vinificación y un siglo y medio de tradición y calidad.

Founded in 1856, Cousiño Macul is the only winery in Chile amongst those established in the 19th century that continues in the hands of the original founding family. The company remains under family control, producing limited quantities of fine wines.

No grapes have ever been purchased from outside growers nor will be. The wines of Cousiño Macul are estate grown, vinted and bottled. The complete supervision, from the vineyard to the glass, is a characteristic that Cousiño Macul shares with the world's most renowned wineries.

Cousiño Macul has two estates, both located in the Maipo Valley: the Macul estate in the south east of Santiago, and the new estate, south of the Maipo Valley near the town of Buin. Both are literally at the foot of the Andes Mountain and, because of the altitude above sea level, are part of the sub-region known as "Alto Maipo" (upper Maipo).

The mission of Cousiño Macul is to produce world-class wines that are unmistakably Chilean, carrying the distinctive character of the Maipo Valley.

Cousiño Macul white wines are known for their elegance, fruit richness and well balanced acidity.

Similarly, the regarded red wines of Cousiño Macul posses an elegance and roundness which characterizes those wines which balance varietal fruitiness, body, oak, a deep color and excellent acidity. The right blend of these elements offers wines that can be drunk young, but also have the capacity to age and mature, as only great wines do.

Production is limited to about 250,000 cases per year, of which approximately 65% is exported. Cousiño Macul wines are found in more than 40 countries around the world, delighting its followers with a consistent flavor and style, which is the result of modern vinification procedures, a talented winemaking team and a century and a half of tradition and quality.

Antiguas Reservas 2003
Cabernet Sauvignon

La vendimia 2003 representa la 76° cosecha del vino emblema de Cousiño-Macul, Antiguas Reservas. Desde su debut en 1927, este vino ha sido siempre una selección limitada del mejor Cabernet Sauvignon de sus propios viñedos.
Durante los años, Cousiño-Macul ha mantenido su estilo clásico con este vino, combinando la madurez de la fruta con la elegancia y delicadeza de los grandes vinos.

The 2003 vintage represents the 76th year in which Cousiño-Macul has produced an Antiguas Reservas, the winery's signature wine. Since the debut in 1927, Antiguas Reservas has always been a limited selection of the very best Cabernet Sauvignon from Cousiño-Macul estate vineyards. Over the years, Cousiño-Macul has maintained its classic style with this 100% Cabernet Sauvignon by combining ripeness with elegance, finesse, and a framework to age long and well.

Cata: Este fresco Cabernet, goloso y suave, puede ser disfrutado joven o guardarse por al menos una década. Un complemento perfecto para cordero, vacuno, salsas a base de tomate, risotto, y quesos.

Tasting notes: This lively Cabernet, supple and smooth, can be enjoyed in its youth or cellared for at least a decade. A perfect complement to lamb, beef, tomato-based sauces, rich risotto, and full-flavoured cheeses.

Matías Rivera Fresno
Enólogo - Winemaker

Finis Terrae 2003 — Cabernet Sauvignon - Merlot

Cata: Finis Terrae es un reflejo del terroir del Alto Maipo expresado a través de los más finos Cabernet Sauvignon y Merlot de Cousiño Macul. De gran elegancia y delicadeza, es un complemento perfecto para ternera, aves de caza, salmón, quesos, y carnes con salsas

Tasting notes: Finis Terrae is a clear reflection of the Alto Maipo terroir expressed through the finest of Cousiño's Cabernet Sauvignon and Merlot. Elegant and a perfect complement to veal, game birds, wild salmon, light cheeses, and meats with light reduced sauces.

Merlot Reserva 2004 — Merlot

Cata: Este atractivo y seductor Merlot, madurado durante 10 meses en barricas de encina francesa, muestra agradables aromas a berries, cerezas y vainilla. De textura suave, con taninos maduros y flexibles, es un excelente acompañamiento para pastas, aves, quesos y carnes rojas.

Tasting notes: This attractive and seductive Merlot, aged for 10 months in barrels of French oak, shows pleasant aromas of berries, cherries and vanilla. Smooth, it shows ripen and flexible tannins, and it is an excellent complement for pastes, red cheeses and meats.

Antiguas Reservas 2004 — Chardonnay

Cata: Un Chardonnay bien estructurado, con generosos aromas a tostado, miel y frutas tropicales maduras. Aterciopelado y con suaves sabores a madera en el paladar, es compañía perfecta para pescados, ensaladas y platos de carnes blancas. Sirva ligeramente frío.

Tasting notes: This is an appealing, well –structured Chardonnay with generous aromas of toast, honey and ripe tropical fruits. A buttery, rich wine with gently oaky flavours on the palate, it matches well with fish, salads and white meat dishes. Serve lightly chilled.

Sauvignon Gris 2005 — Sauvignon Gris

Cata: El Sauvignon Gris es raro en el nuevo mundo, en el Valle del Maipo esta variante de Sauvignon produce un vino con distintivos aromas de flores silvestres y frutas sabrosas, pero con mayor cuerpo y textura más rica que sus Sauvignon hermanos.

Tasting notes: Sauvignon Gris is rare in the New World, in the Maipo valley this variant of the Sauvignon variety yields a wine with distinct aromatics of wildflowers and spicy fruits, but with decidedly fuller body and richer texture than its Sauvignon siblings.

Viña Cremaschi Furlotti

El origen de la tradición viñatera de la familia Cremaschi Furlotti se remonta a fines del siglo XIX. Trajeron de Italia los secretos del cultivo de la vid y utilizaron técnicas que asombraron a los viticultores de la época.

Con el tiempo han complementado todos sus conocimientos con sistemas de vinificación de avanzada, formando así, una viña dedicada a la producción de vinos finos.

Cremaschi Furlotti se define como una viña que garantiza excelencia y calidad. En la producción y elaboración utiliza productos biodegradables y ecológicos para resguardar el medio ambiente. Los vinos son envasados en el lugar de origen, guardando en cada botella la fantasía y romance de los primeros cultivos.

Actualmente sus viñedos se localizan en el Valle del Maule, donde las condiciones ecológicas son excepcionalmente favorables para la producción de vinos finos. La zona, enmarcada entre la Cordillera de la Costa y la Cordillera de los Andes, corresponde a un amplio valle longitudinal de suaves lomajes y suelos pedregosos de origen aluvial y volcánico. De clima mediterráneo sub-húmedo, las lluvias se concentran principalmente en invierno, dando paso a una larga estación seca, con amplias diferencias de temperaturas entre día y noche, que favorecen el desarrollo de intensos aromas y profundos colores.

The origin of the wine producing tradition of the Cremaschi Furlotti family goes back to the late 19th century. They brought the secrets of vine plantation and introduced techniques that caused quite a commotion in the wine producers of the time.

Further on, they complemented their knowledge with state-of-the-art viticulturist systems, giving birth to a winery focussed on the production of prime quality wines.

Cremaschi Furlotti is defined as a boutique winery that guarantees excellency and quality. In producing and elaborating these products they only use ecological products and systems that protect the environment. Bottling is done in its place of origin caring that each bottle is recipient of the fantasy and romance of the first plantations.

Today, the vineyards are located in the Maule Valley, where the ecological conditions ensure the best conditions for fine wine production. The area stretches between the Cordillera de la Costa (Coastal Mountain Range) and the Andes Mountain, and it corresponds to a vast longitudinal sloping valley with stony soils of alluvial and volcanic origin. It has a sub-humid Mediterranean climate, with rains that concentrate primarily during winter time, enabling long and dry seasons with ample day-night temperature swinging, the perfect condition for the development of intense aromas and colors.

Vénere 2000

60% Carmenère,
20% Cabernet Sauvignon, 20% Syrah

Carmenère - Cabernet Sauvignon - Syrah

Vinificación: Fermentado en pequeños estanques de acero inoxidable; 14 meses de crianza en barricas de roble francés; 12 meses de guarda en botella.
Cata: Profundo e intenso color rojo púrpura. Complejos aromas a especias y cerezas maduras acompañados de elegantes notas a madera tostada. Taninos aterciopelados.

Vinification: Fermented in small stainless steel tanks; 14 months kept in French oak barrels; 12 months in bottle.
Tasting notes: Deep and intense ruby red color. Complex aromas of spices and ripe cherries accompanied by elegant notes of toasted wood. Velvety tannins.

Reserve 2001

100% Cabernet Sauvignon

Cabernet Sauvignon

Vinificación: Fermentación en estanques de acero inoxidable; 12 meses de crianza en barricas de roble francés; 8 meses de guarda en botella.
Cata: Profundo color rojo rubí. Elegantes aromas a cassis, cuero y roble tostado. Intenso, gran cuerpo y persistencia.

Vinification: Manually harvested, end of April.
Vinification: Fermentation is carried out in stainless steel tanks; 12 months kept in French oak barrels; 8 months in bottle.
Tasting notes: Deep ruby red. Elegant aromas of cassis, leather and toasted oak. Intense, with great body and persistence.

Reserve 2001

90% Carmenère, 10% Cabernet Sauvignon

Carmenère

Vinificación: Fermentación en estanques de acero inoxidable; 8 meses de crianza en barricas de roble francés; 8 meses de guarda en botella.
Cata: Intenso y profundo color rojo con tintes magenta. Aromas a ciruelas secas, pimienta y madera tostada. Taninos suaves.

Vinification: Fermentation in stainless steel tanks; 8 months kept in French oak barrels; 8 months in bottle.
Tasting notes: Intense and deep red color with magenta tinges. Aromas of dried plums, pepper and toasted wood. Soft tannins.

Reserve 2001

100% Chardonnay

Chardonnay

Vinificación: 50% fermentado en cubas acero inoxidable, 50% fermentado en barricas de roble francés; 6 meses de crianza en barricas de roble; 6 meses de guarda en botella.
Cata: Amarillo brillante. Aromas a banana, duraznos y elegantes toques de vainilla; acidez balanceada, cuerpo medio.

Vinification: 50% fermented in stainless steel vats, 50% fermented in French oak barrels; 6 months kept in oak barrels; 6 months in bottle.
Tasting notes: Bright yellow color. Aromas of banana, peach and elegant touches of vanilla; balanced acidity, medium-bodied.

Cristián Cremaschi
Rodrigo González
Enólogo - Winemaker

VIÑA DE MARTINO

Fundada en 1934 por Pietro De Martino Pascualone, un italiano aventurero que buscaba el lugar perfecto para continuar sus sueños vitivinícolas, hoy es administrada por la tercera generación de la familia, quiénes supervisan personalmente todo el proceso para asegurar la producción de vinos de excelente calidad.

Viña De Martino ha logrado grandes reconocimientos internacionales y nacionales, entre éstos últimos, su vino De Martino Gran Familia Cabernet Sauvignon, en las cosechas 2001 y 2002 ha sido escogido en los dos últimos años de forma unánime como El Mejor Vino Premium de Chile, esto gracias a que han sabido como mezclar el conocimiento adquirido por su equipo enológico en el estudio del terroir con tecnología de última generación.

Está situada en el corazón del Valle del Maipo, en el pueblo de Isla de Maipo, a 50 km de Santiago. Cuentan con un viñedo de 300 hectáreas, cuya principal característica es que su manejo es 100% orgánico, además de que sus suelos son de baja fertilidad y pedregosos.

En la bodega existen hoy en día 3800 barricas de las cuáles un 95% corresponden a roble francés y un 5% a roble americano.

Además la familia De Martino se enorgullece de ser la primera viña chilena en exportar Carmenere. Tan pronto como se encontró el Carmenere en Chile, la familia De Martino tomó la decisión de separarlo y vinificarlo aparte del Merlot, y el año 1996 exportan la primera botella. Hoy en día sus botellas de Carmenere viajan por más de 30 países en todo el mundo.

Desde marzo del 2001 Viña De Martino ha abierto sus puertas para recibir tanto a turistas nacionales como internacionales en una Vinoteca que cuenta con un salón, cava y tienda.

Founded in 1934 by Pietro de Martino Pascualone, an Italian adventurer in search of the perfect place to pursue his winemaking dream, the vineyard is today owned and managed by the third generation of the family. The De Martino family personally supervises all of the procedures to ensure wine production of the highest quality.

De Martino has received numerous national and international awards and recognition, among the most recent, its De Martino Gran Familia Cabernet Sauvignon has been chosen for the last two years as "Best Premium Wine of Chile", this as result of the knowledge that the winemaking team has acquired in the study of terroir and the use of the best technology.

The vineyards and winery are located in the heart of the Maipo Valley, in the village of Isla de Maipo, 50 kms. from Santiago. The property consists of 300 hectares of vineyard, all of which are 100% organically-managed and are noted for their stony, sandy soils of low fertility.

The cellar contains 3,800 wooden barrels, 95% made of French oak and the remaining 5% made of American oak.

The De Martino family is proud to be recognised as the first Chilean winery to export Carmenere, the grape that has now become the flagship of the Chilean wine industry. They found it in their plantations, took the decition to separate it from the Merlot and to vinify it separately, and in 1996 they exported their first bottle of Carmenere. Today, De Martino Carmenere is enjoyed in more than 30 countries worldwide.

Since March 2001, the De Martino Winery has opened its doors to receive national and international visitors in its specialized Wine Shop tasting room and Cellars.

Gran Familia 2002 — *Cabernet Sauvignon*

Cata: De color rojo intenso, este Cabernet Sauvignon, elegido como el Mejor Vino Premium de Chile, es elegante y complejo, con aromas a frutas negras como moras, cassis y guindas. En la boca muestra cuerpo complejo con gran concentración de fruta. Los taninos son sensacionales, aterciopelados y completos, que llenan la boca majestuosamente. Es una mezcla perfecta entre poder y delicadeza. El roble está muy bien integrado con la fruta. Un final largo y hermoso.

Tasting notes: Deep red colour, this Cabernet Sauvignon choosen as the Best Premium Wine from Chile, is elegant and complex with aromas that remind one of dark fruits such as blackberry, cassis, cherries. In the mouth it is full-bodied with incredible concentration of fruit. The tannins are sensational, velvety and supple, filling the mouth majestically. It walks a balanced tightrope between power and finesse. The oak is perfectly integrated with the fruit. Beautifully long finish.

Single Vineyard 2003 — *Syrah*

Cata: De color rojo con tintes violeta. En la nariz es elegante y complejo, maduro y refrescante, con frutas como los arándanos y guindas, además de notas florales, a chocolate, licor y roble. En el paladar presenta buena estructura y taninos aterciopelados, los sabores a frutas son muy placenteros terminando con un retrogusto complejo y bien integrado.

Tasting notes: Deep red colour with violet hints. On the nose is elegant and complex, ripe and refreshing, with blueberries and black cherry fruit, and layers of floral notes, chocolate, liquorice and oak. On the palate, is rich with good structure and velvety tannins, while the fruit flavours have a very pleasant finishing delivering a long, complex and well-integrated.

Legado Reserva 2003 — *Cabernet Sauvignon*

Cata: De color rojo intenso. En la nariz se sienten aromas maduros con notas a vainilla, ciruelas secas, frutillas y frambuesas. El roble está perfectamente integrado con la fruta. En el paladar es balanceado y concentrado con taninos maduros. El roble complementa a la fruta sin cubrirla. El final es largo, intenso y complejo.

Tasting notes: Deep red colour. On the nose it has an intense, ripe, rich aroma with hints of vanilla, dried plums, strawberries and raspberries. The oak is perfectly integrated with the fruit. In the palate is balanced and concentrated, with ripe tannins. The oak complements the fruit without overpowering it. The finish is long, intense and complex.

Legado Reserva 2005 — *Sauvignon Blanc*

Cata: De color amarillo pajizo, en aromas es balanceado, intenso y refrescante con notas que recuerdan al pomelo, manzanas verdes y un exquisito toque a hierbas. En la boca se presenta muy intenso, con la acidez exacta que entrega una agradable sensación de frescura. Sorprendente, agradable y largo final.

Tasting notes: Light yellow in colour, on the nose it is balanced, intense and refreshing with citric notes, green apples, and a slight touch of herbs. On the palate it is very intense, with the perfect acidity that highlights its citric notes. A wonderful finish, long, fresh and persistent.

Marcelo Retamal
Enólogo - Winemaker

Viña Echeverría

A comienzos del siglo XX, la familia Echeverría estableció sus viñedos en Molina, Valle de Curicó, el corazón vitivinícola de Chile. Desde ese entonces, Viña Echeverría ha venido produciendo uvas de las mejores cepas de origen francés pre-filoxérico y elaborando vinos finos en el mismo lugar. En 1992, Viña Echeverría comenzó a comercializar sus vinos en todo el mundo con su propia etiqueta, orientándose principalmente a la exportación. Hoy los vinos Echeverría pueden ser encontrados en los lugares de mayor prestigio en Europa, Asia y América.

La visión de la familia Echeverría es que sus vinos sean apreciados y preferidos en todo el mundo por su calidad, valor, imagen, confiabilidad y servicio a sus clientes.

Su estilo de hacer vinos, siempre pensando en el consumidor final, tiene como principal objetivo preservar las cualidades naturales e intensas características varietales de sus uvas, lo que da origen a vinos con cuerpo, delicados y armoniosos, perfectos para ser disfrutados en todo momento y con cualquier tipo de comidas.

In the early 1900's the Echeverría family established in the outskirts of the town of Molina, in the Curicó Valley, the wine heartland of Chile. Since then, Viña Echeverría has been growing fine grapes from French pre-phylloxera rootstocks, and producing fine wines in that same location. In 1992 Viña Echeverría started marketing its wines with the ECHEVERRÍA label, mainly oriented to the export market. Today, Echeverría wines can be found in the most prestigious food and beverage locations in Europe, Asia and America.

The vision of the Echeverría family is to have its wines known and preferred worldwide for their quality, value, image, reliability and service to its clients. Its customer minded winemaking style has as an overriding objective to preserve the natural quality and intense varietal character of its grapes, leading to full bodied yet delicate and harmonious wines, ideally suited to be enjoyed with all sorts of dishes.

2004 — *Carmenère*

Cata: Este Carmenére, premiado como el vino tinto Chileno de mejor relación precio/calidad, tiene un impresionante y profundo color rojo violáceo. Gran concentración de aromas, como moras, cerezas y frambuesas maduras, se combinan delicadamente con notas a pimienta y especias. Redondo y bien balanceado, este vino posee un intenso sabor frutal con un agradable y prolongado final de boca.
• Trophy Best Value Chilean Red Wine,
"2nd Annual Wines of Chile Awards 2005", Chile

Tasting notes: This Carmenére, awarded as the Best Value Chilean Red Wine, has an outstanding deep violet-red colour. Great concentration of aromas like ripe blackberries, cherries and raspberries are combined nicely with delicate hints of spices and pepper. Round and well balanced, this wine has an intense fruit flavour with a nice and long lasting finish.

Reserva 2001 — *Cabernet Sauvignon*

Cata: Este atractivo Cabernet Sauvignon tiene un intenso color rojo rubí. Agradables aromas a bayas rojas y negras se combinan armoniosamente con delicadas notas a chocolate amargo, tabaco y cuero. Redondo y con cuerpo, este vino tiene taninos suaves y maduros, y una persistencia elegante y prolongada.
• Silver Medal (Best in Class),
"International Wine and Spirit Competition, 2005", London, UK
• Silver Medal, "China Wine & Spirits Competition 2005", Shanghai, China.

Tasting notes: This appealing Cabernet Sauvignon has an intense ruby red colour. Pleasant aromas of ripe red and black berries combine nicely with scents of dark chocolate, tobacco and leather. Round and full bodied, this wine has soft and mature tannins, with a long and elegant persistence.

Family Reserve 1999 — *Cabernet Sauvignon*

Cata: Este excepcional vino tiene un profundo color rojo rubí con suaves destellos anaranjados. Agradables aromas a frutas rojas maduras, como cerezas negras y frutillas, se combinan con notas a cedro, tabaco y vainilla. Redondo y bien balanceado, sus taninos suaves y maduros otorgan notas a tostado dando complejidad al paladar. Es elegante y tiene un prolongado y suave final.
• Gold Medal, "International Wine Challenge 2003", London, UK
• Gold Medal, "Selections Mondiales des Vins, 2004", Montréal, Canada

Tasting notes: This exceptional wine has a deep ruby red colour with soft orange hues. Nice ripe red fruit aromas like black cherries and strawberries are combined with notes of cedar, tobacco and vanilla. Round and well balanced, its soft and mature tannins give toasty notes that add complexity on the palate. This elegant wine has a smooth and long finish.

Special Selection 2001 — *Sauvignon Blanc - Late Harvest*

Cata: Este fascinante vino, tiene un agradable color dorado. La nariz es intensa y recuerda claramente a duraznos maduros, damascos y miel, su complejidad se debe a un delicado toque de botrytis. Las marcadas notas a dulce de membrillo y a aterciopelado sabor a miel se realzan gracias a su buen nivel de acidez. En boca es sabroso, redondo y con gran volumen, tiene un final elegante, donde frutas y botrytis expresan su identidad en completa armonía.
• Trophy Best Late Harvest,
"1st Annual Wines of Chile Awards 2003", Chile

Tasting notes: This fascinating wine has a lovely golden yellow colour. The nose is intense, with clear overtones of mature peaches, apricots and honey. Its complexity is due to the delicate background of botrytis. Marked notes of quince jam and creamy honeyed flavours are enlivened by a nice level of acidity. In the mouth it is rich, round and full bodied, with a long and elegant finish where fruit and botrytis express their identity in full harmony.

Roberto Echeverría Z.
Enólogo Jefe - Chief Winemaker

VIÑA EL HUIQUE

Viña El Huique, está ubicada en el Valle de Colchagua, 200 Km. Sur-Este de Santiago. Esta Viña cuenta con 100 hectáreas de viñedos plantados en tres predios del mismo valle.

La bodega de vinos está emplazada en el interior de un antiguo edificio de adobes de estilo colonial, construido en la década de 1870, el cual circunda un patio interior muy atractivo, de 5.000 mt2, plantado con un viñedo. Cabe destacar que el "Museo del Huique", a 3 Km. de distancia, es una réplica posterior de este edificio. Las Bodegas de la Viña El Huique, fueron restauradas en 1987, incorporando en ellas alta tecnología y permiten al público que las visita, tener un testimonio de lo que fue una antigua hacienda chilena.

La Viña El Huique vinifica solamente sus propias uvas y exporta sus vinos a diversos países de Europa, Estados Unidos, Canadá y Brasil.

Viña El Huique is located in Chile's Central Valley, 200 km. southwest from Santiago, in the Colchagua Valley. At the present, El Huique has 100 hectares of vineyards, distributed in three states: San Miguel, (contiguous to the winery), Talhuen and Los Maitenes (in Marchigue, towards the coast).

The winery is located in the interior of an ancient colonial style building constructed in the decade of 1870 stretching around a very attractive central patio of 5,000 m2, planted with vines. The "Museum of El Huique", located 3 km. away, is a later replica of this building. El Huique winery, fully restored en 1987, allows the visitors to have a complete vision of what an ancient Chilean estate must have been.

Viña El Huique exports its wines to diverse countries of Europe, United States, Canada and Brazil.

Reserve

Cabernet Sauvignon

100% Cabernet Sauvignon

Vinificación: Cosecha manual, última semana de Abril. Maceración pre fermentativa de cuatro días a 12° C. y fermentación con levaduras nativas en estanques de acero inoxidable. Embotellado después de doce meses de envejecimiento en barricas de roble Francés. Embotellado y posteriormente guardado en nuestras bodegas por un año más antes de su comercialización.
Cata: Color rojo rubí. Aromas a zarzamoras y vainilla. En boca es aterciopelado, con un elegante retrogusto y largo final.

Vinification: Our Reserve Cabernet Sauvignon was hand picked the last week in April. It was allowed to cold soak several days at 10 degrees C prior to a 2-3 week fermentation with native yeasts. This wine was bottled after 12 months of barrel aging in only finest French oak barrels, then allowed to bottle age for a minimum of one year prior to release.
Tasting notes: Ruby red in color with aromas of blackberries, vanilla and toast. In the mouth, it is complemented by soft, elegant tannins, with a smooth long finish.

Special Selection

Syrah - Cabernet Sauvignon

85% Syrah-15% Cabernet Sauvignon

Vinificación: Cosecha manual, fines de Abril. Fermentación en estanques de acero inoxidable. Embotellado después de seis meses de envejecimiento (75% en barricas de roble Francés un 25% del vino en roble americano). Embotellado y guardado un mínimo de cuatro meses antes de su aparición en público.
Cata: Color rojo rubí intenso con bordes violeta. Aroma a violetas, esencias de tabaco y especies. En boca es aterciopelado y de largo final.

Vinification: Our Syrah-Cab blend was hand picked towards the end of April. It was allowed to cold soak several days prior to a 2-3 week fermentation with native yeasts. This wine was bottled after 10 months of barrel aging in French and American oak barrels, then allowed to bottle age for a minimum of six months prior to release.
Tasting notes: Dark red in color with purple hues, complemented by aromas of violets, tobacco and spice. In the mouth, this robust wine in completed by bold tannins, flavors of ripe dark fruits, with a long, clean finish.

Varietal

Cabernet Sauvignon

100% Cabernet Sauvignon

Vinificación: Cosecha manual, última semana de Abril. Fermentación en estanques de acero inoxidable. Embotellado en octubre y con seis meses en botella antes de su aparición en el mercado.
Cata: Color rojo rubí brillante. Aromas de frutas salvajes, grosellas y cassis. En boca es fresco, de cuerpo medio, bien balanceado, sabroso y persistente.

Vinification: Our Varietal Cabernet Sauvignon was hand picked the last week in April allowed to cold soak several days prior to a 2-3 week fermentation with native yeasts. This wine was bottled after 6 months of barrel aging in French and American oak barrels, then allowed to bottle age for a minimum of six months prior to release.
Tasting notes: Intense dark red in color, with aromas of wild berries, currents and cassis. In the mouth, this fresh, fruity Cabernet is complemented by soft tannins and flavorful long finish.

Vino Dulce Fortificado

Cabernet Franc

100% Cabernet Franc

Vinificación: Cosecha manual, primera semana de Mayo, con alta madurez de frutos. Maceración pre fermentativa durante tres días a 12° C. y posterior fermentación con levaduras nativas, en estanques de acero inoxidable. En mitad de fermentación, ésta se detiene con alcoholes vínicos destilados de nuestros propios vinos Reserva. Posteriormente se envejece en barricas durante un mínimo de dos años.
Cata: Aromas a cerezas dulces, chocolate y tabaco. Llena la boca con sabores a frutas rojas maduras y vainilla. Tiene un final largo y suave.

Vinification: This special wine is hand picked from the patio of our estate winery in the middle of March to ensure maximum maturity. This wine was allowed ferment for 10-12 days with native yeasts. At this point, the wine was fortified with alcohol distilled from our own estate fruit, then pressed off for two years of barrel aging.
Tasting notes: Intense, deep red in color with aromas of ripe, bing cherries, chocolate and tobacco. It fills the mouth with flavors of ripe, red fruits and vanilla with a long, lingering finish.

Alphonse De Rose - USA
Enólogo - Winemaker

VIÑA EL PRINCIPAL

Está ubicada en Pirque, en el corazón del Alto Maipo, sobre un predio de 282 ha. de un piedmont orientado al norte. Hoy tiene 54 ha. plantadas de cepas tintas para la producción de vinos Premium, en un terroir ya reconocido a nivel internacional por su particular clima y ubicación.

Localizado a unos 20 kilómetros al sur de la ciudad de Puente Alto y del río Maipo, y a una altitud entre 700 y 800 metros de altura, se encuentra este excepcional valle conformado por laderas y piedmonts orientados al norte y con una variada combinación de suelos aluviales y de relleno. Su clima en el verano es de humedad relativa baja, temperaturas máximas altas, y una marcada oscilación térmica día-noche.

En 1998, nace Viña El Principal sobre los terrenos de la antigua Hacienda El Principal, cuando su propietario, Jorge Fontaine Aldunate, se asocia con Jean Paul Valette, ex propietario de Chateau Pavie en Saint Émilion. Allí seleccionan el mejor terroir y plantan 54 ha. de las mejores cepas Cabernet Sauvignon, Merlot, Carmenère y Cabernet Franc.

La alta calidad de su viñedo se ha logrado con producciones controladas, desbrotes, deshojes, cosecha a mano, selección en mesa, más una vinificación tradicional bordelesa y una crianza de 16 meses en barricas de roble francés.

Located in Pirque, in the heart of the Alto Maipo Valley, it is a farm of 282 ha. of piedmont with northern sunlight exposure. Today it counts with 54 ha. of red grapevine stocks for the production of Premium wines in a terroir internationally acknowledged for its particular climate and location.

Located some 20 kilometers south of the city of Puente Alto and the Maipo River, at an altitude of 700 to 800 meters, lies this exceptional valley of slopes and piedmonts oriented to the north and featured by a wide combination of alluvial and wadding soils. During summer time it has a low relative humidity rate, high maximum temperatures and a wide day-night thermal oscillation.

In 1998, in the ancient estate called El Principal, its proprietor, Jorge Fontaine Aldunate, established a partnership with Jean Paul Valette, former owner of Chateaux Pavie in Saint Emilion, and created Viña El Principal. They chose the best terroirs and planted 54 ha. with the best stocks of Cabernet Sauvignon, Merlot, Carmenère and Cabernet Franc.

The high quality of this vineyard is the result of controlled productions, careful de-stemming and defoliating procedures, manual harvesting, table selection, a traditional Bordalese vinification and an ageing period of 16 months in French oak barrels.

El Principal 2000 — Cabernet Sauvignon

Cata: Un vino de gran expresión aromática, y concentrado. Evoca fruta muy madura, notas de cassis, especias y claras notas de café y chocolate.
En boca es de buen volumen y concentración, generoso y sabroso. Vuelve a evocar fruta bien madura y la madera suave y sutil. Taninos redondos y aterciopelados, con un final largo y persistente.

Tasting notes: A wine with great aromatic expression, and concentrated. Evokes ripe fruits, notes of black currant, spices and clear notes of coffee and chocolate.
On the palate, full bodied and concentrated, generous and tasty. It again evokes very ripe fruits with light subtle wooden hints. Round velvety tannins that lend a long persistence.

Memorias 2000 — Cabernet Sauvignon - Carmenère

Cata: Rojo guinda con tintes de evolución. Aromas marcados por la barrica, con notas de chocolate y especias, y con claras notas de cuero; muy complejo. En boca es sabroso, de buena estructura, potente y equilibrado.

Tasting notes: Cherry red color with evolution tinges. Aromas from the barrel with notes of chocolate, spices and clear wooden touches; very complex. On the palate, tasty with good structure, vigorous and well balanced

El Principal 2001 — Cabernet Sauvignon - Carmenère

Cata: Impresionante concentración en el color púrpura; oscuro e impenetrable a la luz, con gran cantidad de lágrimas finas que descienden lentamente por la copa. Los aromas intensos se juntan evocando frutas negras muy maduras mezcladas con especias finas y café tostado, con notas elegantes del tostado de la madera. En boca, concentración de sabores, acidez perfectamente equilibrada por el alcohol y los taninos finos y maduros. Larga persistencia con delicioso retrogusto de frutas confitadas, chocolate, especias y café tostado.

Tasting notes: An outstanding deep purple color; dark and impenetrable to the light, with lots of fine tears softly descending the wine glass borders. Intense aromas that evoke black ripe fruits combined with fine spices and toasted coffee, with elegant toasted wooden hints. On the palate, concentrated flavors, balanced acidity lent by a perfect combination of alcohol and fine ripe tannins. Long finish with a delicious persistence of candied fruits, chocolate, spices and toasted coffee.

Memorias 2001 — Cabernet Sauvignon - Carmenère

Cata: Color rojo rubí intenso. Ofrece a la nariz frutas negras y rojas bien maduras. Recuerda los aromas de guinda, mora y ciruela entrelazados con la madera en forma elegante. En boca se siente gran concentración y tiene buena intensidad frutal y frescor. Taninos bien casados con la madera, notas especiadas muy finas. Final largo y persistente.

Tasting notes: Intense ruby red color. Aromas of ripe black and red fruits. It evokes the aromas of sour cherries, blackberries and plums elegantly combined with wooden hints. On the palate, a good concentration plus intense fruity and fresh flavors. Harmonious blend of tannins, wood and very spicy notes. Long and persistent finish.

VIÑEDOS EMILIANA S.A.

Viñedos Emiliana S.A. fue fundada con el propósito de producir vinos de excepcional calidad que sean el resultado de un trabajo efectuado con especial preocupación mediante un manejo integrado de viñedos. Gracias a esta filosofía podemos decir que cada una de nuestras botellas contiene lo mejor de las zonas vitivinícolas chilenas, posicionándonos como una de las principales exportadoras de nuestro país. Desde los inicios nos hemos concentrado en invertir en campos propios, lo que nos ha llevado a contar actualmente con 1.500 hectáreas en los mejores valles de Chile.

En 1998 nuestra empresa aportó excelentes viñedos de los valles de Casablanca, Maipo y Rapel para ser manejados bajo una agricultura orgánica y biodinámica, dando así origen a Viñedos Orgánicos Emiliana, proyecto único en Chile y pionero en Latinoamérica. Éste gira en torno al total cuidado y respeto por la tierra, logrando así conservar todas las particularidades de la uva y obteniendo un resultado de extraordinaria calidad.

Hoy día se puede realizar visitas guiadas por los viñedos de los valles de Rapel y Casablanca.

Viñedos Emiliana S.A was founded in 1986 having as main purpose the production of exceptional wines, which are the result of a work performed carefully through an integrated management of the vineyards. Thanks to this, today we can say that every bottle contains the best of the Chilean wine zones. From the beginning we have concentrated on investing in our own fields, which has led us to count, today, with more than 1.550 hectares in the best valleys of Chile.

In 1998 we achieved an important project that consisted in contributing excellent vineyards from the valleys of Casablanca, Maipo and Colchagua in order to incorporate them into an organic and bio-dynamical agriculture handling, giving birth to Viñedos Orgánicos Emiliana, unique project in Chile and pioneer in Latin America. It is sustained basically in the care and absolute dedication for the vineyard, preserving this way all the grape's characteristics with a result of extraordinary quality.

Today we have guided tours in our vineyards in the Rapel and Casablanca Valleys.

Coyam

Cata: Presenta un color violeta intenso. En nariz resalta la fruta negra como berries y cassis, estas se mezclan en forma delicada con la madera entregando notas a toffee y chocolate. En boca nuevamente resalta la fruta negra. Los taninos se presentan en formas firmes pero suaves y redondas, entregando un vino con concentración, estructura, complejidad y personalidad. Recomendado para la guarda.

Tasting notes: Deep red in color with intense aromas of ripe black fruit, such as blackberry, cherry and jam. The oak is very well-balanced with the fruit and adds toffee aromas. This wine's tremendous character is immediately evident on the palate, where once again the fruit leaps to the forefront and the soft, well-rounded tannins add structure. Concentrated and complex, the wine finishes long and shows great personality.

Novas

Cata: Presenta un color intenso y profundo, con aromas a frutas negras, berries, especias, notas minerales y un tostado que otorga complejidad. En boca presenta una entrada suave con buen balance y volumen, con taninos suaves y elegantes.

Tasting notes: Presents an intense, deep-red color with aromas of black fruit, berries, spices, and mineral notes blended with a bit of toast that lends complexity. The supple palate features good balance and volume with soft, elegant tannins.

Adobe

Cata: El vino presenta un límpido color amarillo pálido verdoso, con aromas intensos y frescos a frutas cítricas y blancas con notas minerales y mucho carácter. En la boca es de buen volumen, con buena acidez y balance, con un final largo y suave.

Tasting notes: Clean, bright, and light greenish-yellow in color, with intense, fresh aromas of white fruits and citrus, mineral notes, and great character. Good volume on the palate, good acidity and balance, and a long, smooth finish.

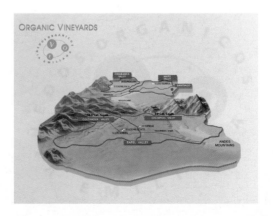

ORGANIC VINEYARDS

Viña Errazuriz

ERRAZURIZ

Fiel a su filosofía, "de la mejor tierra, los mejores vinos", Don Maximiano Errázuriz fundó Viña Errázuriz en 1870, 100 km. al norte de Santiago, en el Valle de Aconcagua. El valle se caracteriza por sus inviernos fríos y lluviosos, y veranos cálidos y secos, ventilados por la húmeda brisa del Pacífico.

Hasta hoy, sus descendientes son quienes han continuado con la misión de elaborar vinos de clase mundial bajo la marca Errázuriz, privilegiando la expresión de la fruta característica de Chile, elaborando vinos elegantes y complejos.

Viña Errázuriz elabora sus vinos a partir de sus propios campos en las más prestigiosas regiones vitivinícolas de Chile: Aconcagua, Maipo, Casablanca y Curicó, controlando cada etapa del proceso de producción, desde el cultivo de la vid, hasta la elaboración del vino.

Fundamental en el quehacer de la viña es la innovación, siendo pionera en la introducción en el país de cepas como Shiraz y Sangiovese, plantaciones en laderas y desarrollo de viñedos bajo el concepto de viticultura sustentable.

En la actualidad, Viña Errázuriz exporta el noventa y cinco por ciento de su producción a más de sesenta países alrededor del mundo.

Faithful to his philosophy, "From the best land, the best wine", Don Maximiano Errázuriz founded Viña Errázuriz in 1870, 100 kms. north of Santiago, in the Aconcagua Valley. This valley features cool rainy winters, hot dry summers and the cool Pacific Ocean breezes.

Until the present day, his descendants have continued the mission of crafting world-class wines under the Errázuriz brand, showcasing the characteristic expression of Chilean grapes, with elegant and complex wines.

As an estate winery, Viña Errázuriz crafts its wines from grapes produced in properties owned in the most prestigious Chilean viticulturist regions: Aconcagua, Maipo, Casablanca and Curicó, controlling every stage of the wine making process, from grape growing to wine making.

Innovation is key to the wineries philosophy. Viña Errázuriz is considered Chile's pioneer in the introduction of Shiraz and Sangiovese, hillside plantations, and for embracing the concept of sustainnable viticulture.

At present, Viña Errázuriz exports 95% of its productionn to more than sixty countries around the world.

Seña

75% Cabernet Sauvignon
17% Merlot
8% Carmenère

Cata: Nuestro Seña 2001 tiene la textura suave y sedosa que caracteriza a los vinos del valle de Aconcagua este año, con toda la gracia y elegancia de las mezclas tradicionales bordalesas provenientes de chile. Una fragancia a hojas y tierra provee un fascinante telón de fondo para los aromas de boysenberry, grosella negra, cedro de caja de cigarro y vainilla madura. El vino ingresa a la boca con taninos generosos y suaves que se funden en el paladar como si fueran mantequilla. Los sabores incluyen cereza, higo y caracteres a café negro tostado, con acentos de tabaco de pipa y ramas de pino. En boca, el vino se percibe hermosamente equilibrado, en tanto que el final persiste y persiste sin cesar. Este Seña combina en sí una temporada de maduración excepcionalmente larga que permite concentrar los sabores en las uvas Cabernet Sauvignon del valle de Aconcagua; un Merlot grueso y opulento, junto a un Carmenère oscuro y poderoso que completa la mezcla.

Tasting notes Our 2001 Seña captures the essential elements of the Seña style: perfect balance, ripe fruit, complexity on the nose and elegance on the palate. A leafy, earthy fragrance provides a rich backdrop for the ripe cherry, blackberry and vanilla bean aromas. The fruit is spicy on the palate, with light herbal notes. Silky smooth tannins give the wine depth and length. Berry fruit and vanilla oak carry through on the soft finish. The wine should enter its prime around 2006 and then continue aging well for at least five more years.

Francisco Baettig
Enólogo - Winemaker

Don Maximiano Founder's Reserve

97% Cabernet Sauvignon
3% Merlot

Cata Nuestro Don Maximiano Founder's Reserve 2001 resalta aromas exuberantes a cereza, pastel de mora y fruta seca. El trasfondo despliega notas a cedro, tabaco y nuez moscada que le aportan complejidad al vino. El largo período de envejecimiento en barricas integró los caracteres a roble, creando un matiz intenso a vainilla, tostado y arce. El vino tiene poder en el paladar, con taninos secantes y maduros, y un largo final acaramelado.

Tasting notes Our 2001 Don Maximiano Founder's Reserve displays luscious aromas of black cherry, blackberry pie and dried fruit. Background notes of cedar, tobacco and nutmeg give the wine complexity. The long barrel ageing integrated the oak characters, creating a rich undertone of vanilla, toast and maple. The wine has power on the palate, with ripe, chalky tannins and a long, caramel finish. As it ages in the bottle, the wine is developing nice secondary bottle bouquet aromas.

Francisco Baettig
Enólogo - Winemaker

Viñedo Chadwick

94% Cabernet Sauvignon
6% Carmenère

Cata El largo y lento periodo de maduración que caracterizó a la vendimia 2001 dio como resultado un vino de cuerpo pleno con notas concentradas a fruta y taninos suaves. Aromas evidentes a cassis, cedro y café se complementan con un carácter puro y delicado a vainilla aportado por el roble nuevo. En el paladar, el vino muestra una gran concentración con notas a mora madura, boysenberry y guindas. El largo envejecimiento en barricas contribuyó a integrar las notas a vainilla y tostado que proporciona la madera. Vino de equilibrada y firme acidez, con taninos finamente graneados que crean una deliciosa textura sedosa. El final en boca es largo e intenso con sabores a bayas con una delicada nota mineral. Los caracteres potentes a fruta y su elegante estructura hacen de este vino una delicia al paladar que puede disfrutarse desde ahora, aún cuando continuará ganando complejidad durante los próximos años.

Tasting notes The long, slow ripening that characterized the 2001 vintage resulted in a full-bobied wine with concentrated fruit characters and supple tannins, Forward aromas of cassis, cedar and coffee are complemented by a pure, light note of vanilla bean from the new oak. On the palate, the wine presents a great concentration of price blackberry, boysenberry and black cherry charactersm while the extended barrel ageing served to integrate the vanilla and toasted oak notes. Balanced acidity and firm, finely grained tannins create a deliciously silky texture. The long finish is rich with berry fruit and a light mineral note. the intense fruit characters and elegant structure make this a delicious wine to drink now, while ensuring that it will continue to gain in complexity for around ten years.

Francisco Baettig
Enólogo - Winemaker

La Cumbre

Shiraz

Cata: El color violeta oscuro e intenso de nuestro Shiraz La Cumbre 2003 es el primer indicio del catador de la riqueza e intensidad del vino. Los aromas son un complejo abanico de elementos con notas integradas a mermelada de mora, arándano fresco, lavanda, a vainilla y roble tostado. En el paladar, el vino tiene una textura sedosa y evidentes notas a fruta negra. Taninos maduros y secantes crean una buena estructura y contribuyen a una sensación de cocoa en polvo. El vino debería envejecer bien por muchos años por su gran concentración de taninos maduros y la complejidad de la fruta madura.

Tasting notes: The deep, dark violet colour of our 2003 La Cumbre Shiraz is the taster's first indication of the wine's richness and depth. The aromas offer a complex array of blackberry jam, fresh blueberry, and lavender, with integrated notes of vanilla and toasted oak. On the palate, the wine has a silky texture and forward black fruit. Ripe, chalky tannins create good structure and contribute a sensation of cocoa powder. The judicious use of oak beautifully supports the fruit, heightening the wine's complexity and its long, rich finish. This wine should age well for many years because of its great concentration of ripe.

Single Vineyard

Carmenère

SINGLE VINEYARD
DON MAXIMIANO ESTATE

ERRAZURIZ

Cata: Nuestro Single Vineyard Carmenère 2003 exhibe maravillosamente las características clásicas de la variedad. Los sabores a mora madura se acentúan con las deliciosas notas a pimentón rojo asado, especias y lavanda. Su prolongado envejecimiento en barricas contribuye con dejos a vainilla y tostado. El vino tiene una textura aterciopelada en el paladar. Vino maravillosamente equilibrado y elegante con expresivos caracteres a fruta que debería envejecer muy bien en botella durante los próximos diez años.

Tasting notes: Our 2003 Carmenère Single Vineyard displays a very attractive, deep colour. The wine aromatic profile is very complex and intense. In the nose it reveals toasted notes interwoven with a sweet, spicy accent that is complemented with ripe blackberries and lavender aromas; some vanilla undertones appear in an elegant finish. Blackberries and riped red bell pepper are evident on the palate. The wine has a rich and velvety texture in the mouth with intense flavours of lavender, blackberry jam and roasted red bell peppers. A truly elegant, fine wine, with an open character. We recommend to enjoy this full-bodied, delicious wine with spicy food and Thai cuisine.

Max Reserva

Cabernet Sauvignon

ERRAZURIZ
Family Owned Since 1870
ACONCAGUA VALLEY

MAX RESERVA
WINE OF CHILE | 2 0 0 3

CABERNET SAUVIGNON
Named after the Don Maximiano Estate. This fine, barrel aged wine has complexity and structure, derived from our best, hand selected fruit.
PRODUCED AND BOTTLED BY VIÑA ERRAZURIZ, CHILE

Cata: Nuestro Cabernet Sauvignon Max Reserva 2003 es un fiel exponente de las características distintivas de la uvas provenientes del Valle de Aconcagua. La vendimia 2003 se distingue por sus elegantes notas frutales. Aromas a guinda y cereza dan paso a notas a tabaco, cedro y canela. Es un vino de cuerpo pleno que se muestra amplio en boca e inunda el paladar con sus intensos sabores. Los taninos jóvenes y especiados le otorgan estructura y profundidad a las exuberantes notas frutales. Con una adecuada guarda este vino debería seguir envejeciendo bien por al menos seis a siete años más.

Tasting notes: Our Cabernet Sauvignon Reserva is made to showcase the distinctive characteristics of fruit grown in the Aconcagua Valley. The 2003 vintage was characterized by elegant fruit. Black and red cherry aromas are backed by notes of tobacco, cedar, and cinnamon. The full-bodied wine enters broadly and fills the mouth. The young, spicy tannins give structure and depth to the rich fruit. With proper cellaring, the wine should continue to age well for at least six or seven years.

Reserva

Sauvignon Blanc

ERRAZURIZ
ESTATE

SAUVIGNON BLANC
WINE OF CHILE | 2 0 0 5
A vibrant and refreshing dry style with a zingy citrus fruit character. 14.0%vol

Cata: Nuestro vino Sauvignon Blanc 2005 es de color amarillo pálido. Suaves aromas cítricos le aportan un contrapunto refrescante a la fruta madura tropical, mientras que notas a hierbas y a pasto fresco recién cortado le adicionan complejidad al vino. Una excelente acidez crean un cuerpo ligero y un final limpio. Para deleitarse con sus frescos caracteres a fruta, recomendamos beberlo dentro de los dos primeros años posteriores a la vendimia.

Tasting notes: Our 2005 Sauvignon Blanc is pale yellow in colour. Light citrus aromas provide a refreshing counterpoint to the ripe tropical fruit, while notes of freshly cut grass and herbs add complexity. Excellent acidity creates a light body and a clean finish. To enjoy the fresh fruit characters, we recommend consuming within two years of vintage.

Viña Estampa es una nueva e innovadora viña chilena inserta en el corazón del Valle de Colchagua, perteneciente a la familia González Ortiz. Cuenta con una bodega de punta y líneas arquitectónicas modernistas, rodeada de 300 hectáreas de viñedos propios plantados con cepas tintas y blancas nobles.

La filosofía enológica de Viña Estampa se focaliza en el perfeccionamiento de los métodos de ensamblaje, que combinan dos o más cepas finas para lograr vinos de clase mundial en cada una de sus líneas varietales, reserva y premium. Sus singulares vinos se caracterizan por una gran complejidad cromática, aromática y gustativa, que representa los excepcionales sabores y aromas del Valle de Colchagua.

Viña Estampa, desde su inicio, ha recibido importantes premios en los más exigentes concursos a nivel mundial, y hoy sus vinos están presentes en los principales mercados europeos, asiáticos y de las Américas.

Durante el año 2003, Viña Estampa ha sumado a sus viñedos Estampa y Estación, nuevas tierras en la zona de Marchigüe, donde desarrollará un proyecto premium, que le permita liderar nuevas tendencias en el consumo global.

Viña Estampa también ha liderado el desarrollo del concepto eno-turístico en Chile, integrando sus instalaciones al Tren del Vino de Colchagua, ofreciendo tours guiados, degustaciones y eno-gastronomía de alto nivel a cientos de amantes del vino de los 5 continentes.

Viña Estampa is an innovative new winery located in the heart of Chile's Colchagua Valley. It is owned and operated entirely by the González Ortiz family. The modern, state-of-the-art winery is surrounded by 300 hectares of vineyards planted with noble red and white grape varieties.

The winemaking philosophy of Viña Estampa centers on perfecting the art of blending two or more varieties to obtain world-class wines within each of our classic, reserve and premium product lines. These distinctive wines are characterized by deep color and an aromatic complexity that expresses the exceptional flavors and aromas of the Colchagua Valley.

From our very first vintages, Viña Estampa has received important awards in the most demanding international wine competitions. Today our wines can be found throughout the main European, Asian, and American markets.

In 2003, the Viña Estampa vineyards were expanded to incorporate a new property located in the area of Marchigüe, in addition to the original Estampa and Estación estates. The new vineyard will be the site of a premium project that will position Estampa at the forefront of this new trend in global consumer tastes.

Viña Estampa is also a leader in the area of wine tourism in Chile. The winery participates in the Colchagua Valley Wine Train and offers guided tours and tasting, as well as an innovative wine and food program, to wine enthusiasts from around the world.

Cata Posee un color rojo granate profundo y concentrado. En la nariz destacan las notas a frutos negros, mermelada de moras, así como notas a especias y hojarasca. Las notas a vainilla y tostado aportadas por la guarda en barricas se funden armoniosamente en este vino de buena estructura, con un cuerpo que llena la boca, taninos densos y redondos, de final largo, con notas a caramelo y frutos negros de sotobosque.

Tasting notes This wine has a deep, concentrated garnet red colour. On the nose, the wine shows black fruits and blackberry jam aromas, with spicy notes and a leafy character. The vanilla and toast contributed through barrel aging are well integrated. The palate has good structure and a mouth-filling body, with dense, round tannins. The long finish features caramel notes and black forest fruits.

Ricardo Beattig
Enólogo - Winemaker

Gold 55% 2003 — *Carmenère*

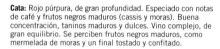

Cata: Posee un profundo color rojo rubí, con matices violeta. En el aroma destaca la presencia de frutas rojas maduras, regaliz y notas a humo, hierbas y café. En la boca presenta una excelente madurez y concentración, destacando el dulzor de frutas como la frambuesa, notas a especias y soya, así como el tostado y grafito dado por la guarda en barricas francesas. Vino de un gran equilibrio y estructura, con buena acidez, taninos fundidos y una larga persistencia.

Tasting notes: This wine has a deep ruby-red color with violet hues. Ripe red fruit, anis and smoky undertones unfold on the nose followed by hints of coffee and herb. The Gold Assemblage Carménère is well balanced and characterized by good structure, acidity and mature, concentrated fruit. Sweet raspberry is accented by nuances of soy sauce, and spice. Aging in French oak barrels adds complementary notes of toast and pencil shavings preceding a lasting finish.

Reserva 2004 — *Syrah, Cabernet Sauvignon, Merlot*

Cata: Rojo púrpura, de gran profundidad. Especiado con notas de café y frutos negros maduros (cassis y moras). Buena concentración, taninos maduros y dulces. Vino complejo, de gran equilibrio. Se perciben frutos negros maduros, como mermelada de moras y un final tostado y confitado.

Tasting notes: Very deep purple-red. Spicy on the nose, with ripe cassis, blackberry, and a note of coffee. The ripe black fruit flavours are reminiscent of blackberry jam. This complex wine is beautifully balanced, with good concentration and ripe, sweet tannins. Candied fruit and toasted oak carry through on the seamless finish.

Reserva 2004 — *Cabernet Sauvignon, Carmenère, Petit Verdot*

Cata: Intenso rojo granate. Destaca la presencia de frutas rojas maduras, ciruelas, hierba y café. En la boca presenta una gran personalidad y concentración, destacando las notas a fruta madura y especias. Vino con carácter y armónica estructura gracias a la potencia del Cabernet Sauvignon y las características de hojas secas y florales del Carménère y Petit Verdot.

Tasting notes: Deep garnet red. Ripe red fruits and plum, complemented by herbal notes and coffee. On the mouth, the wine displays a lot of personality. The ripe fruit characters are spicy and concentrated, with good tannin support. The powerful Cabernet component gives the wine excellent structure, while the Carménère and Petit Verdot contribute complex floral notes and a touch of dried leaves.

Reserva 2004 — *Carmenère, Cabernet Sauvignon, Cabernet Franc*

Cata: Rojo intenso con matices violáceos. Intenso aroma a frutas rojas de sotobosque, especias y tabaco. Notas ligeramente herbáceas dan como resultado un vino muy jugoso en la boca, de frutas maduras, rojas y frescas. Taninos suaves y fundidos, notas de chocolate y especias se confunden logrando una buena intensidad y persistencia en la boca.

Tasting notes: Dark red with violet hues. Intense aromas of wild berries and ripe red fruits, accented by spice and tobacco. Light herabeacous notes provide an excellent counterpoint to the fresh, juicy, ripe red fruit flavours. Chocolate and spice round out the flavour profile. Soft tannins seem to melt on the palate, creating a lush texture with good depth and a long finish.

La tradición comenzó hace más de 450 años, cuando el conquistador español Don Francisco de Aguirre plantó el primer viñedo, en la misma región privilegiada por el sol, donde la viña que hoy lleva su nombre, inició su producción en 1993 a partir de viñedos ubicados en un oasis en la frontera sur del desierto de Atacama, aprovechando las bondades del Sol y la brisa marina proveniente del Océano Pacífico.

Condiciones Climáticas y Geográficas
• "Condiciones Climáticas Optimas" para la viticultura
• Gran luminosidad
• Clima seco; verano 9°C - 27°C; invierno 4°C - 18°C
• Baja humedad relativa y leves precipitaciones (no ocurren durante la cosecha)
• Amaneceres con neblina por la influencia marina
• Gran diversidad de suelos libres de contaminación
• Riego por goteo con agua proveniente de deshielos de los Andes

Beneficios en la Uva y Vino
• Uvas sanas para vinos de buena madurez fenólica
• Vinos blancos balanceados con gran bouquet
• Vinos rojos de intenso color
• Vinos blancos y tintos destacados por su frutosidad

The tradition started more than 450 years ago, when the Spanish conqueror Francisco de Aguirre planted the first grapevines, in the same sunny region where the winery that bears his name, begun winemaking in 1993 from vineyards located in an oasis just south of the Atacama desert, benefited by the influence of the Sun and breeze from the Pacific Ocean.

Climate and Geographic Conditions
• "Optimal Climatic Conditions" for viticulture
• Great luminosity
• Dry weather; summer 9° C - 27° C; winter 4° C - 18°C
• Low relative humidity and little precipitation (not during harvest)
• Morning mist blankets due to sea influence
• Great diversity of soils free from contamination
• Full drip-irrigation with snow melt water from the Andes Mountains

Benefits in the Grape and Wine
• Healthy grapes for good phenolic maturity wine
• Well balanced white wines with great bouquet
• Red wines with intense color
• White and red wines stand out for their fruitiness

Reserve 2003

Cabernet Sauvignon

Cata: Excelente vino que puede guardarse hasta 3 años en botella, manteniendo sus cualidades. Este vino presenta un bonito color rojo teja. En la nariz sus aromas recuerdan chocolate, higos secos, nuez moscada y vainilla. En la boca es suave, de estructura media, con taninos muy maduros, con una buena y agradable persistencia varietal. Muy agradable de beber.

Tasting notes: Excellent wine to hold until 3 years. This Palo Alto Reserve Cabernet sauvignon 2003 has a beuty red colour. The aromas remind plums, chocolate, dried figs and vanilla. In the mouth is full bodied with good structure and ripe tanins. The final is long and pleasing, with good varietal character.

Lorena Véliz
Enólogo - Winemaker

Prologo es la introducción a la historia del vino en Chile y da tributo a Don Francisco de Aguirre quien fue pionero del desarrollo de nuestra viticultura nacional. Este vino reserva es el resultado del matrimonio armónico de la frutosidad de las uvas y el fino roble de las barricas, donde reposa por diez meses, dando luz a un vino de gran cuerpo y bouquet elegante.

Variedades: Cabernet Sauvignon- Merlot- Syrah

Prologo is an introduction to the history of wine in Chile and pays tribute to Francisco de Aguirre who pioneered the development of viticulture. These reserve wines are a harmonious marriage of fruitiness from the grapes and fine oak from the barrels where the wine is aged for 10 months, giving birth to a wine of great body and elegant bouquet.

Varieties: Cabernet Sauvignon- Merlot- Syrah

Viña Garcés Silva

Amayna

Viña Garcés Silva de propiedad de la Familia Garcés Silva, fue fundada por el empresario José Antonio Garcés, quien adquiere tierras en el Valle San Antonio-Leyda, tranformándose en uno de los pioneros del desarrollo vitivinícola de esta zona.

Junto al trabajo y compromiso de toda la Familia Garcés Silva en esta ambiciosa y silenciosa empresa, cabe destacar el trabajo del enólogo Jean Michel Novelle

Ubicada en el Valle San Antonio-Leyda en la zona central de Chile, a 14 Km del mar frente a las costas del Océano Pacífico, esta nueva zona vitivinícola cumple con las condiciones ideales para producir uvas de zona fría. Todas las uvas provienen de viñedos propios.

La arquitectura de nuestra bodega nace del entorno. El emplazamiento determina distintos niveles dentro de ella, permitiendo un suave manejo de las uvas y los mostos haciendo que el vino decante sólo por gravedad, lo cual preserva los aromas y potencia las características de nuestros vinos.

Producimos 10.000 cajas al año.

The winery that bears the Garcés Silva family was founded by José Antonio Garcés Silva, a business man who acquired the property in the San Antonio-Leyda Valley area, thus becoming one of the pioneers in the area's vitivinicultural development. Along with the work and commitment of the entire Garcés-Silva family in this quietly ambitious winery, we must mention the work of our oenologist Jean Michel Novelle.

Located in the San Antonio-Leyda Valley, along the coast of the Pacific Ocean in the center of Chile, this new vitivinicultural area has all the ideal conditions for producing cold-climate grapes. All of the fruit used comes from our own vineyards.

The winery architecture is inspired by its environment.

The surroundings determine the different levels within the winery, which allow for a gentle handling of the grapes and musts.

The wine therefore decants by gravity to preserve all the aromatic potential and strengthen the characteristics of our wines. We produce 10,000 caisses.

2004 — Sauvignon Blanc

ESTATE BOTTLED
VALLE SAN ANTONIO LEYDA
CHILE
2004

Cata: Los suelos de baja fertilidad y la leve brisa del Océano Pacífico entregan un alto potencial aromático y una gran intensidad que se refleja en sus notas florales, cítricas y minerales. Un vino lleno, equilibrado, con mucha personalidad y exquisita elegancia.

Tasting notes: Poor soils and a gentle Pacific breeze contribute high aromatic potential and great intensity, which are reflected in its floral, citric, and mineral notes. A rich and balanced wine with tremendous personality and exquisite elegance.

2003 — Sauvignon Blanc Barrel Fermented

ESTATE BOTTLED
VALLE SAN ANTONIO-LEYDA
CHILE
2003

Cata: Como en una tormenta, se mezclan los frutos tropicales maduros, piel de naranja y notas minerales, además de aromas a vainilla provenientes de una barrica elegante, bien casada con la fruta. Vino de gran persistencia y complejidad aromática.

Tasting notes: Blended as if in a storm at sea, ripe tropical fruit, orange peel, and mineral notes marry well with the aroma of vanilla from the elegant oak treatment. This is a wine with great persistence and aromatic complexity.

2003 — Chardonnay

ESTATE BOTTLED
VALLE SAN ANTONIO-LEYDA
CHILE
2003

Cata: Intenso como el mar, sus aromas nos evocan frutos secos y papayas mezclados con una barrica elegante que aporta aromas a vainilla y caramelo. Ligeras notas minerales entregan complejidad. En boca es de gran estructura, elegancia y exquisita persistencia.

Tasting notes: Intense as the sea, its aromas recall nuts and papayas blended with an elegant oak treatment that adds vanilla and caramel. Light mineral notes deliver complexity. The palate shows tremendous structure, elegance, and a delicious persistence.

2003 — Pinot Noir

ESTATE BOTTLED
VALLE SAN ANTONIO LEYDA
CHILE
2003

Cata: La influencia del mar, los suelos y una lenta maduración, lo hacen un vino de un color rojo rubí profundo con ribetes violáceos, de gran complejidad aromática. Sus aromas evocan a frutos rojos y negros maduros y una suave nota de vainilla y canela aportada por la elegancia de una barrica bien casada. Taninos suaves, que llenan la boca y que otorgan gran estructura además de un final limpio, elegante, de grata persistencia y personalidad.

Tasting notes: Influenced by the sea, the soil, and a long, slow growing season, this ruby-red wine edged in deep violet is highly complex. Its aromas evoke ripe red and black fruits with soft notes of vanilla and cinnamon from the perfect marriage with fine oak barrels. Soft, mouth-filling tannins add great structure balanced on a clean, elegant finish that is both persistent and full of personality.

Jean Michel Novelle
Enólogo - Winemaker

VIÑA GILLMORE ESTATE

Gillmore
· E S T A T E ·

En un extraordinario valle de la Región del Maule, a trescientos kilómetros al sur de Santiago, Francisco Gillmore encontró viñedos de mediados del siglo XIX, de las finas cepas Cabernet Sauvignon, Cabernet Franc, Merlot, Carmenère y Carignan, a las que sumó nuevos clones de Syrah, Malbec y Mauvedre. En suaves laderas de tierras rojas, hay cincuenta y dos hectáreas de viñedos de uvas orgánicas, donde, firmemente comprometidos con el medio ambiente, su hija Daniella y su yerno Andrés Sánchez, ambos reconocidos profesionales vitivinicultores, manejan la producción de vinos super Premium. Con el sello propio del terroir de esta zona de intensos calores, se generan vinos con aromas a frutas negras mezclados con chocolate, matices de menta y eucaliptos, con una viva acidez en boca y estructurados taninos. Son, además, vinos de gran elegancia y larga capacidad de guarda.

La exclusiva Casa de Huésped y Spa de Vinoterapia permiten al visitante disfrutar de la flora, fauna, historia de nuestra tierra, compartir actividades como cursos de cata, preparando sus propias mezclas, degustar platos típicos y relajarse conociendo nuestro zoológico de fauna nativa.

In an extraordinary valley of the Maule Region, three hundred kilometers south of Santiago, Francisco Gillmore discovered vineyards that dated from the 19th century with fine Cabernet, Sauvignon, Cabernet Franc, Merlot, Carmenère and Carignan rootstocks, to which he added new stocks of Syrah, Malbec and Mauvedre. Planted on smooth red-clay based slopes there are fifty two hectares of organic grape vineyards, where with strict respect for the environment, his daughter Daniella and his son-in-law Andrés Sánchez, both renowned winegrowing professionals, run the production of super Premium wines. With the proper imprint of the terroir of this warm zone, they produce wines that bear the aromas of black fruits blended with chocolate, mint and eucalyptus hints, bright acidity in mouth and well structured tannins. They are, as well, wines of great elegance and a good ageing capacity.

The exclusive Guest House and Wine-therapy Spa allow the visitants to enjoy the flora, fauna and history of this land, by sharing activities as wine sampling courses, preparing their own blends, tasting of typical dishes and relaxing while getting acquainted with our native fauna zoo.

Reserva 2001 — *Merlot*

Cata: Presenta un intenso color, aromas de frutas negras y ciruela combinada con suaves notas a roble conforman su compleja nariz. La boca es concentrada, con tanino maduros y una jugosa acidez con una muy bien integrada madera a su carácter frutal dejan paso a un largo final.

Tasting notes: Falta texto en inglés. Poor soils and a gentle Pacific breeze contribute high aromatic potential and great intensity, which are reflected in its floral, citric, and mineral notes. A rich and balanced wine with tremendous personality and exquisite elegance.

Reserva 2001 — *Cabernet Franc*

Cata: Elegantes tonos especiados caracterizan su nariz, complejos aromas de fruta con fondo de menta. En boca es expresivo y untuoso de mucho equilibrio caracterizándose por un final de boca largo y elegante.

Tasting notes: Falta texto en inglés. Blended as if in a storm at sea, ripe tropical fruit, orange peel, and mineral notes marry well with the aroma of vanilla from the elegant oak treatment. This is a wine with great persistence and aromatic complexity.

Reserva 2001 — *Cabernet Sauvignon*

Cata: A la vista su color rojo intenso denota muy poca evolución. La nariz es rica y compleja, frutos rojos se mezclan con aromas de tabaco y avellanas con tonos de un muy fino roble. Su boca es estructurada y con abundante expresión de fruta, su delicada acidez le confiere un gran equilibrio y elegancia.

Tasting notes: Falta texto en inglés. Intense as the sea, its aromas recall nuts and papayas blended with an elegant oak treatment that adds vanilla and caramel. Light mineral notes deliver complexity. The palate shows tremendous structure, elegance, and a delicious persistence.

VIÑA GRACIA

Combinando lo mejor de la tradición y la tecnología, Viña Gracia de Chile tiene como propósito generar un concepto único que identifique a los vinos chilenos en el mundo.

Viña Gracia forma parte de Viñedos y Bodegas Córpora S.A; integrante del holding Córpora establecido en Chile hace más de 100 años por la familia Ibáñez. Cuenta con seis viñedos propios ubicados estratégicamente en los valles vitivinícolas más importantes del país: Aconcagua, Maipo, Casablanca, Rapel, Curicó y Bío-Bío.

Esa característica permite que Gracia supervise la calidad de sus vinos desde la uva hasta el embotellado, asegurando excelencia en cada cepa.

En 1996, se construyó la bodega con una capacidad inicial en acero inoxidable para cuatro millones de litros. Tres años más tarde, se duplicó la capacidad, incrementando en número y tipo los tanques de acero. Actualmente, Viña Gracia tiene una capacidad de vinificación de 9,5 millones de litros y más de 4.000 barricas de roble francés.

El reconocimiento internacional que ha obtenido Viña Gracia se demuestra en los resultados de torneos internacionales, en los que desde sus inicios, ha obtenido más de 70 medallas en sus diferentes cepas.

Combining the best of tradition and technology, Viña Gracia de Chile aims to create a unique concept that identifies Chilean wines around the world.

Viña Gracia forms part of Viñedos y Bodegas Córpora S.A., which in turn is a division of the Córpora holding company. Córpora was founded in Chile over a hundred years ago by the Ibáñez family. The company owns six estate vineyards strategically located in the country's most important winegrowing regions: Aconcagua, Maipo, Casablanca, Rapel, Curicó, and Bío-Bío.

Owning estate vineyards allows Gracia to oversee wine quality from the grape to the bottle, ensuring excellence in each variety.

The winery was built in 1996, with an initial capacity of four million liters in stainless steel tanks. That capacity was doubled three years later, increasing both the number and type of stainless steel tanks available. Viña Gracia currently has a winemaking capacity of 9.5 million liters in stainless steel and more than 4,000 French oak barrels.

The international recognition that Viña Gracia has received is evident in the winery's performance at international wine competitions. Our different varieties have received over 70 medals since the winery began participating.

Reserva Lo Mejor 2002 — Cabernet Sauvignon, Porquenó

Cata: El 100% del vino fue envejecido en barricas durante 18 meses. Púrpura oscuro - casi negro. Una nariz con grosellas negras y moras como las notas predominantes. Destaca los sabores de frutas negras maduras, integradas perfectamente con las notas especiadas de la encina francesa.
Medalla de oro en la IWSC, Inglaterra, 2004.

Tasting notes: 100% oak-aged for 18 months. Deep purple - almost black. Cassis and blackberries predominate on the nose and are balanced by perfectly integrated spicy notes from the French oak.
Gold Medal, IWSC, UK, 2004.

Reserva 2004 — Carmenère, Callejero

Cata: Cosecha a fines de abril. Oscuro rojo-púrpura. Nariz con carácter especiado, específicamente de pimienta negra. Notas altas jugosas de fruta madura y dulce, apoyado por taninos suaves.
Medalla de bronce en Decanter World Wines Award 2005.

Tasting notes: Harvested in late April. Deep, dark, reddish-purple. Spicy on the nose; black pepper especially stands out. Juicy high notes of sweet ripe fruit backed up by soft tannins.
Bronze Medal, Decanter World Wines Awards, 2005.

Selección Limitada 2003 — Pinot Noir, Relativo

Tapa abierta, con maceración en frío y pisaje manual. Púrpura oscuro. Aromas con notas de moras, ciruelas y uvas negras. Sabores dulces a moras.

Tasting notes: Open-topped fermentation with cold soak and manual punch-downs. Dark purple. Aromas of blackberries, plums, and black grapes. Sweet blackberries on the palate.

Premium 1999 — Red Wine, Caminante

Cata: Uvas escogidas a mano. Crianza en forma parcial en barricas de madera francesa. Color vivo, rojo con tintes violáceos. Aromas que evocan hierbas y frutos silvestres. Boca equilibrada con taninos suaves y elegantes, culminando con una complejidad típica del Valle de Aconcagua.

Tasting notes: Hand-picked grapes. Partially aged in French oak barrels. Bright and lively violet-red. Aromas recall fresh herbs and wild fruits. The well-balanced palate features soft, elegant tannins with a complexity typical of its terroir.

Thomas Evans
Enólogo - Winemaker

VIÑA HARAS DE PIRQUE

En 1991, el empresario Eduardo A. Matte adquiere una propiedad en el sector sur poniente de la característica zona vitícola de Pirque, en el Valle del Maipo, bautizándola con el nombre del primer criadero de caballos fina sangre que hubo en Chile, Haras de Pirque.

La hermosa propiedad, que hoy abarca 600 hectáreas (1,500 acres), asciende suavemente en su límite sur los faldeos de un cordón transversal de la Cordillera de los Andes, donde, a partir de 1992, se han plantado 145 hectáreas (362.5 acres) de viñedos. En los amplios potreros del sector más llano, la crianza de caballos se ha desarrollado de manera óptima, permitiendo a Haras de Pirque obtener los principales trofeos hípicos y reconocimiento internacional.

Viña Haras de Pirque posee una bodega única en su género en el mundo; su arquitectura tiene la forma de una herradura, en directa alusión a su vínculo con el haras de caballos fina sangre. Al estar levantada en la ladera de la colina, las diferentes naves tienen entre sí un marcado desnivel, lo cual permite manejar los mostos por gravedad. Allí se elaboran vinos que buscan establecer un nuevo paradigma para los mercados más exigentes, definido por la calidad y la originalidad, el refinamiento y la pasión.

In 1991, business entrepreneur Eduardo A. Matte acquired an attractive estate in the southwestern part of Pirque, a prestigious traditional winegrowing area situated in the Maipo Valley, in Central Chile. He christened it "Haras de Pirque" in honor of the country's oldest thoroughbred farm.

Near its southern boundary, the property - today covering 600 hectares (1,500 acres) - gently ascends the lower slopes of a spur of the Andes Mountains. In these foothills, since 1992, one hundred forty-five hectares (362.5 acres) of vineyards have been planted. In the estate's spacious flatland sector is the thoroughbred breeding farm, with pedigreed stallions which have enabled the haras to win Chile's main horseracing trophies and earn international acclaim.

Viña Haras de Pirque features a uniquely designed, horseshoe-shaped winery, the only one of its kind in the world. Built on the side of the hill, it is a tribute to both the estate's vineyards and the thoroughbred farm. The inner sloping floors allow the force of gravity to slowly, gently move the musts. Here, Viña Haras de Pirque produces wines aimed at establishing a new paradigm defined by outstanding quality, originality, refinement and passion, for the most demanding markets around the world.

2002

Cabernet Sauvignon - Carmenère

Cata: 18 meses de guarda en barrica francesa nueva. Brillante y profundo color rojo con intensos tonos violáceos. Gran intensidad y gama aromática, destacan frutas negras maduras envueltas con exquisitas y delicadas notas de madera. Se complementa con notas a tabaco, tierra húmeda, chocolate y tostado. Fantástico en boca, muestra una gran concentración de taninos redondos, suaves y envolventes. Es elegante, fresco y con gran intensidad frutal. Muy bien evolucionado en barrica y muy complejo en aromas.

Tasting notes: 100% oak-aged for 18 months. Deep purple - almost black. Cassis and blackberries predominate on the nose and are balanced by perfectly integrated spicy notes from the French oak. Gold Medal, IWSC, UK, 2004.

2001

Cabernet Sauvignon

Cata: 18 meses de guarda en barrica francesa nueva. Profundo color rojo con intensos tonos violáceos. Frutas negras maduras complementando con notas a tabaco, tierra húmeda, chocolate y tostado que dan al vino notas elegantes y complejas.

Tasting notes: 100% oak-aged for 18 months. Deep purple red. Complex and soft, ripe plums, chocolate, mint, blackberry, cedar and spice flavours.

2002

Cabernet Sauvignon

Cata: Rojo profundo. Complejo y suave en boca, ciruelas maduras, chocolate, menta y sabores especiados. 14 meses de guarda en barrica francesa.

Tasting notes: Deep purple red. Complex and soft, ripe pluma, chocolate, mint, blackberry, cedar and spice flavours. Oak-aged for 14 months.

2003

Cabernet Sauvignon

Cata: 10 meses de guarda en barrica francesa. Uvas escogidas a mano. Crianza en forma parcial en barricas de madera francesa. Color vivo, rojo con tintes violáceos. Aromas que evocan hierbas y frutos silvestres. Boca equilibrada con taninos suaves y elegantes, culminando con una complejidad típica del Valle de Aconcagua.

Tasting notes: Oak-aged for 10 months. This wine has intense blackcurrent notes blending in with the sweetness from the subtle influence of American and French oak. The palate in rich with a soft acid that allows the wine to linger with a ripe fruit finish. Intense aroma of black and red berries, cassis, dried fruits, dark cherries.

Cecilia Guzmán - Alvaro Espinoza
Enólogo - Winemaker

VIÑA J.BOUCHON

La tradición familiar es una de las características de la viña J.Bouchon. En 1892 llega a chile E.G. Bouchon, proveniente desde Burdeos, Francia. Luego de tres generaciones, el actual presidente, Julio Bouchon, es Ingeniero Agrónomo de la Universidad de Chile y enólogo de la Universidad de Burdeos.

Los viñedos están ubicados en el Valle del Maule, 250 kms al sur de Santiago. Las plantaciones ascienden a un total de 370 hectáreas de las variedades: Cabernet Sauvignon, Merlot, Carmenere, Malbec, Syrah, Sauvignon Blanc y Chardonnay.

Gran parte de nuestras plantas tienen mas de 60 años, de las cuales obtenemos excelentes resultados, vinos profundos en colores e intensos en fruta. El rendimiento por hectárea es 7.000 a 8.000 kg.

La cosecha se hace en forma manual, además de una selección de los racimos. Esto contribuye a obtener una calidad consistente en el tiempo. El riego se aplica solo en casos de escasez de lluvia.

La bodega esta ubicada en Santa María de Mingre. Tiene una capacidad de vinificación de 4.000.000 litros en acero inoxidable. Para los vinos reserva y reserva especial contamos con una bodega de guarda donde se utilizan barricas francesas.

A winery without a past is like a wine without character. Above all, we believe in tradition and quality, our traditions go a long way back - to 1892 - when G. Bouchon, a native from Bordeaux (France) arrived to Chile and settled down in the Maule Valley, south of Santiago. Julio Bouchon S., the current president and owner, is an Agronomist graduated by the University of Chile and holds an Enologist degree by the Bordeaux University.

The company's vineyards are located in the Maule Valley, in the coastal rainfall area. These vineyards mainly cover a total of 370 Hectares (approx. 1000 acres) of Cabernet Sauvignon, Merlot, Malbec, Carmenere, Syrah, Sauvignon Blanc, and Chardonnay.

Most of the vines are about 60 years old, from which we obtain excellent results, deep colors and rich in fruity flavors. The yield is only about 7 - 8000 kilos per hectare (approx. 2.5 - 3.0 tons per acre)

Traditional hand picking of the grapes and bunches selection are practiced. This contributes to their consistent high quality. Irrigation is used to supplement the rainfall.

The wine cellar facilities are located in Santa María de Mingre estate. The total vinification capacity is 4,000,000 liters in stainless steel tanks and French barrels.

Reserva Especial

Cabernet Sauvignon

J.Bouchon Reserva Especial Cabernet Sauvignon es producido, bajo la supervisión de Patrick Valette, con uvas seleccionadas de nuestros tres viñedos ubicados en el Valle del Maule: Santa María de Mingre, Santa Rosa y las Mercedes.
Cada terroir aporta condiciones únicas de microclima y suelo, permitiendo a cada Cabernet Sauvignon expresarse en todo su potencial aportando características únicas de cada viñedo.
El proceso comienza con un cuidadoso manejo del viñedo, controlando el follaje y los rendimientos por hectárea, para obtener uvas sanas y de óptima madurez. Siguiendo con una cuidadosa vinificación en bodega. Finalizando con una guarda en barricas francesas de 12 meses en busca de elegancia y buen equilibrio.

J.Bouchon Reserva Especial Cabernet Sauvignon is made using grapes selected from our three estates in the Maule Valley: Santa María de Mingre, Santa Rosa and Las Mercedes.
Each terroir benefits from very particular conditions of microclimate and soil allowing each Cabernet Sauvignon to express its maximum potential and contribute with a different characteristic from each estate. This wine is produced under the supervision of Patrick VALETTE. Starting the process with a careful vineyard management, controlling the canopy and yields per hectare, to achieve the best quality of the fruit. Followed by a dedicated and gentle winemaking process, at the cellar, to naturally obtain fruit concentration. Finalizing all the process with conservation in French barrels for 12 months to have elegant and well balanced wines.

Rafael Sánchez
Enólogo - Winemaker

Viña La Rosa

"Qué caracteriza a los vinos Premium? Los vinos Premium son esencialmente naturales, no industriales. Deben expresar el carácter específico de un lugar con intensidad, profundidad y esta expresión debe estar presente en forma regular año tras año.

En otras palabras, los vinos Premium deben revelar no sólo el carácter propio de las uvas sino también las particularidades del lugar que les dió origen, en este caso, Peumo, en el valle del Cachapoal, y que los distingue como tales. Los grandes vinos se parecen a los lugares que los producen." José Ignacio Cancino, enólogo jefe de Viña La Rosa desde 1996.

Fundada en 1824 por don Francisco Ignacio Ossa y Mercado, Viña La Rosa es una de las más antiguas viñas de Chile. Su nombre evoca vinos producidos y embotellados en fundos propios, de alta calidad y de renombre internacional, en parte por las numerosas distinciones que ha recibido por parte de los jurados de los más prestigiosos concursos. El sello de la familia Ossa está todavía presente en esta aventura vitivinícola iniciada hace más de 180 años. Las presentes generaciones de la familia Ossa muestran la misma tenaz pasión por la tierra que sus antepasados.

La viña está situada en el corazón del valle del Cachapoal, en el valle Central de Chile. En el espectacular parque natural de palmas chilenas La Palmería de Cocalán, uno de sus tres fundos, los viñedos comparten el suelo con miles de palmas. Gracias a sus vinos, Viña La Rosa puede preservar este excepcional y asombroso lugar.

Los vinos Viña La Rosa La Capitana reserva, y Don Reca gran reserva, son vinos elegantes que poseen un intenso carácter frutal. Este es un sello que resulta de nuestra filosofía: buscamos revelar la esencial naturaleza de los varietales y, a la vez, transmitir las especiales marcas que deja nuestro terroir.

"What are Premium wines? For me, Premium wines are natural wines, not made on an industrial level. They express the specific character of a place with intensity, deepness and complexity, and this specific distinction must be present vintage after vintage.

In other words, Premium wines are not only characterized by the grapes variety, but also by the unique characteristics of the land – in this case, Peumo, in the Cachapoal Valley - where they are produced. Those are great wines. " states José Ignacio Cancino, Viña La Rosa's chief winemaker since 1996.

Established in 1824 by don Francisco Ignacio Ossa y Mercado, Viña La Rosa is one of Chile's oldest wineries, and is renowned for its award-winning, estate-grown and bottled, high quality wines. The Ossa seal is present after over 180 years of taking on this viticultural and winemaking adventure. The present generation Ossa still shows the same passion for the land as their ancestors had.

The winery is located in the heart of the Cachapoal valley, in Center South Chile. One of its three estates is La Palmería de Cocalán, a stunning place where vineyards share the land with thousands of native Chilean palms. Viña La Rosa wines help preserve this exceptional and beautiful place.

Viña La Rosa La Capitana - barrel reserve - and Don Reca - limited release – are wines that are elegant and possess an intense fruit character. This is a reminder of our winemaking philosophy: to express the essential nature of the grape variety as well as respect the very uniqueness of our terroir.

Don Reca - Cabernet Sauvignon 2003

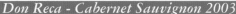

100% Cabernet Sauvignon,
producido en el valle del Cachapoal
100% Cabernet Sauvignon,
estate grown from the Cachapoal Valley

Vinificación: Cuidada cosecha a mano y selección posterior de los racimos. Antes de ser lanzado al mercado, este vino permaneció 9 meses en barricas nuevas de roble francés, y luego 9 a 12 meses guardado en botella.

Cata: Profundo color rojo-granate. En la nariz, un intenso y complejo bouquet de frutos negros, con notas de madera. Aromas de cerezas, menta, y chocolate negro. En el paladar, redondo y aterciopelado, con notas de maduros cassis, arándanos y una combinación de menta, tabaco y chocolate. Suaves pero firmes taninos, y una buena acidez que permite equilibrar la fruta. Este es un vino de carácter distinguido.
• Best Chilean Reds, revista Apéritif (Noruega), Abril 2004. Recomendado con 4 Estrellas.

Vinification: Careful hand harvest and selection of clusters. Prior to its release, this wine matured for 9 months in new French oak barrels, and then nine to twelve months in the bottle.

Tasting notes: Deep rich ruby-garnet color. On the nose, intense and complex red fruit with hints of oak. Intense cherries, mint, and dark chocolate aromas. The palate is round and velvety, with notes of ripe cassis, blueberries, and combined mint, tobacco and chocolate. Smooth but substantial tannins, and a good acidity to balance the fruit. This is a wine of distinguished character.
• Best Chilean Reds, Apéritif magazine(Norway), April 2004. Recommended with 4 Stars.

José Ignacio Cancino
Enólogo - Winemaker

Don Reca - Merlot 2003

85% Merlot, 10% Cabernet Sauvignon y
5% Carmenère, del valle del Cachapoal
85% Merlot, 10% Cabernet Sauvignon and
5% Carmenère, estate grown from the Cachapoal Valley

Vinificación: Cuidada cosecha a mano y selección posterior de los racimos. Antes de ser lanzado al mercado, este vino permaneció 9 meses en barricas nuevas de roble francés, y luego 9 a 12 meses guardado en botella.

Cata: Intenso color rubí. En la nariz, un rico y complejo bouquet de frutos negros, con notas de madera. Intensas notas de frutos negros maduros, café mocha, y chocolate negro. Buena integración en el paladar, con una rica concentración de ciruelas y mora, café mocha y vainilla, procedente de la maduración en madera de roble francés. Un suave y elegante final. Este es un vino que tiene un carácter fino y seductor.
• Medalla de Oro, International Wine Challenge 2004, Reino Unido
• Trofeo al Mejor Merlot y Medalla de Oro, Wines of Chile Awards 2002, Chile
• Medalla de Plata, Decanter World Wine Awards 2004, Reino Unido

Vinification: Careful hand harvest and selection of clusters. Prior to its release, this wine matured for 9 months in new French oak barrels, and then nine to twelve months in the bottle.

Tasting notes: Deep ruby color. On the nose, rich and complex red fruit and oak notes. Full of ripe berries, mocha coffee, and dark chocolate. The palate is well integrated, with a rich concentration of sweet plums and blackberries, combined with the mocha coffee, and vanilla from the French oak aging. A smooth and elegant finish. This is a wine that has a soft and seductive character.
• Gold medal in International Wine Challenge 2004, UK
• Trophy for Best Merlot and Gold Medal in Wines of Chile Awards 2002, Chile
• Silver medal in Decanter World Wine Awards 2004, UK

Barrel Reserve 2003 — *Cabernet Sauvignon*

100% Cabernet Sauvignon

Cata: Intenso color rubí. En la nariz, ricos aromas de cassis, con notas subyacentes de cereza, arándano, madera de cedro y de tabaco. En boca, intensos sabores a frutos negros, cereza y arándanos. Suaves taninos y un fino equilibrio complementan perfectamente los sabores que persisten en boca.
• Medalla de Oro en Vinalies 2005, Francia
• Medalla de Plata en Sélections Mondiales des Vins 2004, Canadá

Tasting notes: Deep ruby color. On the nose, rich aroma of cassis. Underlying notes of cherry, blueberry, cedarwood and cigarbox. Intense palate flavors of berries, cherry and blueberries. Soft tannins with a fine balance that complements perfectly the lingering flavors.
• Gold Medal at Vinalies 2005, France
• Silver Medal in Sélections Mondiales des Vins 2004, Canada

Barrel Reserve 2003 — *Carmenère*

100% Carmenère

Cata: Rojo rubí brillante con tinte violeta. Un atractivo bouquet con carácter varietal, de ciruelas, cereza y arándanos. Complejos aromas con algo de vainilla dulce, procedente de la maduración en roble. En boca una buena y redonda estructura con notas de ciruelas, suave vainilla, café mocha y especies, con una madera muy bien integrada. Suaves y redondos taninos, un fino equilibrio y un final persistente. Este vino tiene una definida personalidad.
• Medalla de Plata, Mundus Vini, Alemania
• Medalla de Plata, Sélections Mondiales des Vins 2004, Canadá
• 89 puntos, The Wine News, Abril 2005 (EE.UU)
• Ten Outstanding Chilean Carmenères, revista Der Feinschmecker, Febrero 2005 (Alemania)

Tasting notes: Brilliant ruby red-violet hue. On the nose attractive varietal characters of spicy plums, cherry and blueberries. A complex nose with some sweet vanilla, from oak maturation. On the palate, a smooth rounded structure with notes of plums, subtle vanilla, mocha and a nicely integrated spicy oak. Soft and round tannins, a fine balance and a lingering finish. This is a wine with a unique personality.
• Silver Medal in Mundus Vini, Germany
• Silver Medal in Sélections Mondiales des Vins • 89 points, The Wine News, April 2005 (USA)
• Ten Outstanding Chilean Carmenères, Der Feinschmecker, February 2005

Barrel Reserve 2003 — *Cabernet Sauvignon - Merlot*

60% Cabernet Sauvignon, 40% Merlot

Cata: Intenso color rubí. En la nariz, buen equilibrio y un complejo bouquet frutal. Intensos aromas de frutos negros, cereza y arándanos, realzados por las notas de madera de roble. En boca, intensos sabores de cassis, cerezas y arándanos. Suaves taninos, y un fino equilibro que complementa la persistencia de los sabores.
• Gran Medalla de Oro, Sélections Mondiales des Vins 2004, Canadá

Tasting notes: Tasting notes: Deep ruby color. On the nose, good balance and complexity of fruit. Intense berries, cherry and blueberries, enhanced by oak notes. On the palate, intense flavors of blackcurrant cherries and blueberries. Soft tannins, with a fine balance that complements the lingering flavors
• Grand Gold Medal in Sélections Mondiales des Vins 2004, Canada

Barrel Reserve 2003 — *Merlot*

85% Merlot, 10% Carmenère y 5% Cabernet Sauvignon

Cata: Intenso color rojo, con tonos violetas. En la nariz, un atractivo y complejo bouquet varietal lleno de ciruelas, mora y café mocha. También notas de vainilla, provenientes de la maduración en madera de roble. En boca, este vino se siente suave y redondo, con notas de ciruelas, y algo de vainilla y chocolate amargo. Un gran cuerpo, con suaves taninos, cremosas notas de muy bien integrada madera de roble y un final aterciopelado, suave y persistente.
• Gran Medalla de Oro, Sélections Mondiales des Vins 2004, Canadá
• Medalla de Oro, Mundus Vini 2004, Alemania
• Medalla de Plata, Vinitaly 2004, Italia
• Medalla de Plata, International Wine Challenge 2004, Reino Unido

Tasting notes: Deep red color with a violet tinge. On the nose, an attractive varietal character packed with sweet plum, blackberries and mocha coffee. A complex nose with sweet vanilla from oak maturation. The palate is smooth and rounded, with sweet plums tones and subtle vanilla and bitter chocolate flavors. Full-bodied, with soft tannins, a creamy hint of very well integrated oak, and a velvety, smooth, but lingering finish.
• Grand Gold Medal in Sélections Mondiales des Vins 2004, Canada
• Gold Medal in Mundus Vini 2004, Germany
• Silver Medal in Vinitaly 2004, Italy
• Silver Medal in International Wine Challenge 2004, UK

Barrel Reserve 2003 — *Chardonnay*

100% Chardonnay

Cata: Color amarillo verdoso. En la nariz, deliciosos aromas de frutas tropicales como guayaba, mango y chirimoya, con notas minerales, vainilla y pomelo. En boca, una rica y generosa estructura repleta de fruta madura, magníficas frutas tropicales como guayaba y mango, con notas de vainilla y miel. Este vino presenta un muy buen equilibrio y un largo y refrescante final.
• Medalla de Plata, Chardonnay du Monde 2005, Francia
• Medalla de Plata, Mundus Vini 2004, Alemania

Tasting notes: Green color with yellow tint. On the nose, delicious aromas of tropical fruit such as guava, mango, and cherimoya, with crisp flavors of mineral, vanilla, and grapefruit. On the palate, a rich and generous structure of ripe fruit: magnificent tropical fruit such as guava and mango, with hints of vanilla and honey. This well balanced wine provides a long refreshing finish.
• Silver Medal, Chardonnay du Monde 2005, France
• Silver Medal, Mundus Vini 2004, Germany

Limited Release 2003 — *Carmenère*

100% Carmenère

Cata: Intenso color violeta. En la nariz, un bouquet de gran riqueza y complejidad compuesto por especiados frutos negros. Intensidad de cassis, y chocolate negro, procedente de la maduración en madera de roble. En boca, una buena y generosa integración de sabores de frutos negros. Intensos sabores con notas a mora, café mocha, chocolate y vainilla, procedente de la maduración en madera de roble francés. Suaves taninos y un fino y persistente final. El Viña La Rosa Don Reca Carmenère 2003 atraerá a refinados conocedores de vinos.
• Medalla de Bronce, International Wine Challenge 2004, Reino Unido
• Medalla de Bronce, International Wine & Spirit Competition 2004, Reino Unido

Tasting notes: Deep violet color. On the nose, rich and spicy red fruit with oak notes, as well as complexity. It is a complex nose with intense blackcurrant and dark chocolate. The palate is well integrated and generous with dark red fruit flavors. Intense blackberries, combined with the mocha coffee, chocolate and vanilla from the French oak aging. Supple tannins and a fine lingering finish. This is a wine for refined wine lovers.
• Bronze medal in International Wine Challenge 2004, UK
• Bronze medal in International Wine & Spirit Competition 2004, UK

Limited Release 2003 — *Merlot - Cabernet Sauvignon*

50% Merlot, 50% Cabernet Sauvignon

Cata: En la nariz, un complejo y rico bouquet de frutos negros, con intensas notas de ciruelas y cassis, café mocha, y chocolate negro. En boca, intensas y concentradas notas frutales, ciruelas y frutos negros. También atractivos sabores de chocolate y menta. Sedosos taninos y un buen equilibrio, con un exquisito y persistente final. Este es un assemblage que posee distinción y elegancia.
• Top Reds from Chile, Decanter (Reino Unido), Marzo 2005. Recomendado con 4 ★★★★

Tasting notes: On the nose, rich and complex red fruit such as intense berries, plums and cassis notes with mocha coffee, and dark chocolate. An intense palate with concentrated fruit, sweet plum and berries. Also attractive chocolate and mint flavors. Silky tannins and a good balance, with a mouth filling lingering finish. This is a distinctly elegant blend.
• Top Reds from Chile, Decanter (UK), March 2005. Recommended with 4 ★★★★.

Limited Release 2003 — *Chardonnay*

100% Chardonnay

Cata: Amarillo paja pálido. En la nariz, un delicioso bouquet de aromas a fruta madura, cítricos y manzanas verdes, con notas de vainilla y durazno. En boca, una generosa estructura de frutas tropicales. También hay notas de manzanas verdes, vainilla y durazno, con una bien integrada madera. Una elegante y cremosa textura con miel y notas de avellanas, procedente de la maduración en barricas de madera. Un buen equilibrio y un largo y refrescante final.
• Medalla de Plata, Chardonnay du Monde 2004, Francia
• 91 puntos, Specs, Texas, EE.UU.

Tasting notes: Medium straw color. On the nose, a delicious bouquet of ripe fruit aromas, citrus, green apples, vanilla, and peach notes. On the palate, a generous structure of tropical fruits. Ripe fruit flavors of green apples, vanilla, and peach with integrated oak are also evident. Elegant honey and creamy texture, with a hazelnut overtones, from the barrel aging. Good balance, and a long refreshing finish.
• Silver medal in Chardonnay du Monde 2004, France
• 91 points , Specs, Texas, USA.

Viña Leyda

Viña Leyda, esta ubicada sobre la Cordillera de la Costa, en el recientemente descubierto Valle de Leyda, situado en la Comuna de San Antonio a 14 km. del Océano Pacifico y a 90 km. de Santiago.
Esta cercanía al mar ha permitido desarrollar una exclusiva y diferente área para la viticultura, que con su condición fría durante la primavera y verano, la hacen una extraordinaria zona para el cultivo de variedades tales como: Chardonnay, Pinot Noir, Sauvignon Blanc y Merlot.

Los viñedos han sido plantados en lomajes suaves con distintas orientaciones. Los suelos son de origen granítico y de baja fertilidad, lo que junto con un riguroso manejo del follaje, nos permite obtener bajas producciones por hectárea, en busca de una materia prima de excelente calidad, con una alta concentración e intensidad aromática.

La filosofía de Viña Leyda esta enfocada en desarrollar vinos en el segmento Premium, en producciones limitadas, desarrollando el concepto de parcelas dentro del viñedo y conservando esa identidad en cada botella o producto.

Viña Leyda is located on the Coastal Mountain Range, in the recently discovered Valley of Leyda, situated in the San Antonio Province, at 14 km. from the Pacific Ocean and at 90 km. west from Santiago.
The nearby sea propitiates the development of a completely unique area for viticulture, with cold weather conditions during spring and summer, thus conforming an extraordinary zone for varieties as: Chardonnay, Pinot Noir, Sauvignon Blanc and Merlot.

The vineyards are planted on small rolling hills with diverse orientations. The origen of the soil is granitic and the texture is loamy clay and scarcely fertile, a condition which along with a strict handling of foliage allows us to obtain low productions per hectare, ensuring a top ranked raw material with high and intense aromatic concentrations.

Leyda winery's philosophy focuses Premium wines production by limited stocks, developing the Block Concept into the vineyard and keeping that identity inside each bottle or product.

Pinot Noir Lot-21   2003   *Pinot Noir*

Cata: Pinot Noir de alta concentración y jugosidad. En la nariz delicado con intensos aromas a fresas, moras, cerezas, cáscaras de naranjas y hierbas. En paladar cremoso y denso con una estructura del tanino fuerte pero a la vez generoso y un prolongado sabor a fruta roja al final.

Tasting notes: Rich and full concentrated Pinot Noir. Delicate nose with intense aromas of strawberries, black cherries, orange peel and herbs. Bright acidity, creamy and dense palate with a strong but gentle tannin structure and a lingering fruity aftertaste.

Garuma Vineyard 2004   *Sauvignon Blanc*

Cata: Elegante y complejo en nariz. Aromas maduros de la fruta cítrica como el pomelo combinan con la frescura de una lima verde y una insinuación de pimienta verde en la nariz. En el paladar este vino es bien concentrado y refrescante, con notas minerales al principio, un rico sabor en el medio y una buena combinación de pomelo al final.

Tasting notes: Elegant and complex nose. Ripe citrus aromas such as grapefruit combine with fresh green lime and hint of green chilli peppers on the nose. On the palate this wine is fully concentrated and fresh, with mineral tones at the front, a rich mid palate and a well balanced grapefruit character on the finish.

Single Vineyard Falaris Hill 2003   *Chardonnay*

Cata: En nariz es refinado y complejo con carácter a frutas cítricas maduras y notas de minerales. Tiene una influencia sutil de madera muy bien integrada con aromas de limón y trigo seco. Fresco y complejo en boca con una textura cremosa en la mitad del paladar y una viva acidez, proporcionando frescura y un largo final de boca a avellanas tostadas.

Tasting notes: Refined and complex nose with ripe citrus character and mineral notes. Subtle oak influence combines with lemon and dry wheat aromas. Fresh and dense in the mouth, with a creamy texture in the mid palate and a lively acidity further back, providing freshness and length to a toasted hazelnuts aftertaste.

Brisas Vineyard 2004   *Pinot Noir*

Cata: Color brillante e intenso. Un aroma fresco y frutoso en la nariz, mezclado con cerezas rojas, un toque de franbuesas y una nota de hierbas aromáticas. Delicado y refinado en el paladar. Jugoso con sabores maduros de moras combinados con notas minerales y una buena acidez.

Tasting notes: Bright and intense colour. Clean and direct fruity nose with red cherries, hints of raspberries and a subtle wild herb note. Delicate and refined on the palate. Juicy with ripe flavours of berries combined with mineral notes and a lively acidity.

Rafael Urrejola
Enólogo - Winemaker

LOS VASCOS

VIÑA LOS VASCOS

Localizada a 200 kilómetros al suroeste de Santiago, provincia de Colchagua, Valle del Cañetén (Peralillo), posee características microclimáticas muy particulares, brisa marina en verano, abundante lluvia en invierno y ausencia de heladas. Sus suelos limo-arcillosos proporcionan, junto al clima, excelentes condiciones para producir uvas de alta calidad.

Existen 560 ha. de la propiedad dedicadas a la producción de uvas en espaldera baja tradicional. Las plantaciones, principalmente de Cabernet Sauvignon y Chardonnay, y la bodega de vinos, se ubican en la propiedad asegurando el embotellado en origen.

Viña Los Vascos se formó como empresa a comienzos de la década de 1980, exclusivamente para exportación, aunque el viñedo existe hace 200 años cuando los propietarios originales trajeron desde Francia, las cepas que originaron las viñas que hoy están en producción.

En 1988 Domaines Barons de Rothschild (Lafite), dueños entre otras propiedades de Chateau Lafite, adquieren Los Vascos, iniciando ese año un importante programa de modernización e inversiones, contribuyendo con el "savoir faire" para obtener vinos de alta calidad. Hoy en día, controlado por Domaines Barons de Rothschild (Lafite) y bajo su directa supervisión técnica, Los Vascos está comprometida en producir vinos finos y consistentes, de reconocida elegancia y armonía.

Sus principales mercados son, entre otros: Estados Unidos, Alemania, Suiza, Japón y México.

Located 200 km. to the south-eastern zone of Santiago, Colchagua province, Cañetén Valley (Peralillo), it enjoys a particular micro-climate with summer ocean breezes, abundant winter rainfall and no frosts. Slimy clay-based soils provide, along with the climate, excellent conditions for the production of high quality grapes. There are 560 ha. dedicated to the production of grapes in the traditional short trellised style. The plantations, primarily of Cabernet Sauvignon and Chardonnay, as well as the vinification cellar, are located within the property to guarantee that bottling is done in its place of origin.

Viña Los Vascos began its operations in the early 1980s, strictly focussed on the exporting area, although the vineyard already existed for as long as 200 years, when the first proprietors brought from France the rootstocks that were to originate the vines that are currently in production.

In 1998 Domaines Barons de Rothschild (Lafite), owners among other properties of Chateau Lafite, acquires Los Vascos, carrying out that same year an important program of modernization and investments, contributing with their "savoir faire" to the elaboration of top ranked wines. Today, managed by Domaines Barons de Rothschild (Lafite) and under their direct technical supervision, Los Vascos' commitment is to produce fine and consistent wines, acclaimed for their elegance and harmony.

Its main markets are, among others: United States, Germany, Switzerland, Japan and Mexico.

Le Dix de Los Vascos 2001   *Cabernet Sauvignon*

Cata: De intenso color rojo rubí, aroma elegante con fuerte presencia de cerezas negras y final marcado por el cuero. En boca es redondo, con taninos extremadamente frescos y abundante fruta. Fresco y de gran cuerpo, ofrece un agradable final. Puede beberse de inmediato, aunque alcanzará un excelente grado de madurez dentro de 8 - 10 años.

Tasting notes: It is of a deep intense ruby color with an elegant nose full of black cherries within a nice background of new leather. It is succulent in the mouth with live crispy tannins and vibrant fruit. It is pleasantly long while being full bodied and fresh. It may be drunk now but will age well for some 8 - 10 years.

Grande Reserva 2002   *Cabernet Sauvignon*

Cata: A la nariz está lleno de café y vainilla con lo cual se siente levemente tostado. Tiene una gran variedad de frutos negros maduros. Los taninos son suaves y la madera y fruta están en perfecta armonía. Se puede beber ahora pero puede también ser guardado por otros 8 años.

Tasting notes: Its nose is full of coffee and vanilla which feels slightly toasted. It is full of a great variety of ripe black fruit and a hint of pastry dough. The tannins are soft and the wood and fruit are in perfect harmony. It will drink well now but can also be kept for about eight years.

2003   *Cabernet Sauvignon*

Cata: De atractivo color rubí y nariz que recuerda a chocolate y caramelo, con toques a cuero nuevo y hojas de laurel. En boca es agradable, bien estructurado, de fruta madura y concentrada, levemente especiado. Es persistente y bien equilibrado.

Tasting notes: It is an attractive ruby in color with a very chocolate and caramel nose with hints of new leather and bay leaves. In the mouth it is both tender and juicy, well structured, with concentrated ripe fruit and slightly spicy. It is persistent and well balanced.

2005   *Sauvignon Blanc*

Cata: Color transparente, brillante, con claros destellos de verde. Muestra los clásicos aromas varietales caracterizados por hojas de boj, matices de pomelo y frutas tropicales exóticas. De gran frescura, es un vino jugoso y persistente en boca que ofrece una agradable armonía. Debe beberse joven, como aperitivo o acompañando todo tipo de pescados, mariscos y ensaladas con poco aliño.

Tasting notes: The color is limpid and brilliant with bright green highlights. It has the typical varietal aromas characterized by boxwood leaves, grapefruit and exotic tropical fruit nuances. It is very fresh and juicy in the mouth with a pleasant harmony and good persistence. It should be drunk young as an aperitif and with all types of seafood and salads with light dressings.

Marco Puyo
Enólogo - Winemaker

La historia de Viña Matetic comienza en 1999 cuando la Familia Matetic decide diversificar sus negocios y entrar al mundo vitivinícola, creyendo fuertemente en las bondades climáticas y de suelos del Valle del Rosario. De vital importancia fue en un comienzo y es hoy para Matetic, tener un equipo de profesionales que guíe este proyecto. Es por esta razón que a fines del año 2000 se incorpora al Enólogo Rodrigo Soto quien junto a Ken Bernards (enólogo asesor) y Ann Kraemer (asesora en producción) hacen que los vinos de Viña Matetic logren las altas calidades deseadas

Las 60 hectáreas plantadas, dentro de este valle cerrado de 9,000 hectáreas, están basadas en principios orgánicos de producción para lograr obtener uvas cien por ciento naturales .Es gracias a este esfuerzo de 3 años que nuestra vendimia 2004 fue certificada orgánica por la empresa alemana BCS.

La familia Matetic ha querido integrar el turismo a la producción de vino fino ofreciendo un complemento perfecto a nuevos estilos de vida.

Los visitantes disfrutarán de un tour que los llevará a conocer los diferentes etapas en la producción de vino fino y las hermosas vistas hacia los viñedos.

The story of the Matetic Winery begins in 1999 when the Matetic family decided to diversify their business ventures and enter the world of wine, confident in the virtues of the climate and soils in the Rosario Valley. With a firm conviction in the vital importance of maintaining a strong professional team to guide every step of the project, the family incorporated Rodrigo Soto (Resident Winemaker), Ken Bernards (Consulting Winemaker), and Ann Kraemer (Viticultural Consultant) into the project in 2000 to ensure that Matetic wines achieve the highest quality.

The 60 hectares of vineyards planted in this closed 9,000-hectare valley are based on organic production principles for 100% natural grapes. After a rigorous 3-year effort, our 2004 harvest was certified organic by the german organization BCS.

Part of the Matetic family's project has always included combining tourism with fine wine making, for a perfect complement for today's lifestyle.

Visitors can enjoy a tour that takes them through the different stages of fine wine production and provides a stunning view of the vineyards and the beautiful Rosario Valley.

2004 — *Sauvignon Blanc*

Cata: Es un Sauvignon Blanc de gran distinción, de notas aromáticas a frutas cálidas como melón y papaya, suaves aromas cítricos que le dan frescura y juventud. Paladar estructurado con una acidez vibrante y muy bien acompañada por los sutiles aportes de la madera que en conjunto hacen de este vino una combinación de frescor y elegancia entrelazándose armoniosamente en un prolongado final de boca.

Tasting notes: This is a Sauvignon Blanc with great distinction and aromatic notes of tropical fruits such as mango, melon and papaya. Soft citrus aromas add a fresh, youthful touch. The palate is structured with vibrant acidity and very well accompanied by subtle contributions of the wood for an harmoniously intertwined combination of freshness and elegance on the long, long finish.

2003 — *Chardonnay*

Cata: Es un Chardonnay de gran elegancia de color amarillo dorado, notas de fruta madura y características minerales propias de la zona donde se cultiva. En boca, es poderoso de potente acidez y estructura lo que se complementa perfectamente con la fina madera de roble francés que lo envuelve sin enmascarar la fruta que posee.

Tasting notes: This is a highly elegant Chardonnay with ripe fruit aromas and mineral characteristics typical of the area. The powerful palate along with potent acidity and structure perfectly complement the fine French oak that bathes the rich fruit without masking it.

2003 — *Pinot Noir*

Cata: Es un vino de color rojo intenso, con reflejos violetas con tendencia al rojo rubí. En nariz, destaca intensidad aromática propia de esta cepa. En boca, balanceado con taninos evolucionados producto de su guarda prolongada, su alta acidez hace que se sienta una frescura intensa que se prolonga en el paladar hasta el final. Este vino posee una poderosa estructura.

Tasting notes: Bright red tending toward ruby with a violet hue, this is an intensely aromatic Pinot Noir on a powerful frame. Crisp acidity accentuates freshness and carries through on its long finish.

2003 — *Syrah*

Cata: Es un vino muy intenso de color prácticamente negro con tonos púrpura en sus bordes, de gran complejidad aromática, resalta la pimienta negra y blanca. En nariz, destacan los aromas a bosque nativo, floral, violetas intensas. Posee una elegante estructura aterciopelada, taninos redondos bien logrados y evolucionados, llena completamente el paladar dejando en evidencia su potencia y concentración.

Tasting notes: The intensely-colored wine is almost black with a purplish rim. It has great aromatic complexity, with marked notes of black and white pepper and native forest, along with intense violet floral notes. Elegantly structured with velvety, ripe and well-rounded tannins, it explodes on the palate, clearly demonstrating its force and concentration.

2003 *Merlot - Malbec*

CORRALILLO

merlot/malbec
reserve • 2003
D.O. San Antonio

Alc.14.5% vol.
Product of Chile

Cata: Este vino está compuesto de un 80% Merlot y un 20% Malbec, ambos al estar ubicados en una zona de clima frío fueron manejados intensamente para lograr madurez y concentración óptimas. 4 toneladas por hectárea promedio para obtener un mezcla o assemblage equilibrado. En este vino se expresa muy bien la fruta roja madura, berries silvestres y algo especiados además de un excelente complemento con la madera. Envejecido 12 meses en barricas de roble francés.

Tasting notes: This wine combines 80% Merlot and 20% Malbec. Both varieties were grown in cool climate areas with intense management for ideal maturation and concentration and a 4 ton/ha yield. The wines underwent carbonic maceration and were fermented in open-topped tanks before being aged in French oak barrels for 12 months. This wine expresses ripe red fruit, wild berries and a bit of spice, nicely complemented by wood.

2003 *Chardonnay*

CORRALILLO

chardonnay
reserve • 2003
D.O. San Antonio

Alc.14.5% vol.
Product of Chile

Cata: Se caracteriza por tener aromas de fruta madura, duraznos y damascos acompañados por suaves notas de vainilla. Su paladar es suave con un final muy redondo que lo hace muy agradable de beber.

Tasting notes: This Chardonnay is characterized by its ripe fruit aromas, such as peaches and apricots, complemented by a touch of vanilla. Soft on the palate with a round finish for very enjoyable drinking.

Rodrigo Soto G.
Enólogo - Winemaker

VIÑA MIGUEL TORRES

MIGUEL TORRES
Chile

En 1979, Don Miguel Torres Carbó adquirió una pequeña bodega en Curicó. Hoy en día, cuando muchas firmas internacionales han comprado viñedos en Chile o se han interesado por sus vinos, nos sentimos orgullosos de haber sido la primera firma inversora extranjera que apostó por este paraíso de la viña.

En el transcurso de los años nuestras instalaciones han ido creciendo hasta llegar a extensión actual de casi 440 Has. en el Valle Central de Chile.

En la Viña contamos con un acogedor y moderno Centro de Visitas, un Restaurante galardonado como la "Mejor cocina de regiones de Chile 2004".

Centro de Visitas: Abierto todos los días de Lunes a Domingo

Otoño - Invierno: 08:30 a 18:00 hrs. - Primavera - Verano: 08:30 a 20:00 hrs.

Tel. reservas de visitas (75) 56 41 21 - Visitas@migueltorres.cl

Dirección: Panamericana Sur Km 195 - Curicó

Restaurante: Abierto todos los días de Lunes a Domingo

Horario: de 12:30 a 15:30 hrs. - Tel. (75) 56 41 10

Dirección: Panamericana Sur Km 195 - Curicó

In 1979 Don Miguel Torres Carbó acquired a small winery in Curicó. Today, when so many international firms are buying vineyards in Chile, we feel particularly proud to have been the first foreign company to have invested in Chile's Central Valley, a true vine-growing paradise.

Over the years our vineyards have grown to reach the current holding of more than 440 hectares.

Viña Miguel Torres is totally oriented to develop the ENOTURISMO in a high and quality level. In the winery we counted with a welcoming and modern Visit Center, a Restaurant awarded as the "Best kitchen of regions in Chile 2004" and facilities that shows the viticulture Chilean tradition within a frame of vanguard architecture.

Visit Center: Open from Monday to Sunday, Fall - Winter: 08:30 hrs. to 18:00 hrs.

Spring - Summer: 08:30 to 20:00 hrs. Reserves: (75) 56.41.21

Address: Panamericana Sur Km 195 - Curicó

Restaurant: Open from Monday to Sunday

Open from 12:30 to 15:30 hrs., Reserves (75) 56.41.10

Address: Panamericana Sur Km 195 - Curicó

2000   *Cabernet Sauvignon - Carmenère - Tempranillo - Monastrell*

Cata: Para elaborar este vino hemos experimentado, durante muchos años, con viejas cepas chilenas y españolas de diferentes variedades. Cabernet Sauvignon, Carmenère, Tempranillo y Monastrell son la base de este vino que ha recibido cumplida crianza en barricas de roble nuevo de Nevers, a lo largo de 24 meses.

Tasting notes: Over many years we have experimented with old Chilean and Spanish vines of different varieties in order to produce this wine. Cabernet Sauvignon, Carmenère, Tempranillo and Monastrell form the basis of the wine, which is aged for 24 months in new Nevers oak barrels.

2001   *Cabernet Sauvignon*

Cata: Aroma elegante y equilibrado con suaves notas de confituras (moras, grosellas) sobre fondos tostados. Paladar goloso y de gran dimensión con excelentes taninos, sedosos y de prolongado recuerdo.

Tasting notes: Elegant and intense aroma with fine toasted, jammy notes. A silky and highly expressive palate with a very open tannins structure, offering delicious nuances of fruit, chocolate and bay leaf.

2003   *Chardonnay*

Cata: Elegante aroma que recuerda ciertas frutas tropicales bien maduras. Paladar de excelente equilibrio: la frutal sedosidad del vino está bien enmarcada por una fina acidez.

Tasting notes: Elegant aroma reminiscent of very ripe tropical fruits. Palate with excellent balance; the wine's fruity silkness is very framed by fine acidity.

2001   *Cariñena - Merlot - Syrah*

Cata: Desde 1996, el hallazgo de unos viejos viñedos de cariñena en las cercanías de Linares, supuso el reconocimiento del potencial de esta vieja cepa española. En aquellas colinas, de suelos profundos y bien drenados, la cariñena, sin ningún tipo de riego, produce escasas vendimias pero de una gran calidad. El vino exhibe un profundo y oscuro color cereza. El aroma es cálido y especiado, con fondos de frutas agrestes. El paladar suave y carnoso, sensual y complejo ofrece sensaciones diferentes y muy originales.

Tasting notes: In 1996, the discovery of some old Cariñena vineyards close to Linares led to the recognition of this old Spanish variety's potential. In those hills, with their deep and well-drained soils, Cariñena, without any irrigation, produces low yield harvests of a very high quality. The wine displays a deep, dark cherry colour. Warm and spicy on the nose with a backdrop of wild fruits. The palate is smooth and fleshy, sensual and complex, offering different and very original sensations.

Miguel A. Torres - Fernando Almeda
Enólogos - Winemakers

Viña Misiones de Rengo

Espíritu,
Pasión
y Vino.

Misiones de Rengo es Espíritu, Pasión y Vino. La ciudad de Rengo está ubicada en el corazón del Valle de Rapel, lugar donde una gran cantidad de misiones católicas provenientes de España se ubicaron hace ya varios siglos.

Considerada en Chile como uno de los más destacado éxitos vitivinícolas de los últimos tiempos, Viña Misiones de Rengo cautivó a los especialistas, aficionados y consumidores de vino desde su primera aparición en público, en julio de 2001, gracias a su atractiva presentación y a su excelente calidad.

Desde el trabajo en las parras y a través de la selección de la uva, los procesos de vinificación y embotellado se sigue una filosofía conservadora y de humildad, dando como resultado vinos de gran calidad premiados en Chile y en el extranjero.

Misiones de Rengo is Spirit, Passion and Wine. The city of Rengo, located in the heart of Rapel Valley, is the place where most of the Spanish Catholic missions settled during XIX century.

Considered in Chile as one of the most outstanding successes during last years in wine industry, Viña Misiones de Rengo captivated specialists, fans and wine consumers since his first public appearance, in July 2001, due to its attractive presentation and its excellent quality.

From vineyard management through grape selection, winemaking processes and bottling we follow a conservative and low profile philosophy, giving as a result wines that have awarded in Chile and abroad.

Cuvée Cabernet Sauvignon 2003

Cabernet Sauvignon 85%, Carmenère 8% y Syrah 7%

Cata Vino bien estructurado, de taninos firmes y maduros. Vino sabroso y complejo, mezclando los sabores a ciruela negra del Cabernet, las notas especiadas de pimienta del Syrah y los taninos suaves y maduros del Carmenére, muy bien hermanados con las notas a vainilla y caramelo aportadas por las barricas.
- Medalla de Plata,
  Japan Wine Challenge 2005, Japón

Tasting notes: A well structured wine with firm ripe tannins. Rich flavoursome wine, blending the dark cherry flavours of Cabernet, the peppery spicy characters of Syrah, and the excellents soft and ripe tannins. Beautifully married into the sweet vanillan and sweet spice of the barrels.

Cuvée Carmenère 2003

Carmenére 86% y Cabernet Sauvignon 14%

Cata Intenso, complejo, sabroso, suavemente especiado, con aromas a chocolate negro, confitura y canela. Es un vino de gran persistencia, fineza y consistencia.
- Medalla de Oro, Vinalies 2005, Francia
- Doble Medalla de Oro, Concurso Mundial de Bruselas 2005, Bélgica.
- Trophée Excellence,
  Citadelles du Vin 2005, Francia

Tasting notes: Intense, complex, concentrated, slightly spiced, with black chocolate and cinnamon notes. Long and fine aftertaste.

Cuvée Chardonnay 2004

Cata Vino elaborado con uvas provenientes del Valle de Casablanca, caracterizado por primaveras frescas y delicadas y veranos amables y reposados.
De intenso color amarillo con reflejos verdosos, presenta delicadas notas de melón verde y fruta cítrica madura. En boca es fresco y sabroso, con suaves notas de vainilla proporcionadas por su crianza en barricas de fina madera francesa.
- Mejor Vino Blanco del Nuevo Mundo,
  Japan Wine Challenge 2005, Japón
- Mejor Vino Chileno,
  Japan Wine Challenge 2005, Japón
- Trophée Citadelles,
  Citadelles du Vin 2005, Francia
- Medalla de Plata, Vinalies 2005, Francia

Tasting notes: Cuvée Chardonnay grapes are originated at Casablanca Valley, characterized by fresh springs and pleasant summers. As of intense yellow color with greenish tones, has soft melon and citric fruits aromas. Fresh and flavorsome wine, the palate offers soft vanilla notes as a result of its French oak aging.

Sebastián Ruiz Flaño
Enólogo - Winemaker

Viña Montes

La Viña Montes fue la primera de las "viñas emergentes" de Chile, habiendo comenzado sus operaciones en el año 1987. En esa época había sólo un puñado de viñas exportadoras en Chile. Los cuatro socios, Aurelio Montes (enólogo jefe y nombre de la etiqueta), Douglas Murray (ventas, exportaciones, marketing e, inicialmente, gerente general), Alfredo Vidaurre (el cerebro financiero) y Pedro Grand (viticultura y equipamiento), tuvieron como objetivo primordial concentrarse en una tarea que, en esa época, no se hacía adecuadamente en Chile: vinos premium.

Existía la idea generalizada de que los vinos chilenos eran sólo de interés como producto para supermercado y que a aquellos segmentos enfocados a la calidad "on-trade" (restaurantes, hoteles, aerolíneas y tiendas especializadas) no les interesaban los vinos chilenos. Estos socios fundadores en Montes pensaban de otra forma y pronto comprobaron su teoría: si se eleva la calidad se encontrará un sólido mercado para vinos chilenos de excelencia, a precios acordes con esa calidad. El Montes Alpha fue la clave. Pasó a ser un clásico. Montes Alpha tiene magia. El logo de Montes - que es la figura de un ángel - ha sido, según los socios, vital en el éxito logrado.

Los vinos Montes y Montes Alpha hoy se exportan a 72 países, incluso a aquellos conocidos por ser productores de vino de calidad, y están en más de 22 restaurantes en el área de Burdeos. Como especialista del "on-trade", Montes ha establecido su reputación como una de las mejores viñas de Chile y una viña líder en muchos aspectos: en calidad (objetivo permanente en Montes), en tecnología (modernidad de su flamante bodega), en descubrir nuevas zonas viníferas (Aurelio Montes ha sido pionero al "descubrir" Apalta y en Marchigüe) y en plantaciones sobre empinadas laderas. Además, ostenta el liderazgo en el lanzamiento del primer vino Premium de verdad (el Montes Alpha), el Ultra-Premium Montes Alpha "M" (M de Murray) , posteriormente el Montes Folly, el Syrah mejor calificado de Chile (93 puntos en el Wine Spectator) y más recientemente el primer ultra premium Carmenère de Chile (el Montes Purple Angel).

Con posterioridad a su fundación se han incorporado a Montes dos nuevos socios: José Antonio Garcés a comienzos del 2003 y mas recientemente Sergio Barros, ambos eximios y reconocidos empresarios.

Los vinos Montes y Montes Alpha están muy orgullosos de poder afirmar que han sido incorporados a su lista de vinos por los Hoteles Ritz Carlton en varios países, así como por la mayoría de los hoteles cinco (y cuatro) estrellas alrededor del mundo, desde India a Bora-Bora, de Nueva York a Islandia, de Tokio a Dubai.

Viña Montes was the first of the Chilean "emerging wineries", having started operations in 1987. At that time there were only a handful of exporting wineries in Chile. The four partners, Aurelio Montes (the name on the label and head winemaker), Douglas Murray (sales, exports, marketing, and initially, general manager), Alfredo Vidaurre (financial brain) and Pedro Grand (viticulture & equipment) had as their main objective to focus on what, at the time, was not being properly done in Chile: premium wines.

There was a general idea that Chilean wines were interesting only as supermarket wines and that the on trade quality players (restaurants, hotels, airlines and wine merchants) had no real interest in them. These founding partners at Montes thought differently and quickly proved their theory: if you raise the quality level you will find a solid market for better wines from Chile at the corresponding prices. Montes Alpha was the key. It became an instant classic. Montes Alpha has magic. The Montes Logo, an angel, has - according to the partners - been vital for success.

Montes and Montes Alpha wines are now exported to 72 countries worldwide, including all the best wine-producing ones, and is present in over 22 restaurants in the Bordeaux region. As an "on-trade" specialist, Montes has established a solid reputation worldwide as one of the best Chilean wineries and one that has pioneered in every respect: quality (Montes´ permanent focus), high technology (implemented in it´s brand new winery), finding new wine producing regions (which Aurelio Montes has done "discovering" Apalta and Marchigüe), pioneering with the first real Chilean Premium wine (Montes Alpha) and with the Ultra-Premium Montes Alpha "M" (after Murray), Montes Folly, Chile´s highest ranked Syrah (with 93 points in Wine Spectator) and more recently the first Chilean ultra premium carmenère (the Montes Purple Angel).

Later in the game new partners joined Montes: José Antonio Garcés at the beginning of 2003 and more recently Sergio Barros; both very prestigious Chilean businessmen.

Montes and Montes Alpha wines are extremely proud to say that they have been selected by Ritz-Carlton Hotels in several countries for their prestigious wine lists, as well as by most other five (and four) star hotels around the world, from India to Bora-Bora, New York to Iceland, from Tokyo to Dubai.

Alpha M 2003

80% Cabernet Sauvignon
10% Cabernet Franc
5% Merlot
5% Petit Verdot

Cata De color rico y profundo, carácter intenso, elegante, con sugerencias de tabaco. Perfecta integración de fruta y encina, taninos suaves y sólidos. Un vino de gran clase y alto standard, muy similar en estilo al Medoc francés.

Tasting notes Rich and deep in color, intense character, elegant, with hints of tobacco, perfect integration of fruit with oak, soft and solid tannins. A very classy high standard quite French-Medoc style.

Aurelio Montes
Enólogo - Winemaker

Folly 2003
100% Syrah

Cata Un vino de gran densidad, de un profundo color rubí. Al olfato, una fugaz y definida presencia de frutas rojas maduras, que recuerdan mermelada de berries y una sutil complejidad de aromas, típica de los grandes Syrah, finamente entremezcladas con las notas avainilladas de la mejor selección de barricas de encina francesa. Aparecen aquí esos tres aromas, que persisten largamente en el paladar. En la boca se presenta lleno, aterciopelado y robusto; denso con la presencia de finos y maduros taninos. El estilo de Montes Folly es único y representa un hito para el resto de los Syrah chilenos, conviertiéndose en un vino de "culto".

Tasting notes A wine of great density with a deep ruby red color. To the nose, a quick and defined presence of mature dark fruits, like a berries's marmalade and a subtle complexity of aromas typical of great Syrahs, finely integrated with vanilla notes from the best selection of French oak barrels. All of threes aromas appear, with long persistence in the palate. It is gratifyingly mouth-filling, velvety, robust, dense with the presence of fine and mature tannins. The Montes Folly style is unique and has become a landmark for Chilean Syrahs, as well as a cult wine, worldwide.

Purple Angel 2003

92% de Carmenère
8% de Petit Verdot

Cata Color púrpura muy profundo e intenso. Los aromas combinan las frutas negras que provienen del Carmenère de Apalta, las notas especiadas intensas, del Carmenère de Marchigüe (zona más fría), y los aromas a moras silvestres provenientes del Petit Verdot. Este vino presenta un gran cuerpo y unos taninos maduros que nos entrega una gran estructura a este encantador vino. La capacidad potencial de guarda es no menos de 10 años.
Guarda: Durante los 18 meses en barricas nuevas de roble Francés y Americano

Tasting notes Deep and youthful purple color. Aromas are the combination of the dark fruit flavors given by the Apalta Carmenere, the spicy and lively hints given by the Marchigue Carmenere (cooler area), and wildness of black berries given by the Petit Verdot. This wine is full bodied, with a considerably amount of ripe tannins giving grip and structure to this lovely wine. Cellaring potential is no les than 10 years. Oak Aging: During the 18 months of barrel aging in new French and American oak.

2003 — Cabernet Sauvignon

Cata: Más profundo en color, la expresión del Cabernet Sauvignon se muestra en este vino evidente y elegante. Contiene mucha fruta, por lo que puede permanecer fácilmente envejeciendo en barrica de encina francesa por un año.

Tasting notes: Deeper in color, the expression of cabernet sauvignon is evident, elegant. There is plenty of fruit so it can easily stay in barrel aging for 1 year, in French oak casks.

2003 — Syrah

Cata: De un color rubí intenso, posée un gran aroma con notas florales, de tabaco, y de cuero. Fuerte y robusto al paladar, con taninos suaves y maduros. Su retrogusto es largo y elegante, produciendo gran satisfacción. En suma, un Syrah soberbio!

Tasting notes: The up front nose is fruity, black cherries, hints of strawberries, and all well combined with a smoky spiciness, that adds elegance and complexity. The oak although evident well assembled and combined with this strong, soft, velvety wine.

2003 — Merlot

Cata: Bello color rubí, de gran intensidad. Fruta excepcional y concentrada. Invade el olfato con cereza negra, sugerencias de pimienta negra, notas de tabaco y chocolate dulce. Un vino corposo y bien equilibrado. Redondo y aterciopelado en el paldar medio. Con taninos suaves y maduros. La encina se integra bien, añadiendo toques de vainilla, seguidos de un final largo y suave. Muy, muy elegante.

Tasting notes: Handsome Ruby Red color, high intensity. Outstanding and concentrated fruit, with a noseful of black cherry, hints of black pepper, notes of tobacco and sweet chocolate. A full-bodied and well balanced wine. Round and velvety in mid-palate, with soft and ripe tannins. Well integrated oak with added touch of vanilla, followed by a long and smooth finish. Very, very elegant.

2004 — Chardonnay

Cata: Este es un vino fuerte y frutoso, con el maravilloso carácter propio del Chardonnay. Evidente es el plátano, piña y frutas tropicales en primer plano, con encina bien integrada que ayuda, agregando elegancia sin cubrir la frutosidad. La fermentación maloláctica hace de éste un vino pleno en el paladar medio, con un final largo y placentero y un agradable retrogusto mantecado. Un óptimo equilibrio entre fruta y encina.

Tasting notes: It is a strong fruity, wine with beautiful Chardonnay character. Evident banana, pineapple, and tropical fruits in the upfront with a well-integrated oak that helps add elegance without covering the fruit. The Malolactic fermentation makes a full wine in the mid palate with long and pleasant finish and nice buttery after taste. Nice balanced between fruit and oak.

Limited Selection 2004   *Cabernet Sauvignon - Carmenère*

Cata: Posee fuerza de color, de un profundo y bellísimo rojo rubí. Cierto sabor a butterscotch y un especiado sutil lo hacen muy atractivo, otorgándole un fuerte carácter y personalidad. Los sabores a vainilla provenientes de la madera se integran muy bien, agregando complejidad y elegancia. Éste es un vino corposo, aunque al mismo tiempo suave y amigable al paladar, debido a los taninos dulces que componen el Carménère.

Tasting notes: It is strong in color, beautiful and deep ruby red. Butterscotch and the subtil spiciness makes it appealing, with a strong personal character. The well integrated vainilla flavors comes from the oak aging, and adds complexity and elegance. This is a strong full bodied wine but yet soft and friendly in the palate due to the sweet tannins of the Carménère component.

Limited Selection 2004   *Pinot Noir*

Cata: El aroma es el de un clásico Pinot Noir, con tonalidades florales y sugerencias de violetas y de berries. Al paladar presenta un fino sabor a vainilla y cuerpo mediano.
Un vino de grandes satisfacciones, con un final largo, suave y elegante.

Tasting notes: It is a wine with a darker color than normal, considering it is a Pinot Noir. Flavors are intense, elegant with a clear predominance of strawberries, and flowery hints that all together makes this Pinot an elegant and very typical wine. In the palate it is well balanced, soft tannins, good level of acidity, making it fresh but not light.

Limited Selection 2004   *Sauvignon Blanc*

Cata: A la vista, este vino posee un sugerente color amarillo - verdoso, brillante y transparente. Al olfato nos encontramos con una gran complejidad y de gran fineza, con notas minerales, aromas a duraznos frescos, cítricos, piña, ají verde y frutas tropicales. En la boca es agradablemente fresco, chispeante, presenta una gran suavidad y suntuosidad.

Tasting notes: A clear, very light yellow-green color, bright and transparent. Aroma shows its power and super Sauvignon Blanc character, also showing the full potential of its cold zone origin, with morning fogs, low temperatures and long hanging period. Very powerful To the palate it is refreshingly crisp, sparkling with softness and sumptuous. Great complexity of tropical fruits with citric accents, high acidity and low Ph contribute to the impressive overall freshness and high minerality. An allowing edge, great name, a joyful wine which lingers and has an impressively long finish.

Reserva 2004   *Cabernet Sauvignon*

Cata: Intenso color rubí. En el olfato se presenta lleno de estratos de caramelo, canela, caramelos, y una sombra de menta, con prevalencia de la fruta por sobre el roble. Un vino especioso, lleno de sabor, de buen cuerpo, fruta y taninos firmes. Un final fuerte y cautivante.

Tasting notes: Intense ruby-red color. The nose is packed with layers of caramel, cinnamon, candy and hints of mint, with a prevalence of fruit over oak. A spicy, full-flavored wine, with good body, fruit and firm tannins. An engaging and strong finish.

Reserva 2004 — *Merlot*

Cata: Un Merlot joven, con algo de guarda en roble. Elegante, refinado, con un marcado aroma a frutas, irresistible para los amantes del Merlot y para quienes lo prueban por primera vez. Fuerte; pimienta negra especiosa; lleno de armonía y suave al paladar.

Tasting notes: It is a fruity, expressive wine. Evident notes of raspberries, and hints of blackberries, that combines very well with the typical spiciness of the variety. The oak is there but at a level that permits the fruit to be the principal element. This is a wine with a good balance of tannins and acidity, giving at the end a friendly, soft wine. Long and pleasant finish.

Reserva 2004 — *Malbec*

Cata: De color rojo rubí, tendiendo al rojo muy intenso y oscuro. Sabores fuertes, pero elegantes, con sugerencias acirueladas y de moras. Un estupendo sabor a butterscotch y una ligera especiosidad se integra completamente con sutiles notas avainilladas provenientes de la madera. Un vino corposo, con taninos maduros; voluptuoso en el paladar medio, con un final largo y enormemente placentero.

Tasting notes: Ruby red color, leaning to very dark, intense red. Powerful but elegant flavors, with plumy and blackberry hints. A wonderful butterscotch and slight spicyness is totally integrated by the subtil notes of vainilla that comes from the oak aging. A full-bodied wine, with ripe tannins and voluptuous mid-palate and a long, very enjoyable, finish.

Reserva 2004 — *Chardonnay*

Cata: Éste es un vino frutoso, aduraznado y de intenso sabor. La guarda en barrica de madera, ligeramente menor que la de años anteriores da a este vino una inclinación más afrutada, haciendo más evidentes sus características de Chardonnay. 50% del vino es sometido a fermentación maloláctica, lo que le confiere más cuerpo, otorgándole más complejidad en el paladar medio y en su retrogusto.

Tasting notes: It is a fruity, peachy and intense wine. The oak aging slightly less than previous years, which makes this wine more fruit-driven and more evident in its chardonnay character. 50% of this wine goes through malolactic fermentation, which makes it fuller in body and more complex in the mid-palate and after taste.

Reserva 2004 — *Sauvignon Blanc*

Cata: De color amarillo pálido, transparente. Profundamente afrutado, con intensas notas de durazno, piña y un dejo de uva espina. Un vino fresco y chispeante, bien equilibrado, cuya grata acidez lo hace atractivo y amistoso. Posée un final largo.

Tasting notes: Pale yellow in color, transparent. Deeply fruity, intense notes of peach, pineapple and hints of gooseberry. A fresh, crispy, well balanced wine with nice acidity that makes it appealing and friendly. Long finish, very good as appetizer and goes well with white meat.

Viña Morandé

Viña Morandé fue fundada en 1996 con el objetivo de desarrollar vinos innovadores y de gran calidad. La estrategia de la viña se genera en el desarrollo de plantaciones en diferentes zonas vitivinícolas de Chile, que por sus suelos y climas, permiten el exitoso crecimiento de cada uno de los viñedos ubicados en el Valle de Casablanca, Maipo, Rapel y Maule.

Dado que la calidad es nuestro principal objetivo, hemos elaborado procesos de producción y aseguramiento de calidad que comienzan con la selección de los terruños, variedades y clones de uvas, arquitectura del viñedo, sistemas avanzados de riego, manejo orgánico en algunos sectores, cultivos con irrigación controlada y sistemas de monitoreo de crecimiento, madurez y desarrollo de la fruta, hasta la cosecha o vendimia.

Nuestra bodega de vinificación se encuentra en Peleguén, en el corazón del Valle de Rapel, y a un costado de la Panamericana Sur. Fue concebida para la elaboración de vinos de alta calidad; su tecnología, simpleza en el diseño, estructura productiva y sistemas de climatización, permiten procesos que con eficacia, higiene y aseguramiento produzcan vinos de alta calidad.

Nuestro estilo innovador y de incansable búsqueda por lo exclusivo, diferente y de excelencia, nos ha llevado a desarrollar una amplia gama de productos para la satisfacción plena de nuestros consumidores en los principales segmentos del mercado, estando a su vez presentes en más de 30 países. Así también, y con el sólo objeto de acercarnos a nuestros clientes, formamos el Restaurante House of Morandé en Casablanca, en donde gastronomía y vinos de excelencia se muestran en esplendor y regalan alegría, cultura y satisfacción.

Viña Morandé was founded in 1996 with the aim of developing innovative, high-quality wines.

To achieve this, we have created production processes and methods of ensuring quality that start with selection of terroirs, grape varieties and clones, vineyard architecture, advanced irrigation systems, organic management in certain sectors, crops with controlled irrigation and systems to monitor the growth, ripeness and development of the fruit, and lead on to the harvest or vintage, all of which is reflected in our vineyards in the Casablanca, Maipo, Rapel and Maule Valleys.

Our winery is in PeleQuén, in the heart of the Rapel Valley, 80 miles south of Santiago. It was conceived for the production of high-quality wines: its technology, simple design, productive structure and cooling systems that make for processes which produce high-quality wines efficiently, hygienically and with assurance.

Our innovative style and tireless search for something exclusive, different and excellent have led us to develop a wide range of products to fully satisfy our customers in the main segments of the market; with presence in more than 30 countries.

Vinificación: Fermentación y maduración en barricas de roble francés por 20 meses. Se envasa sin filtración.

Cata: vinos de color sangre púrpura. Aromas a violetas, rosas salvajes, lavanda y olorosas mentas. Boldos y leña encendida. Café negro, tabaco torcido y trufas de encino. Al tacto es juvenil, robusto y de caminar gallardo. Sus sabores son de flores y frutos de bosque, frescos, de encanto, sedosos y con elegantes notas de confites. Dulce recuerdo de cacao, caramelo y café tostado. De perfecto equilibrio, evocador, juicioso; House of Morandé es el vino sabio de Pablo Morandé.

Vinification: Fermentation and ageing in French oak barrels during 20 months. Bottled without filtering.

Tasting notes: purple blood color. Its aromas are reminiscent of violets, wild roses, lavender and fragrant mint. Boldos and burning firewood, black coffee, twisted tobacco and oak truffles. It is youthful to the touch, robust and jaunty. Its flavors are of the flowers and wild fruits, fresh, enchanting, silky and with elegant notes of candies. A sweet memory of cocoa, caramel and roasted coffee. Perfectly balanced, evocative and mature; House of Morandé is the wise wine of Pablo Morandé.

Pablo Morandé
Enólogo - Winemaker

Edición Limitada — *Syrah - Cabernet Sauvignon*

Cata: Color rojo burdeo intenso con matices violeta. Aromas a frutos del bosque, arándano, cerezas negras, chocolate negro y vainilla. En boca entra con dulzor y calidez, luego se abre y aparecen abundantes taninos, pero dulces.

Tasting notes: A red deep colored wine with violet notes. Aromas of wild fruits such as cranberries, black cherries, chocolate and vanilla. In mouth it enters with sweetness and warmness, then it opens and the tannins appear abundantly, but sweetly.

Vitisterra — *Cabernet Sauvignon*

Cata: Color rojo intenso, profundo con un borde de rubíes. Aromas a bayas frescas, chocolate y vainilla. Sabores a cassis, ciruela y vainilla. Taninos aterciopelados apoyan la fruta y el sabor a roble del vino, otorgando una buena persistencia y elegancia.

Tasting notes: An intense, deep red wine with a rim of rubies. Aromas of fresh berries, chocolate and vanilla. It is a full-bodied wine, offering notes of blackcurrant, plum and vanilla. Velvety tannins undergird the fruit and the oaky flavor of the wine, giving great persistence and elegance.

Terrarum — *Carmenère*

Cata: Color rojo con notas púrpuras y violetas muy intenso y profundo. Aromas a frutas de bosque con notas a vainilla y crema. En la boca, es fresco, sedoso, suave, rico en sabores, frutados y bien amalgamados con notas de tabaco fresco.

Tasting notes: Very intense, deep-red wine with touches of purple and violet. Aromas of wild fruits with hints of vanilla and cream. In the mouth it is fresh and silky-smooth, rich in fruity flavors and well-blended with touches of fresh tobacco.

Pionero — *Merlot*

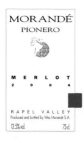

Cata: Color violeta profundo y matices rojos. Aromas a ciruelas y frutas rojas, con algunas notas de pimienta. En boca ofrece un suave toque de pimienta y frutas rojas maduras. Es suave y lleno de dulces y redondos taninos, con un final sedoso.

Tasting notes: A deep violet wine with shades of red. Pleasant aromas of plums and red fruits, with some peppery notes. In the mouth it offers a very slight touch of pepper and ripe red fruits. It is smooth, full of sweet rounded tannins and with a silky finish.

Viña Pérez Cruz

Viña Pérez Cruz está ubicada en el Fundo Liguai de Huelquén, 45 kms. al sur oriente de Santiago, en pleno Maipo Alto.

Sus dueños, la familia Pérez Cruz, decidieron crear una viña dedicada a la producción de vinos tintos finos de alta calidad, debido a las excelentes condiciones de clima y suelo del lugar para la producción vitivinícola.

Para esto, se seleccionaron las cepas que mejor se adaptan al potencial de la zona: Cabernet Sauvignon, Carmenere, Syrah, Cot, Merlot y Petit Verdot.

Con el objetivo de producir vinos que expresen el terroir, pero a la vez tengan identidad propia, los viñedos se trabajan a bajos rendimientos, que favorecen la óptima concentración y madurez de las uvas.

Un atractivo adicional de la viña es su moderna bodega de vinificación, implementada con tecnología de punta. Su diseño arquitectónico, en líneas curvas y con 6 mil metros de estructuras de madera laminada, se inserta en un atractivo entorno natural, que destaca por el especial cuidado del medio ambiente.

Viña Pérez Cruz is located in Liguai Estate of Huelquén, 45 kilometers south east of Santiago, in the Maipo Alto.

It's owners, the Perez Cruz family, decided to create a vineyard dedicated to fine high quality red wine production, due to the excellent soil and climate conditions of the land for viticulture.

To do so, the most suitable varieties to take advantage of the potentialities of this place were chosen and planted: Cabernet Sauvignon, Carmenere, Syrah, Cot, Merlot and Petit Verdot.

Aiming to produce wines that express the terroir while having an own identity, the vines are worked with low yields that give the grapes optimum concentration and ripeness.

An additional attractive of this vineyard is its winery, implemented with highest standard technology. Its architectonical design, with curve lines and 6,000 square meters of laminated wood, is inserted in a natural landscape, which outstands for the special care given to the environment.

Syrah Reserva Limited Edition 2003

Syrah 90,5%, Carmenere 5,5%, Cabernet Sauvignon 4%

Vinificación producido y
embotellado en origen,
Fundo Liguai de Huelquén,
Valle del Maipo, Chile.
Fermentación alcohólica en
estanques de acero
inoxidable y fermentación
maloláctica en barricas.
Guarda en barricas francesas
durante 14 meses.

Cata En la nariz se
distinguen aromas a berries
y pimienta, con un toque
ahumado. En la boca es
concentrado, de buen
cuerpo y equilibrado.

Premios Medalla de Plata, Concours
Mondial de Bruxelles 2005
Cosecha 2002: Medalla de Oro,
International Wine Challenge 2003

Vinification Produced and
bottled at site, Liguai Estate
of Huelquén, Maipo Valley
Chile. Alcoholic
fermentation in stainless
steel tanks and malolactic
fermentation in oak barrels.
Aged in French barrels for
14 months.

Tasting notes distinctive
aromas of berries and
pepper, with a smoky tingle.
On the palate it is
concentrated, full bodied
and balanced.

Awards Silver Medal, Concours
Mondial de Bruxelles 2005
Vintage 2002: Gold Medal,
International Wine Challenge 2003

Germán Lyon Larraín
Enólogo - Winemaker
Alvaro Espinoza Durán
Enólogo Consultor - Consultant Winemaker

Liguai 2003   *Cabernet Sauvignon - Syrah - Carmenère*

Cata: Sus aromas son complejos y elegantes, se destacan notas a berries, pimienta negra y chocolate. En la boca es concentrado, con una estructura tánica equilibrada y de un final largo y persistente.
- Este vino no se presenta a concursos

Tasting notes: Complex and elegant aromas, with distinctive notes of berries, black pepper and chocolate. On the palate it is concentrated, with a solid tannic structure and a long and persistent finish.
- This wine is not submitted to competitions.

Reserva 2004   *Cabernet Sauvignon*

Cata: De color rojo intenso, aromas a frutos rojos maduros y especias acompañadas de notas tostadas y vainilla. Vino bien estructurado, de taninos maduros y final suave.
Premios: Medalla de plata, Wine Challenge 2005
Cosecha 2003: Medalla de Oro Selections mondiales du vin 2004, Montreal
Cosecha 2002: Medalla de Plata, International Wine and Spirit 2003.

Tasting notes: Intense red color, aromas of red ripe fruits and spices, accompanied by toasted notes and vanilla hints. Well structured wine, of mature tannins and smooth finish.
Awards: Silver Medal, Wine Challenge 2005
Vintage 2003: Gold Medal, Selections mondiales du vin 2004, Montreal
Vintage 2002: Silver Medal, International Wine and Spirit 2003.

Limited Edicion 2003   *Cot*

Cata: de color rojo intenso con reflejos violetas. Sus aromas de berries maduros están acompañados de finas notas especiadas y florales. En la boca se destacan sus aromas a frutos rojos, sus taninos suaves, su equilibrio y gran persistencia.
Premios: Best Other Reds, 2nd Annual Tasting Awards, Wines of Chile
Medalla de Plata, Concours Mondial de Bruxelles 2005
Cosecha 2002: Medalla de Oro, Concours Mondial de Bruxelles 2004

Tasting notes: intense red color with purple tinges. Its aromas of ripe berries are accompanied by fine spicy notes and floral hints. On the palate, aromas of red fruit, gentle tannins, balanced and with a great structure.
Awards: Best Other Reds, 2nd Annual Tasting Awards, Wines of Chile
Silver Medal, Concours Mondial de Bruxelles 2005
Vintage 2002: Gold Medal, Concours Mondial de Bruxelles 2004

Limited Edicion 2003   *Carmenère*

Cata: destacan sus aromas a frutos rojos maduros con notas a moka que le dan un carácter original. En la boca, es un vino bien estructurado y de final largo.
Premios: Medalla de Oro, Concours Mondial de Bruxelles 2005
Cosecha 2002: Gran Medalla de Oro Concours Mondial de Bruxelles 2004

Tasting notes: Tasting notes: the aromas of red fruit with mocha hints give this wine a unique character. On the palate it is well structured and has a long finish.
Awards: Gold Medal, Concours Mondial de Bruxelles 2005
Vintage 2002: Great Gold Medal, Concours Mondial de Bruxelles 2004

VIÑA PORTA

PORTA
WINERY•CHILE

Con una existencia de más de 50 años, Viña Porta conjuga en sus cepas la tradición vitivinícola y la excelencia requerida por los exigentes mercados nacionales e internacionales

Durante casi 40 años, la familia de inmigrantes españoles Gutiérrez-Porta, fundadora del viñedo, sólo distribuía sus cepas a viñas tradicionales de Chile. Sin embargo, en 1991 lanzan su propia marca bajo el nombre de "Casa Porta" convirtiéndose en el primer vino boutique de Chile.

En 1997, Viñedos y Bodegas Córpora, adquirió Casa Porta y, con esa nueva administración, la marca modificó su nombre a "Viña Porta" centrando su atención en el "terroir" con el fin de atraer a los consumidores más exigentes. Ello generó el concepto de "single vineyards", lo que quiere decir que cada cepa se obtiene de un viñedo perfectamente identificable.

Actualmente, las plantaciones de Viña Porta se encuentran estratégicamente ubicadas en los seis valles vitivinícolas más importantes de Chile: Aconcagua, Maipo, Rapel, Casablanca, Curicó y Bío-Bío.

La bodega de Porta cuenta con una capacidad de 9,5 millones de litros en acero cien por ciento inoxidable, cuatro mil barricas de encina francesa y se encuentra en el Valle del Cachapoal, lugar en el que confluyen todas las cepas para su elaboración y embotellado.

Viña Porta posee además, un importante reconocimiento nacional e internacional en todas sus cepas, tanto en sus vinos Varietales como Reserva, lo que se ha visto reforzado con la obtención de más de 50 medallas en torneos internacionales desde el año 2000.

Founded over 50 years ago, Viña Porta brings together tradition in winemaking and viticulture and the pursuit of excellence required by demanding international and national markets.

The original vineyard was established by the Gutiérrez-Porta family, who were Spanish immigrants to Chile. For nearly 40 years, they sold their grapes to traditional Chilean wineries. In 1991, however, they launched their own brand under the name Casa Porta, thus becoming the first boutique winery in Chile.

In 1997, Viñedos y Bodegas Córpora bought Casa Porta and relaunched the brand as Viña Porta. The concept of terroir became a key aspect of the company's plan to target the most demanding consumers. This led to the production of single vineyard wines, which refers to the fact that each wine comes from a clearly identifiable vineyard.

Viña Porta currently has plantings strategically located in the six most important winegrowing regions in Chile: Aconcagua, Maipo, Rapel, Casablanca, Curicó, and Bío-Bío.

The Porta winery is situated in the Colchagua Valley, which is centrally located for receiving grapes from all the different regions for processing and bottling. The winery has a capacity of 9.5 million liters in stainless steel tanks and over 4,000 French oak barrels.

Viña Porta has earned considerable national and international recognition for all its wines, including both the varetals and the reserves. All told, our wines have received over 50 medals in international wine competitions since 2000.

Reserva 2004 — *Cabernet Sauvignon*

Cata: Color rojo rubí brillante. Nariz combina frutas con menta y especias. En boca presenta una buena estructura con taninos maduros.
Medallas recientes: Medalla de bronce en Decanter World Wines Award 2005.

Tasting notes: Bright ruby red. Fresh fruit melds with mint and spice on the nose while the palate features good structure and ripe tannins.
Recent Awards: Bronze Medal, Decanter World Wines Awards, 2005.

Select Reserve 2003 — *Pinot Noir*

Cata: Color rojo rubí brillante. Nariz frutosa y boca con un cuerpo liviano que representa plenamente las características del valle del Bío-Bío.

Tasting notes: Bright ruby red. Fruity nose and a light-bodied palate that fully represents the characteristics of the Bío-Bío.

Grand Reserve 2003 — *Chardonnay*

Cata: Tonos brillantes a miel. En nariz, fruta fresca y tropical, con piña y leves notas de plátano. Un final cremoso y sedoso, con una viscosidad increíble en boca.

Tasting notes: Bright honey notes. The nose is fresh and tropical, with pineapple and a hint of banana. Silky, creamy finish with incredible body on the palate.

Limited Cima 1999 — *Cabernet Sauvignon*

Cata: Color rojo profundo. En nariz, notas de ciruela toffe y chocolate. Taninos suaves y una estructura compleja con notas de vainilla tostada en boca.

Tasting notes: Deep ruby red color with plum, toffee, and chocolate notes on the nose. The palate boasts a note of soft vanilla carried by soft tannins and a complex structure.

Ana Salomo
Jessica Tomei
Enólogo - Winemaker

VIÑA PORTAL DEL ALTO

Portal del Alto es una bodega familiar de gran tradición en el Maipo Alto donde el compromiso con la calidad de sus vinos parte en sus propios viñedos. La modernidad tecnológica de las bodegas refleja la incansable búsqueda de la calidad y un contínuo perfeccionamiento basado en el respeto por las tradiciones. Son estos atributos y principios los que han hecho de Portal del Alto una marca reconocida en mercados nacionales e internacionales.

La bodega, propiedad de la familia Hernandez, se proyecta al siglo XXI en una cuarta generación dedicada al desarrollo de la viticultura y la enología, exhaltando los atributos del terroir reflejando en sus vinos una gran complejidad y carácter. A sus tradicionales vinos Reserva y Gran Reserva se suman los Premium Alejandro Hernandez y Gran Reserva Syrah, como también el Syrah Tardío, primer vino dulce de cepa tinta producido en Chile.

Los invitamos a visitar nuestra bodega en Alto Jahuel donde podrán encontrarse con toda la tradición de esta emblemática viña y donde podrán degustar el fruto de nuestra pasión.

Viña Portal del Alto

Portal del Alto, P.O Box 182, Buin Chile

Camino El Arpa 119, Alto Jahuel, Buin, Chile

Tel. (56-2) 8219178 / (56-2) 8213363

Fax (56-2) 8213371

Cont./ Sr. Rodrigo Muñoz Robles

Info./ vinos@portaldelalto.cl

Sales/ ventas@portaldelalto.cl

www.portaldelalto.cl

Portal del Alto is a family-owned and family-run winery of great tradition in Maipo Alto. Starting at the vineyard, our wines are imprinted with a commitment with tradition that continues at the winery through the best technology that modernity allows in a continuing and relentless pursuit of quality. These are the principles and attributes that have brought Portal del Alto International acclaim.

The winery belongs to the Hernandez family, already on its fourth generation dedicated to viticulture and excellence in winemaking. The terroir is reflected in wines of unmistakable character and complexity, as found in our traditional Reservas and Gran Reservas. These are joined by the excellence of Alejandro Hernandez, our Premium Maipo Alto Cabernet. An example of our continuing quest for innovation comes with the Late Harvest Syrah, the first sweet wine produced in Chile from a red grape.

We encourage you to visit our Alto Jahuel Visitor Center to taste the fruit of our passion, and where you will encounter all the tradition of this emblematic Maipo winery.

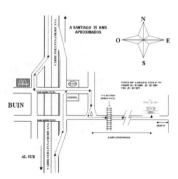

Reserva Alejandro Hernández

90% Cabernet Sauvignon
5% Carmenere
5% Merlot

Cata: La uva se cosechó a mano tardíamente para obtener un perfecto balance y taninos muy maduros. Color rubí profundo. Aroma elegante, intenso y complejo que recuerda a frutas maduras, guinda, mora y cassis, junto al aroma especiado de la barrica. Vino de gran cuerpo, con taninos maduros y fina persistencia. Con buena estructura y balanceado, lo que le permite beberse de inmediato o ser conservado por más de 8 años.

Tasting notes: The grapes were harvested late in the season to obtain the perfect balance between sugar and well-ripened tannins. Deep ruby red. Elegant, intense and complex aroma evoking mature fruits, cherries, blackberries, and black currants, combined with a delicate spiced aroma from the barrel. It is a full-bodied wine with ripe tannins and it is persistent. Well balanced and structured, it is suitable for immediate consumption or ageing for a period as long as 8 years.

Carolina Amello V.
Enólogo - Winemaker

Gran Reserva Syrah

100% Syrah

Cata: Color rojo violáceo profundo e intenso. Vino de gran intensidad y complejidad aromática, con dominio de frutos negros y aromas confitados, con notas de dulce de membrillo y agua ardiente, junto a los aromas especiados del roble. Boca densa y elegante, de gran cuerpo y taninos suaves y maduros. Su riqueza aromática y la consistencia de su estructura, garantizan una guarda beneficiosa de 4 a 5 años.

Tasting notes: Deep and intense violet red. A wine with great aromatic intensity and complexity, a dominance of black fruits and candied notes, with hints of quince preserves and liquor combined with spiced aromas from the oak. Dense and elegant palate, well bodied with gentle, ripe tannins. Its aromatic richness and structural consistency guarantee beneficial ageing for 4 to 5 years.

Gran Reserva Chardonnay

100% Chardonnay

Cata: La uva fue seleccionada y cosechada a mano. Color amarillo pajizo, con reflejos verdosos. Aroma de intensidad media y con delicadas notas especiadas y tostadas, aportadas por la crianza en barricas, que se enlazan con los aromas de frutos cítricos y piña madura propios de la variedad. A esta complejidad aromática se agrega un perfecto equilibrio gustativo y delicada persistencia.

Tasting notes: The grapes were selected and harvested by hand. Straw-colored yellow with greenish hues. the aroma has a medium intensity with delicate spiced, toasted notes from oak ageing, that marry well with the citric notes and ripe pineapple aromas characteristic of the variety in this valley. This wine has a tremendous aromatic complexity and a seducing, elegant persistence.

Gran Reserva Cabernet Sauvignon

100% Cabernet Sauvignon

Cata: Intenso color rubí, con aromas muy complejos recordando frutas rojas y ciruelas, además de los aromas especiados del roble. En boca es un vino armónico, con buena estructura y taninos maduros que presenta una larga persistencia aromática. Apto para ser consumido de inmediato o para ser guardado en botella por 4 a 6 años.

Tasting notes: Intense ruby red color with complex aromas evoking red fruits and plums combined with spicy aromas from the oak. On the palate, it is a harmonious wine, with good structure and ripe tannins that lend long and aromatic persistence. Apt for immediate consumption or cellaring for 4 to 6 years.

Gran Reserva Carmenère

95% Carmenère
5% Cabernet Sauvignon

Cata: Color rojo violáceo profundo. Vino de gran intensidad aromática, con dominio de frutos negros como mora, guinda negra y aromas especiados propios de la variedad y de la guarda en barrica. Vino corpulento, de gran armonía y con taninos suaves y maduros. Su riqueza aromática y la consistencia de su estructura garantizan una guarda beneficiosa de 4 a 5 años.

Tasting notes: Deep violet red. Great aromatic intensity, with a dominance of black fruit such as blackberry, black cherry, and spiced notes characteristic of the variety and the barrel ageing. A corpulent wine, well harmonized, with gentle, ripe, tannins. Its aromatic richness and structural consistency guarantee it will benefit from ageing for up to 4 or 5 years.

VIÑA SAN DIEGO DE PUQUILLAY

Los orígenes de Viña San Diego de Puquillay tienen relación con Don Jorge Eyzaguirre Correa, quien tuvo la visión de descubrir tempranamente el potencial vitivinícola de Colchagua.

Actualmente, Viña San Diego de Puquillay, es propiedad de la familia Eyzaguirre Echenique, fundadores de Viña Los Vascos, quienes a fines de los '90, tras vender su participación en Los Vascos, mantienen las casas patronales y parte de la propiedad agrícola, donde se encuentran escogidas cien hectáreas de viñas, principalmente de Cabernet Sauvignon, aunque también cuentan con Cabernet Franc, Merlot, Carmenère, Syrah y algo de Petit Verdot.

De allí nace un proyecto para elaborar una pequeña y exclusiva partida de vinos, y en el 2000 se producen las primeras cajas de Taurus-Encierra.

Convencidos de que en el suelo está la clave para obtener vinos de calidad, los propietarios y su equipo técnico realizan un minucioso trabajo para obtener el máximo potencial del terroir.

La propiedad está ubicada en la zona de Perallillo, a unos 40 kilómetros de la costa, en un rincón del valle con un microclima perfecto para la viticultura de alta calidad y una orientación privilegiada. Diariamente los vientos marinos provocan cambios de temperatura de entre 20 a 25 grados centígrados. El resultado es un vino con carácter definido muy especial.

The origins of Viña San Diego de Puquillay are bind to Mr. Jorge Eyzaguirre Correa, who had the vision to early discover the tremendous viticultural potential of Colchagua.

Today, Viña San Diego de Puquillay is owned by the Eyzaguirrre Echenique family, founders of Viña Los Vascos, who in the late '90s, after selling their part of Los Vascos, kept the houses and part of the estate with one hundred privileged hectares planted primarily with Cabernet Sauvignon, although they also have Cabernet Franc, Merlot, Carmenère, Syrah and some Petit Verdot.

On that basis, they developed a project to elaborate a small but exclusive party of wine. In 2000, they produced the first cases of Taurus Encierra.

Convinced that the clue for quality wine production is in the land, the owners and their technical team accomplish the endeavor to make the family terroir yield all its potential.

The property is located in Peralillo, at approximately 40 km. from the coast, in a corner of the valley with a perfect microclimate for high quality wine production and a privileged orientation. Each day the winds from the sea cause a temperature oscillation of 20 to 25 Celsius degrees. The result is a wine with a very special and defined character.

Encierra 2002
Cabernet Sauvignon - Syrah - Carmenère - Merlot

Vinificación: Rigurosa selección de racimos en el viñedo. Cosecha al momento óptimo de madurez. Fermentación alcohólica con levaduras nativas y fermentación maloláctica durante la maceración post fermentativa. La crianza se llevó a cabo en forma parcial en barricas de encina francesa

Cata: Color: El vino presenta un vivo y brillante color rojo con tientes violáceos.

Aroma: Alta intensidad de aromas que evocan hierbas y frutos silvestres del terroir que predominan sobre la madera.

Sabor: Presenta una boca equilibrada, con taninos suaves y elegantes culminando en una complejidad típica y exclusiva del lugar. Acompaña magníficamente a carnes rojas y quesos intensos.

Vinification: Vinification: Rigurous hand picking in the vineyard. Harvested at optimal ripening stage. Alcoholic fermentation with native yeast and malolactic fermentation during post fermentative maceration. This wine was partially aged in French oak barrels.

Tasting notes: Color: The wine presents a bright live red color with purple tinges.

Aroma: Predominance of wild fruit aromas from the terroir that prevail over the aromas of the wood.

Taste: On the palate, well-balanced, with gentle and elegant tannins, finishing with the typical and unique complexity of this place.

Los viñedos de la Viña San Esteban se ubican en la parte alta del Valle de Aconcagua, a más de 850 metros de altura. La marcada influencia de la cordillera de Los Andes otorga a las uvas de San Esteban un carácter distintivo para crear vinos marcados por su origen.

Viña San Esteban empezó en 1974, don José Vicente K. compró los fundo La Florida y Paidahuen para dedicarlos al cultivo de viñedos. Veinte años más tarde, fue unido con su hijo Horacio Vicente, un enólogo formado en la Universidad de Burdeos, a fin de unir la producción de uvas con la elaboración de vinos.

Sus amplias bodegas combinan la más alta tecnología con la elaboración tradicional del vino. Modernos sistemas de prensado y refrigeración permiten una extracción gentil del jugo y un estricto control de la temperatura durante la fermentación y estabilizado del vino. Así mismo el uso de barricas francesas y americanas de las más prestigiosas tonelerías contribuye al envejecimiento y maduración de los vinos.

Viña San Esteban produce alrededor de 140.000 cajas de vino al año. Sus vinos se encuentran en Estados Unidos, Inglaterra, Francia, Holanda, Irlanda, Bélgica, Finlandia, Noruega, Suecia, Brasil, y Chile con las marcas Viña San Esteban, In Situ y Río Alto, además de algunas marcas de exportación.

Viña San Esteban is located along the upper course of the Aconcagua River Valley, at an altitude of over 2,800 feet. San Esteban's distinct geography and climate deliver a one-of-a-kind character to its grapes to create an excellent wine, marked by its origin.

Viña San Esteban was founded in 1974 when established grape producer José Vicente was joined by his son Horacio Vicente, a Bordeaux-trained winemaker, to produce quality Aconcagua Valley wines.

Viña San Esteban's ample cellars combine modern technology with traditional procedures in wine production. The winery uses the lasted systems of pressing and refrigeration as well as French and American oak barrels from the most prestigious cooperages to produce a round, elegant wine.

Viña San Esteban produces around 140,000 cases of wine a year. Wines are sold in the US, UK, France, the Netherlands, Ireland, Belgium, Finland, Norway, Sweden, Brazil and Chile under the brands Viña San Esteban, In Situ and Río Alto, as well as some export brands.

Laguna del Inca 2003   *Cabernet Sauvignon - Carmenère - Syrah*

40% Cabernet Sauvignon,
35% Carmenère, 25% Syrah

Cata: Presenta una gran concentración de aromas de cassis, mentol y notas de pimienta. En boca un ataque suave luego deja sentir taninos bien maduros que junto a notas de vainilla y tabaco crean un agradable final.

Tasting notes: Concentrated aromas of blackcurrant, menthol and black pepper. In the mouth, a gentle attack leads to ripe tannins, blended to the finish with vanilla, rhubarb and tobacoo aromas.

Gran Reserva 2003   *Cabernet Sauvignon*

Cata: Color rojo intenso, con notas de cassis, mentol y humo. En boca, el ataque es suave y elegante con aromas de vainilla, frutos rojos y tabaco e integra taninos maduros.

Tasting notes: Intense ruby red colour with harmonious notes of blackcurrant, menthol, and tobacco. In the mouth, the attack is soft and elegant with vanilla and red fruit aroma and ripe, well-integrated tannins.

Reserva 2003   *Carmenère*

Cata: Un rojo intenso anticipa la gran concentración de aromas y una trama tánica bien estructurada. Aromas de frutos rojos, especias y hojarásca, junto a taninos suaves conforman un vino redondo para beber hoy o guardar por algunos años.

Tasting notes: An intense red colour anticipates the high concentration of aromas and well-balanced tannins. Red fruit aromas, spices, and earthy tones accompany soft tannins in this round wine. Ready to drink now or cellar for a few years.

Reserva 2002   *Syrah*

Cata: Profundas notas a frambuesa, ciruela y aromas florales permanecen hasta el final, de buena textura y con suaves notas de roble.

Tasting notes: Rich in texture with deep berry, herbs and floral flavors that linger on throughout the long, well-textured and lightly oaked finish.

Horacio Vicente
Enólogo - Winemaker

Viña San Pedro es una de las viñas más antiguas y tradicionales de Chile. Sus orígenes se remontan a 1865, cuando los hermanos Bonifacio y José Gregorio Correa Albano la fundaron en tierras que pertenecían a sus ancestros.

En aquella época se cultivaron uvas locales, que luego fueron reemplazadas por variedades finas traídas de Francia como el Cabernet Sauvignon, Sauvignon Blanc, Merlot, Chardonnay, Malbec, Pinot Noir, Syrah y Carmenère. Esta última, desaparecida en Europa debido a la Filoxera, hoy en día se produce únicamente en Chile, convirtiéndose en una cepa emblemática de nuestro país.

San Pedro ha sido capaz de potenciar en cada uno de sus productos el carácter del vino chileno: gran expresión de las distintas variedades, alta concentración de frutas y óptima evolución en el tiempo.

Es así como nuestra gestión se concentra en entregar excelentes vinos, elaborados por enólogos expertos, con uvas de los mejores valles.

Viña San Pedro is one of the first and most traditional vineyards in Chile. Its origins go back to 1865, when the Bonifacio and José Gregorio Correa Albano brothers founded Viña San Pedro in lands that belonged to their ancestors.

At first, these lands were cultivated with local grapes, but they were soon replaces with fine varieties brought from France as Cabernet Sauvignon, Sauvignon Blanc, Merlot, Chardonnay, Malbec, Pinot Noir, Syrah y Carmenère. This latter one disappeared in Europe after the phylloxera crisis, it is nowadays exclusively produced in Chile, where it has become one of the country's emblematic varieties.

Viña San Pedro has been able to label its products with the unique character of Chilean wine: great expression of the different varieties, high concentration of fruits and optimal evolution over time.

Our aim is focused on the production of excellent wines, elaborated by expert enologists, out of grapes that proceed from the best valleys.

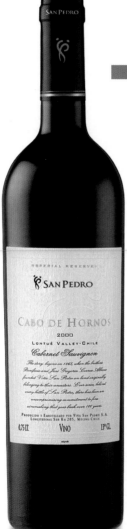

Vinificación: Selección manual de los racimos y vendimia en el punto óptimo de maduración. Fermentación en depósitos de madera de roble francés. 18 meses de guarda en barricas de roble francés (50% nuevas) y 24 meses en botella.

Cata: De color rojo rubí muy intenso, concentrado y oscuro. Su aroma es intenso, maduro, hay especies mezcladas con madera, café, cuero y frutas negras, junto con aromas a frutas secas y algo de regaliz. En la boca es complejo, de gran cuerpo y buena concentración, con taninos suaves y elegantes que hacen notar su presencia.

Vinification: Manual selection of the bunches and the grape harvest at the optimum point of maturity. Fermentation in wooden deposits of French oak. Kept for 18 months in French oak barrels (50% new) and 24 months in bottles.

Tasting notes: An intense, concentrated and dark ruby colour. The aroma is strong and ripe, of spices mixed with wood, coffee, leather and black fruits, as well as aromas of dry fruit and liquorice. In the mouth it is complex, full-bodied and well concentrated, with light and elegant tannins that make their presence known.

Reserva Premium 2001 — *Cabernet Sauvignon*

Cata: Color rojo rubí con ligeros toques violáceos. Aromas terrosos que hablan de su origen en el valle del Maipo, combinado con tostados, cuero y vainilla muy bien integrados en el vino y con toques de eucalipto y mentol. En boca es un vino de gran cuerpo con toda la elegancia que mostró en los aromas, combinando una delicada fruta con una bien integrada y balanceada madera.

Tasting notes: Ruby coloured with light hues of violet. Earthy aromas that speak of its origin in the Maipo valley, combined with toasted aromas, leather and vanilla that are well integrated into the wine, with touches of eucalyptus and menthol. In the mouth it is a full bodied wine with all the elegance shown in its aromas, combining a delicate fruit with well integrated and balanced wood.

Reserva Premium 2002 — *Carmenère*

Cata: Color rojo muy intenso con toques violáceos y negruzcos. Aromas mentolados y eucaliptos, levemente especiado, con tostado, vainilla y humo, que se combinan con chocolate y cassis. En boca es un vino de gran cuerpo con sensación aterciopelada, con taninos hasta el final pero suaves.

Tasting notes: Intense red colour with violet and blackish hues. Menthol and eucalyptus aromas, lightly spiced, with toasted, smoky and vanillary aromas, that combine with the chocolate and cassis aromas. In the mouth it is a full bodied wine with a velvety aftertaste, with light tannins that can be felt up to the last minute.

Reserva Premium 2000 — *Malbec*

Cata: Aromas a frutas rojas (ciruelas, guindas frescas), combinado con un suave tono a cuero, tabaco y algo de flores secas. En boca es aterciopelado de cuerpo medio, con taninos presentes pero dulces y de largo final.

Tasting notes: Aromas of red fruits (plums, fresh cherries), combined with a soft touch of leather, tobacco and something of dry fruits. In the mouth it is velvety and half bodied, with sweet tannins that have a long aftertaste.

Reserva 2003 — *Cabernet Sauvignon*

Cata: Color intenso con tonos violáceos. Aroma a tierra seca, mentol, berries, ciruelas secas y eucalipto, con toques a cuero y humo. En boca se siente mucha fruta junto con los taninos que le dan estructura y cuerpo.

Tasting notes: Intense colour with violet hues. Aroma of dry earth, menthol, berries, prunes and eucalyptus, with touches of smoke and leather. In the mouth much fruit can be felt, together with the tannins that give the wine body and structure.

Reserva 2003 — *Carmenère*

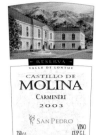

Cata: Color guinda con tonos violáceos. Aromas intensos a frutas maduras con toques a pimiento verde y notas tostadas de tabaco y vainilla. En boca es equilibrado, de ataque suave, cuerpo medio y redondo, con taninos muy suaves.

Tasting notes: Cherry colour with violet hues. Intense aromas of ripe fruit with touches of green pepper and toasted touches of tobacco and vanilla. In the mouth it is balanced and light, half bodied and rounded, with very light tannins.

Reserva 2003 — *Merlot*

Cata: Color intenso negruzco con tonos violáceos. Aromas a geranio, coco y vainilla, junto con frutos rojos. En boca se siente la madera, acompañada de frutas frescas.

Tasting notes: Intense blackish colour with violet hues. Aromas of geranium, coconut and vanilla, together with red fruits. In the mouth the wood can be felt, accompanied with fresh fruit.

Reserva 2004 — *Chardonnay*

Cata: Color es amarillo claro, con tonos dorados. Aroma tostados, toffe y lácticas, conjugadas con fruta blanca y notas cítricas. En boca sabores tostados, acompañadas con una acidez media.

Tasting notes: Light yellow colour, with golden tones. Toasted, toffee and milky aromas, with white fruits and citric touches. In the mouth there are toasted flavours, with mild acidity.

Reserva 2004 — *Sauvignon Blanc*

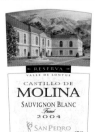

Cata: Color amarillo pálido con tonos verdosos. Aromas intensos a frutas tropicales, piña, guayabas, con notas ácidas, donde la madera redondea toda esta frutosidad. En boca es redondo, con una acidez media que mantiene la frescura del vino.

Tasting notes: Pale yellow colour with greenish hues. Intense aromas of tropical fruits, pineapple, guava, with acidic touches where the wood rounds off all this fruitiness. In the mouth it is rounded, with mild acidity that maintains the freshness of the wine.

SANTA CAROLINA

VIÑA SANTA CAROLINA

Santa Carolina es una Viña de larga tradición tanto en Chile como en el mundo. Fue fundada en 1875 gracias al espíritu visionario de Don Luis Pereira Cotapos, quien la denominó así en honor a su esposa, Doña Carolina Iñíguez Vicuña. Don Luis Pereira contrató arquitectos franceses para diseñar y construir la bodega principal de la viña y trajo desde Francia al enólogo Germain Bachelet, quien seleccionó las más nobles vides de la región de Bordeaux. Vides de Cabernet Sauvignon, Merlot, Sauvignon Blanc y Chardonnay, fueron plantadas en las mejores tierras del Valle Central de Chile.

Su bodega original, ubicada en el sector sur de Santiago y que alberga los barriles de roble con los vinos más finos, fue declarada Monumento Nacional en 1973 debido a su belleza arquitectónica y excelente estado de conservación.

Viña Santa Carolina ejecuta permanentemente planes de inversión y modernización de sus bodegas de vinificación, con nuevas prensas neumáticas y modernos equipos de fermentación, lo mismo que para sus líneas de producción y embotellado. Esto, unido a sus 130 años de experiencia, a la dedicación de sus enólogos, y al suelo y clima privilegiados de sus viñedos, le permiten producir vinos de gran calidad, satisfaciendo las demandas de los más variados clientes y mercados.

Santa Carolina has been for long time considered a traditional winery in both Chile and abroad. Founded in 1875 thanks to the visionary spirit of Mr. Luis Pereira Cotapos, who named his company Santa Carolina to honor his wife, Mrs. Carolina Iñíguez Vicuña. Mr. Luis Pereira hired French architects to design and construct the winery's main cellar and brought from France the winemaker Germain Bachelet, who selected the most noble rootstocks of the Bordeaux region to plant them here. Cabernet Sauvignon, Merlot, Sauvignon Blanc and Chardonnay selections were planted in the best soils of Chile's Central Valley.

Its original cellar, located in Santiago's southern zone, where the Santa Carolina's finest wines are aged in oak barrels, was declared National Monument in 1973 because of its architectonic beauty and excellent conservation.

Viña Santa Carolina is constantly carrying out important investment and modernization plans in its facilities, furnishing them with new pneumatic winepresses and modern fermenting equipment, as well as in its production and bottling lines. All these, plus 130 years of experience, top ranked winemakers and privileged soils and climate, ensure the production of high quality wines for the most demanding clients worldwide.

VSC 2001
Cabernet Sauvignon - Merlot - Syrah - Petit Verdot

50% Cabernet Sauvignon, 25% Merlot, 20% Syrah, 5% Petit Verdot

Cata: De profundo color rojo rubí, este assemblage de gran cuerpo presenta exuberantes aromas que recuerdan las trufas y cacao. La presencia de frutas negras maduras se encuentra perfectamente balanceada con suaves notas de especies y de madera bien integrada. En el paladar, VSC posee una textura aterciopelada y un gran cuerpo con taninos suaves y maduros. Con un persistente y elegante final, este assemblage es la personificación de nuestra filosofía enológica.

Tasting notes: Deep ruby red in colour, this full-bodied assemblage features exuberant aromas reminiscent of truffles and cocoa. The presence of ripe black fruits is perfectly balanced with the sweet spices and delicate notes of well-integrated oak. On the palate, the VSC 2001 has a velvety texture and a great body, with mature tannins. With a persistent and elegant finish, the VSC is a sophisticated embodiment of our winemaking philosophy.

Reserva de Familia 2002
Cabernet Sauvignon

100% Cabernet Sauvignon

Cata: Nuestro Reserva de Familia Cabernet Sauvignon, es sabroso, potente y elegante. Este vino de gran cuerpo ofrece un color rojo rubí profundo, aromas de especias dulces y sabores de ciruela y mermelada. En boca, se aprecian taninos redondos y aterciopelados que proveen una suave textura y caracteres de un roble bien integrado. Su persistencia es larga y elegante: rica en sabores de canela y pimienta, características que evolucionan gradualmente a medida que el vino desarrolla su bouquet en la botella.

Tasting notes: Our Reserva de Familia Cabernet Sauvignon is rich and elegant. This full-bodied wine features a deep red-ruby color, spicy and fruity aromas, and intense flavors of plum and jam. On the palate, the round, velvety tannins provide a smooth texture and well-integrated oak character. Its long and elegant finish is rich with cinnamon and pepper notes as the wine is already developing a pleasant bottle bouquet.

Barrica Selection 2004
Carmenère

100% Carmenère

Cata: Este complejo e intenso Carmenère sorprende por su aroma a frambuesas, moras y arándanos. Lentamente, aparecen los frutos negros y las especias, junto con las notas de cacao y vainilla provenientes de la guarda en barricas francesas. En boca, es un Carmenère grueso, altamente concentrado y aromático, con taninos muy maduros y notas de roble claramente integradas. El final es largo y persistente.

Tasting notes: This complex and intensely red Carmenère amazes with its initial aromas of raspberries, blackberries, and blueberries, then slowly opens in the glass with black fruit and spice, along with notes of cocoa and vanilla from the French oak. A sip reveals a voluminous, highly concentrated and aromatic wine with very ripe tannins. The oak is subtly integrated, and the finish is long and persistent.

Barrica Selection 2004
Syrah

90% Syrah, 10% Cabernet Sauvignon

Cata: Este Syrah, de un profundo y brillante color granate, posee deliciosos aromas a moras y frambuesas. Es un vino concentrado y exuberante con suaves notas florales que recuerdan a violetas y lilas, las que se integran perfectamente con la vainilla y el coco proveniente de su paso por barricas francesas. En boca, se despliega dulce, voluminoso y persistente, sorprendiendo por la concentración y madurez de sus taninos. Muy potente en su estilo.

Tasting notes: Intense and bright, this deep dark garnet red Syrah boasts delightful fruit -forward aromas of raspberries and blueberries.The wine is rich and lush and features delicious notes of violets and lilacs, subtly integrated to vanilla and coconuts notes from the barrel. The palate is big and meaty, with good volume and expression and very ripe, concentrated tannins. Powerful in its style.

Consuelo Marín
Enólogo - Winemaker

Viña Santa Laura

El vino es un producto vivo, que nace y evoluciona, y por eso requiere no sólo de tecnología y "saber hacer", sino también de cariño, respeto y dedicación. Los miembros de la familia Hartwig están detrás de cada detalle de los vinos Laura Hartwig.

El consumidor es prioridad para la filosofía Laura Hartwig. Es por eso que la viña abarca volúmenes limitados de producción, para así estar constantemente atento a la calidad y consistencia de sus vinos. Vinos complejos y poderosos que han sido diseñados para un consumidor que disfruta del buen comer.

El terroir, compuesto por clima, suelo y trabajo del hombre es la base para producir una buena fruta, porque sin ella, no hay buen vino posible. Una zona privilegiada por un clima templado y de suelos franco - arcillosos son características claves a las que se han sumado un objetivo de desarrollo sustentable y un manejo amistoso del medio ambiente.

Está ubicada en el corazón del Valle de Colchagua, una zona privilegiada, no sólo por sus favorables condiciones vitivinícolas, sino además por una tremenda carga histórica y social. A sólo 1.400 m. de la plaza de Santa Cruz, y a 190 km. de Santiago, Laura Hartwig se erige como la viña boutique de la región.

Wine is a living product, born and nurtured, and that is why wine production is not just a question of technology, it requires care, respect and personalized dedication. The members of the Hartwig family stand behind every aspect of Laura Hartwig wines.

The consumer is top priority for the Laura Hartwig philosophy. The vineyard hence produces limited volumes in order to allow for constant attention to the quality and consistency of its wines. These are complex, powerful wines designed for a consumer who appreciates fine cuisine.

The terroir's blend of weather, soil and labor provides the foundation for quality fruit, because without a good fruit there can be no good wine. A privileged zone with temperate climate and sound clay - based soils have been combined with our ethos for sustainable development and environmentally friendly management.

Laura Hartwig vineyard is nestled in the heart of the Colchagua Valley, a privileged region home to ideal winemaking conditions and also to a rich historical and social heritage. At only 1,400 m. from Santa Cruz square, and 190 km. from Santiago, Laura Hartwig stands as the region's boutique vineyard.

2001 — Cabernet Sauvignon

100% Cabernet Sauvignon del
Valle de Colchagua.

Cata: Color: Rojo rubí con reflejos cereza. Rapidez media y numerosas piernas. Aroma: Evidentes aromas a frutos silvestres, cerezas y ciruelas con ciertas notas a cedro, acentuados por agradables aromas a tostado y vainilla. Paladar: Rico y elegante en el paladar medio, taninos muy presentes y balanceados que le dan una buena estructura y gran potencial de guarda. Para disfrutarlo desde ahora gracias a sus frutos rojos, pero evolucionará durante los próximos 5 años, integrándose y alcanzando total elegancia y balance.

Tasting notes: Colour: Ruby red, cherry reflects. Medium fast and numerous legs. Aroma: Bright berry flavors, cherry and plums with cedar notes underlined by nice vanilla and roasted aromas. Palate: Wide medium palate, rich and elegant, pronounced and balanced tannins lending good structure and ageing potential. Enjoyable now thanks to its red fruits, but it will evolve during the next 5 years reaching integration and its maximum balance and elegance.

2001 — Merlot

100% Merlot del Valle de Colchagua

Cata: Color: Rojo rubí profundo. Aroma: Ricas notas a cereza y ciruela con leves toques ahumados. Paladar: Poderoso, con mucho sabor a cereza y ciruela, gran cuerpo en el paladar medio y marcados taninos.

Tasting notes: Colour: Deep red ruby color. Aroma: Very rich cherry and plum notes, with a slight smokiness. Palate: Powerful, with a lot of cherry and plum flavors, full mid palate and finishes with firm tannins.

2003 — Carmenère

100% Carmenere del
Valle de Colchagua

Cata: Color: Rojo rubí profundo con bordes violáceos. Aroma: Típico carácter varietal con hierbas, y notas a madera se entremezclan con leves toques a vainilla. Paladar: Un carácter tostado con sabores a ciruela, fruta, y un sabroso final con toques de especias y hojas de tabaco.

Tasting notes: Colour: Deep ruby with violet edges. Aroma: Obvious varietal character with herbs, spices and ripe fruit blended with vanilla notes. Palate: Lively, refreshing and distinctive with subtle herb notes blended with toasted spices and ripe fruit.

Gran Reserva 2000 — Cabernet Sauvignon - Carmenère - Merlot

Blend de Cabernet Sauvignon,
Merlot y Carmenère del Valle de Colchagua

Cata: Color: Rojo rubí intenso y brillante. Aroma: Los beneficios de esta mezcla son evidentes. El vino posee profundidad y riqueza, con profusión de aromas a cereza, ciruela y frutos silvestres. Paladar: Un excelente casamiento de finesa y concentración, con sabores a cassis, tabaco y cedro. Es un vino balanceado y de prolongado final.

Tasting notes: Colour: Deep and bright ruby red. Aroma: The benefit of the blend is evident. The wine has depth and richness with plenty of different aromas of cherry, plums and berries. Palate: A beautiful marriage of refinement and concentration, shows currant, tobacco and cedar flavors. It's firm balanced and long.

Ignacio Justiniano
Enólogo - Winemaker

VIÑA SANTA MÓNICA

Emilio de Solminihac, ingeniero agrónomo de la Universidad de Chile, primer chileno en obtener el diploma nacional de enólogo de la Universidad de Burdeos, luego de trabajar durante 17 años dando consejo técnico a muchas viñas y bodegas, en 1976 compró la antigua Viña Purísima ubicada en el Valle del Rapel, donde encontró el terroir con las condiciones óptimas para producir vinos premium capaces de expresar los más altos niveles de excelencia, creando una empresa familiar que bautizó con el nombre de su esposa Mónica.

El viñedo de 93 ha es manejado según las normas de producción limpia, con rendimientos bajos pero balanceados, consiguiéndose uvas de gran pureza y concentración.

Tiene una moderna planta de vinificación rodeada por sus propios viñedos, que la ubica a la vanguardia de las bodegas chilenas, con maquinaria y equipos de avanzada tecnología, donde el trabajo se realiza en un ambiente de cálida atención orientada a la excelencia. Su capacidad de almacenamiento es de 5.900.000 litros.

Desde que inició la comercialización de sus vinos en 1980, éstos se han distinguido por su estilo propio, único, con gran concentración y estructura que les garantiza una muy buena aptitud de guarda, lo que explica que en la actualidad sea la viña chilena que en algunos tipos de vino ofrece las cosechas más antiguas del mercado, en los que se puede disfrutar de un bouquet más desarrollado e interesante complejidad.

Emilio de Solminihac, agricultural engineer from the Universidad de Chile and the first Chilean to receive the "diplôme national d'oenologue" from the Université de Bordeaux, after 17 years consulting for many vineyards and wineries, in 1976 he bought the old "Viña Purísima" located in the Rapel Valley, where he found the terroir with the perfect conditions to produce premium wines able to express the highest levels of excellence, creating a family company that was named honoring his wife Monica.

The 93 ha vineyard is handled under pure growing conditions, with low yet balanced yields, to achieve grapes of great purity and concentration.

Santa Monica has a modern vinification plant surrounded by its own vineyards which places it on the front line of the Chilean wineries, with state of the art machinery and equipment, where the work is done in a warm and personal environment directed towards excellence. It has a cellar capacity of 5.900.000 litres.

Since 1980, year in which commercializing began, the wines have been characterized by their own style, unique with great concentration and structure that guarantees excellent ageing ability which explains why some of the wines produced at the winery are the oldest vintages available from Chile today, thus showing a fully developed bouquet and rare complexity.

Gran Reserva — *Cabernet Sauvignon*

Cata: Bouquet complejo y elegante, con gran armonía entre aromas de frutas rojas maduras, ciruela y guinda y tonos de tabaco, chocolate, confitado, tostado y ahumado. En la boca es redondo y con buena estructura, muy sabroso, aterciopelado, de gran carácter y larga persistencia.

Tasting notes: Complex and elegant bouquet, with great harmony between the aromas of red mature fruits, plum and cherry and tones of tobacco, chocolate, candy, toast and smoke. On the palate, it is full, with good structure, very tasty, velvety, elegant, of great character and long persistence.

Tierra de Sol — *Chardonnay*

Cata: Bouquet fino y complejo que recuerda los aromas de la variedad, con notas de manzana, durazno, damasco, citrus, frutas tropicales, flores y miel, más algunos acentos de roble, mantequilla, avellana y vainilla. Seco, cuerpo completo, redondo, armonioso, de gran personalidad y persistencia.

Tasting notes: Fine and complex bouquet, with good balance between the plum, cherry, tobacco, chocolate, vanilla and smoke aromas. Concentrated and well structured, good tannins, full, of great character and very long.

Tierra de Sol — *Cabernet Sauvignon*

Cata: Bouquet fino y complejo, en un buen balance entre los aromas a ciruela, guinda, tabaco, chocolate, vainilla y ahumado. Concentrado y bien estructurado, buenos taninos, redondo, de gran carácter y muy largo.

Tasting notes: Refined and complex nose with ripe citrus character and mineral notes. Subtle oak influence combines with lemon and dry wheat aromas. Fresh and dense in the mouth, with a creamy texture in the mid palate and a lively acidity further back, providing freshness and length to a toasted hazelnuts aftertaste.

Reserva — *Cabernet Sauvignon- Carmenère*

Cata: Bouquet bien desarrollado y complejo, dominando el aroma maduro de la variedad marcado con notas de frutas rojas y negras como ciruela, guinda y mora, con tonos de chocolate, tabaco y especias. En la boca es equilibrado, de cuerpo redondo, con taninos maduros, muy armonioso y persistente.

Tasting notes: Well developed and complex bouquet, dominating the variety's mature aromas, marked with notes of red and black fruits like plum, sour cherry and blackberry, with tones of chocolate, tobacco and species. On the palate it is balanced and full bodied, with mature tannins, very harmonious and persistent.

Emilio de Solminihac
Enólogo - Winemaker

Viña Santa Rita fue fundada en 1880 por don Domingo Fernández Concha, destacado empresario y hombre público de la época, en las mismas tierras de Alto Jahuel, donde hoy se ubican sus instalaciones principales.

En esos años Viña Santa Rita se estableció como una moderna empresa vitivinícola y, al mismo tiempo, como un importante centro de desarrollo cultural y diálogo político de la época. Su imponente casa y el hermoso parque que la rodea aún retienen los ecos de magníficas recepciones, recuerdos de importantes visitas y muchos temas que inspiraron a notables artistas de la época.

Desde fines del siglo pasado y hasta a mediados de la década de 1970, la viña se desarrolló bajo la propiedad de la familia García Huidobro, encabezada por don Vicente García Huidobro, yerno de don Domingo Fernández Concha, quien continuó con el legado e ideales de su fundador.

En 1980, el Grupo Claro, conjuntamente con una empresa estadoinidense, adquirió las marcas, la bodega de Alto Jahuel y 50 hectáreas de viñas adyacentes a la planta.

En 1988, el Grupo Claro tomó el control total de la Viña al adquirir la participación del socio extranjero en la propiedad de la empresa.

En diciembre de 1991, adquirió el resto de la antigua hacienda, la casa construída por don Domingo Fernández Concha, la iglesia, el parque y la casa del siglo XVIII de Doña Paula Jaraquemada.

Hoy, Viña Santa Rita ocupa una fuerte posición de liderazgo en el mercado nacional y en el extranjero, exportando sus prestigiosos vinos a más de 60 países en los cinco continentes. Su compromiso con la calidad y la constante innovación han sido factores fundamentales en su exitosa trayectoria de más de 120 años y son aspectos claves en sus planes de desarrollo y crecimiento de largo plazo

Santa Rita was founded in 1880 by Domingo Fernández Concha - a well-known and distinguished entrepreneur of those times - in Alto Jahuel, the same lands where its main premises are located nowadays.

Santa Rita was then set up not only as a modern vitivinicultural company but also as an important cultural development and current political discussion centre. Its imposing manor house and beautiful surrounding park still echo magnificent receptions, memories of important visitors and lots of topics inspiring some remarkable artists of those times.

From the late 1800's until mid 1970's, the vineyard was developed under the leadership of Vicente García Huidobro - Domingo Fernández Concha's son in-law - going on with its founder 's legacy and ideals .

In 1980, the Claro Group associated with a North American company acquired the trademarks, the Alto Jahuel winery and 50 hectares of vineyards next to the premises.

In 1988, the Claro Group took complete vineyard control when acquiring the foreign partner's share.

In December 1991, it purchased the rest of the old hacienda, the house built by Domingo Fernández Concha, the chapel, the park, and Doña Paula Jaraquemada's eighteenth- century house.

Nowadays, Viña Santa Rita holds a strong leading position in the domestic and foreign markets, exporting its prestigious wines to over 60 countries in five continents. Its commitment to quality and constant innovation have been key factors in its over one-hundred-and-twenty-year-old success and long- term development and growth plans.

Casa Real Reserva Especial 2001

Cabernet Sauvignon

Cata: Como concepto de Terroir la cosecha 2001 es sin duda, hasta hoy la máxima expresión de un vino 100% Cabernet Sauvignon. Las uvas fueron vinificadas pensando obtener un vino de alta o total extracción, lográndose un vino de alta concentración de frutas y taninos.

Vino sofisticado, complejo donde la fruta madura, ciruelas y blackcurrant se enredan con notas de cuero, tabaco, vainilla y clavo de olor.

Este vino se guardó en barricas nuevas 100% francesas por un periodo de 15 meses con un trasiego a los 6 meses, con el fin de permitir una fina evolución de sus taninos. Se conserva 1 año en botella antes de ser lanzado al mercado.

Tasting notes: Concerning the concept of Terroir, the 2001 harvest of Casa Real has undoubtedly achieved the ultimate expression of a 100% Cabernet Sauvignon wine. The grapes were vinified with the intention of obtaining a full-extraction wine, resulting in a high concentration of rich fruit and tannins.

A sophisticated and complex wine, in which ripe fruit, plums and blackcurrant entwine themselves with leather, tobacco, vanilla and cloves notes.

By definition, a classic of excellence.

This wine aged 100% in new French barrel for a 15-months period with a racking off after 6 months, in order to allow a fine evolutions of it tannins. It is kept bottled for one year before it is released to be sold

Triple C — *Cabernet Franc - Cabernet Sauvignon - Carménère 1999*

Cata: Un blend de Cabernet Franc, Cabernet Sauvignon y Carménère que representa una nueva dirección en la vitivinicultura Chilena. Combina lo mejor del viejo y nuevo mundo: la elegancia de variedades de uva tradicionales con las más modernas técnicas del nuevo mundo. Este vino es una real expresión de la naturaleza chilena, complejo y abundante. Este vino no fue filtrado de modo de conservar completamente su expresión, por lo que se recomienda decantar antes de servir.

Tasting notes: A Cabernet Franc, Cabernet Sauvignon and Carmenère blend that represents a new direction in Chilean viticulture. It combines the best of the old and new world; the elegance of traditional grape varieties with the more modern techniques of the New World. This wine is a true expression of chilean characteristics, complex and abundant.

Floresta — *Cabernet Sauvignon - Merlot 2000*

Cata: Vino de intenso color rojo rubí profundo. Intenso bouquet que combina frutas rojas y negras maduras, alquitrán y tonos minerales. De cuerpo, concentrado, estructurado, con taninos maduros y dulces. Este vino tiene un gran fínal de boca.

Tasting notes: Deep ruby red colored wine. Intense bouquet combining ripe red and black fruit, tar and mineral undertones. With body, concentrated, structured, with ripe and sweet tannins and a long lingering finish.

Medalla Real — *Cabernet Sauvignon 2003*

Cata: Intenso y profundo color rojo rubí maduro. Bouquet en desarrollo que combina frutas del tipo blackcurrant, cerezas rojas maduras, moras y notas minerales. En boca un vino potente, concentrado, con taninos maduros, firme columna vertebral, profundo y persistente.

Tasting notes: Intense and deep ripe red ruby colour. Its bouquet combining fruits like blackcurrant, ripe red cherries, blackberries and mineral notes. On the palate it shows powerful and concentrated ripe tannins and a strong backbone, with depth and a lingering finish.

Reserva — *Cabernet Sauvignon 2003*

Cata: Vino de intenso color rojo rubí. A la nariz, es un vino frutoso, con aroma a frutas negras, ciruelas y hierbas agradablemente combinados con notas a vainilla y especias de la barrica en que fue envejecido. En boca expresivo, de cuerpo medio, buen balance, complejo y persistente.-

Tasting notes: Intense ruby red colour. Aromas of black fruit, plums and herbs, pleasantly combined with undertones of vanilla, cloves and spices from the barrel in which it was matured. Expressive, complex, medium bodied wine, well balanced and persistent.

Cecilia Torres - Andrés Ilabaca
Enólogo - Winemaker

Viña Siegel; Un proyecto de familia

Viña Siegel tiene propiedades en el Valle de Colchagua, totalizando unas 500 hectáreas. Los cepajes cultivados son: Cabernet Sauvignon, Merlot, Carmenère, Syrah, Chardonnay y Sauvignon Blanc.

En los últimos años, la estrategia de esta viña cambió significativamente, pues decidió elaborar y comercializar su propia producción de vinos.

Las líneas de vinos se identifican con una gama de varietales y vinos reserva, que destacan la calidad de los cepajes producidos en este valle.

Productos pensados con calidad para ser distribuidos y consumidos por todo el mundo.

Bodega Siegel; Una nueva tecnología:

La bodega de vinificación se utilizaba antiguamente sólo para elaborar vinos de venta a granel. En la actualidad ha sido modernizada; cuenta con una capacidad de 7.500.000 litros y utiliza tecnología de última generación, como prensas neumáticas verticales, filtros al vacío y cubas de acero inoxidable con control total de temperatura, ya sea de frío o calor. En materia enológica, cuentan con la asesoría de un enólogo francés que realiza las vendimias.

Bodega San Elías:

San Elías, en Santa Cruz, reúne todas las condiciones para producir excelentes vinos: posee buenas tierras, uvas de calidad, una bodega de alto nivel y un sólido equipo profesional. Sin embargo, Siegel rompe con un mito: "Siempre pensé que trabajar con mis propios vinos era más fácil. Con el tiempo, me he dado cuenta que es todo lo contrario. Pero pienso que es un desafío importante para nosotros."

Alberto Siegel le da al vino un valor más que nominal: "El vino es como una meta", explica, pues siempre hay una búsqueda de la mejor calidad.

Para Alberto Siegel, cuyo apellido en alemán significa "sello", hacer un buen vino no es sólo cuestión de técnica es, también, la suma de otras características que deben darle aquel sello que lo diferencie de otros.

Viña Siegel. A family project

Viña Siegel owns different plots of land in the Colchagua Valley, which totalize some 500 ha. The cultivated varieties are: Cabernet Sauvignon, Merlot, Carmenère, Syrah, Chardonnay and Sauvignon Blanc.

In recent years the strategy of the vineyard varied significantly due to the decision to elaborate and commercialize wines of its own production.

The line of wines identify themselves with a range of varietals and reserve wines furnished with the quality of the vines grown in this valley.

These products have been designed to meet quality standards for worldwide distribution and consumption.

Siegel Winery. A new technology:

In the past, the winery was exclusively used to elaborate bulk wines. At present, it has been completely updated and counts with 7.500.000 lt. capacity, top-of-the-art technology, as pneumatic vertical presses, vacuum filters and stainless steel vats with modern devices for temperature control. As per the oenological aspect, they count with a French oenologist in charge of the vintages.

San Elías Winery:

San Elías, in Santa Cruz, bears all the conditions to produce excellent wines: good soils, quality grapes, a highly qualified winery and a solid professional staff. Yet, Siegel breaks with a myth: "I always thought that working with my own wines was easier. As time went by, I realized it was completely the opposite. I consider it though an important challenge".

Alberto Siegel grants wine more than a mere nominal value: "Wine is a goal", he explains, because there is a never ending pursuit for quality.

For Alberto Siegel, whose surname in German means "imprint", the making of a good wine is not just a matter of technology, it is the conjunction of several characteristics which furnish it with that special imprint which differentiates it from the rest.

Vinificación: 100% del vino por 16 meses en barricas de encina francesa.
Cata: Precioso color rojo rubí profundo, brillante, con tintes violáceos. Aromas de frutos negros muy maduros, mermelada de frambuesa, notas de confitura, café y fino mentol. Los sabores a fruta se intensifican en boca y recuerdan el dulce de higos; concentración media, buen cuerpo, taninos presentes pero en armonía, con un final medio achocolatado e intensas notas de café.

Vinitication: 100% in French oak barrels for a 16-months period.
Tasting notes: Beautiful and deep ruby red color, bright and with purple tinges. Aromas of very ripe black fruits, raspberry jam, confiture notes, coffee and fine menthol. On the palate, the fruity flavors become more intense evoking fig sweets; medium concentration, full-bodied, presence of balanced tannins, and a medium persistence with chocolate hints and intense notes of coffee.

Gran Crucero 2003 — *Syrah*

Vinificación: 100% del vino por 16 meses en barricas de encina francesa.
Cata: Precioso color rojo rubí profundo, brillante, con tintes violáceos. Aromas de frutos negros muy maduros, mermelada de frambuesa, notas de confitura, café y fino mentol. Los sabores a fruta se intensifican en boca y recuerdan el dulce de higos; concentración media, buen cuerpo, taninos presentes pero en armonía, con un final medio achocolatado e intensas notas de café.

Vinitication: 100% in French oak barrels for a 16-months period.
Tasting notes: Beautiful and deep ruby red color, bright and with purple tinges. Aromas of very ripe black fruits, raspberry jam, confiture notes, coffee and fine menthol. On the palate, the fruity flavors become more intense evoking fig sweets; medium concentration, full-bodied, presence of balanced tannins, and a medium persistence with chocolate hints and intense notes of coffee.

Reserva 2003 — *Cabernet Sauvignon*

Cata: Profundo color rubí. Fuerte aroma especiado, algo de pimienta, chocolate, tonos de frutas rojas como ciruelas, y mermelada. Muy buena concentración en boca, jugoso, buen volumen, toques a frutas rojas y especias, buena estructura y taninos un poco agresivos, final muy agradable.

Tasting notes: Deep red rubi colour. Strong spicy aromas, some blackpepper, chocolate and hints of red fruits like plums and jam. Very good concentration to the mouth, juicy, good volume, hints of dry fruits and species, good structure and a bit aggresive tannins, but a nice length.

Reserva 2004 — *Chardonnay*

Cata: Intenso color amarillo con tonos verdosos. Aroma rutoso y con reminiscencia de miel y maderas tostadas y carácter láctico. Aunque evolucionado a la nariz, en boca es fresco y tropical. De buen comienzo, se desarrolla llenando el paladar dejando una agradable y persistente sensación. Vino bien balanceado.

Tasting notes: Very intense yellow colour with some green tones. Aroma is fruity, with reminds of honey and toasted barrels and with lactic character. Though this wine has positively evolved to the nose, in mouth is fresh, tropical but not simple. The beggining is good, it develops filling the palate leaving a rich sensation of complexity and persistency. This results in a very well balanced wine, hard to stop drinking it.

2004 — *Carmenère*

Cata: Intenso y profundo color rojo con densidad promedio superior y tonos violetas. Intensos aromas a ciruelas y toques de violetas. La entrada en boca es firme y clara, con acidez agradable y buena fruta Que. agrega complejidad. No muy largo, pero excelente balance. Muy bueno y de mucho carácter.

Tasting notes: Fine deep colour, with average plus density. A brooding quite intense nose: earthy, prunes and pronounced touch of violets. Entry quite firm and clear cut, with fine acidity and good fruit that adds supleness. Not very long, but excellent balance. Very good with lots of character.

Ximena Egaña
Enólogo - Winemaker

VIÑA SUTIL

Viña Sutil comenzó con las plantaciones de sus primeros viñedos en el Valle de Colchagua el año 1990, y lo que partió como una promesa hoy se está consolidando como un gran proyecto. En pocos años, la calidad de los vinos y una muy buena gestión, han abierto excelentes oportunidades para nuestros vinos, exportándolos hoy a numerosos mercados alrededor del mundo.

La misma pasión y dedicación que dio origen a Viña Sutil se mantiene hasta hoy, siguiendo una búsqueda constante para lograr vinos de alta calidad, atractivos y con un sello distintivo. Cosecha tras cosecha la calidad de los vinos ha mejorado sostenidamente, y progresivamente la familia de vinos se ha visto favorecida con la incorporación de nuevas cepas y tipos.

Nuestra bodega, construida entre los viñedos del Valle de Colchagua, cuenta con toda la tecnología necesaria para elaborar excelentes vinos gracias a la mano, la experiencia y el criterio de un notable equipo de personas. Conscientes que la calidad de los vinos está dada por un cuidadoso manejo de los viñedos para obtener las mejores uvas, la vinificación se realiza con la mínima intervención para obtener vinos que reflejen las características de la cepa y de su origen.

Viña Sutil began planting vineyards in the Colchagua Valley in 1990, and what began as a promise has now become a great project. In few years, the quality of our wines and an outstanding setup have opened excellent opportunities for Sutil wines, which are being exported to numerous markets throughout the world.

The same passion and dedication that started Viña Sutil are still present today, continuing the quest towards high quality, attractive and unique wines. Each harvest has produced better wines, and our family of wines has progressively been favored by the addition of new grapes and wine types.

The winery, set in the middle of our Colchagua valley estate, has all the technology needed to produce excellent wines together with the experience and criteria of an outstanding team of people. Aware that the quality of wines is determined by a careful handling of the vineyard in order to obtain the best grapes, vinification is carried out under the minimum intervention so that the wines reflect the true character of the grape and its origin.

La Playa Hotel & Winery

La Playa Winery & Hotel está ubicada en el valle de Colchagua dentro de la Viña Sutil, y más allá de contar con la infraestructura y el servicio necesarios para tener una estadía muy agradable, su objetivo último es entregar una experiencia única en torno al vino y al campo chileno.

El diseño del hotel está basado en el estilo de las tradicionales casas de campo chilenas, con terrazas en cada habitación y corredores con hermosas vistas. Dentro de sus 2.000 metros de construcción se distribuyen II habitaciones, 4 suites y 7 habitaciones estándar, una sala de estar, un buen restaurante, un bar y sala de juegos, una sala de reuniones completamente equipada, y una boutique.

Dentro de las dos hectáreas que rodean a La Playa Winery & Hotel destacan un parque chileno con palmeras autóctonas, robles, tilos, perales, higueras y flores típicas de la zona, una piscina, una cancha de tenis y un amplio quincho con vista al río Tinguiririca. Por otro lado, el frente del hotel alberga un jardín de variedades de vides.

Este entorno es ideal para participar en una serie de actividades: paseos a caballo por los viñedos, recorridos por las bodegas y catar nuestros vinos, o simplemente, de las sensaciones y el silencio del campo. Una gran experiencia.

La Playa Winery & Hotel is located in the Colchagua Valley, in the heart of the Viña Sutil estate. It offers the necessary facilities and services to assure a truly pleasant time, but its ultimate goal is to offer a unique experience around wine and the true Chilean country-side.

The design of the hotel is based on the traditional Chilean country style estate house, with terraces in each room and corridors that offer splendid views. Inside its 2,000 square meters, the hotel includes II rooms (4 suites and 7 standard rooms), a lounge, an excellent restaurant, a bar and game room, a fully equipped meeting room, and a boutique.

The two hectares that surround La Playa Winery & Hotel include a Chilean park with native palm, oak, lime, pear and fig trees, and flowers of the zone; as well as a swimming pool, tennis court and a spacious outdoor barbecue area that overlooks the Tinguiririca River. The front area of the hotel hosts a garden of grape varietals.

This surroundings set an ideal location to enjoy in a series of activities: horseback riding trough the vineyards, visits to the winery and wine tastings, or simply enjoying the silence of the country. An unforgettable experience.

Acrux

Acrux (Alfa Crux) es la estrella más brillante de la Cruz del Sur. Esta estrella nos ha inspirado en nuestra búsqueda de la excelencia, y hemos tomado su nombre para dárselo a nuestro mayor esfuerzo vitícola y enológico, reflejado en esta mezcla de nuestros mejores vinos.

Acrux (Alpha Crux), the brightest star of the Southern Cross, has inspired us in our quest for excellence. We have taken its name and bestowed it upon our greatest vine-growing and enological effort, a wine which rises from a combination of our best wine components.

Cata: Rojo rubí con tonos granate profundos. Complejo, intenso y atractivo en la nariz con notas especiadas como avellana, nuez moscada y cedro, y también, notas de frutas rojas tipo cerezas y ciruelas maduras. En la boca es potente con una entrada levemente dulce, y después llena la boca con su corpulencia marcada por los taninos maduros de la uva y por la guarda en barricas nuevas de encina francesa y roble americano. Final largo y grato, recordando los aromas iniciales.

Tasting notes: Deep ruby red color. Complex, intense and attractive nose with spicy and hazelnut aromas. Notes of nutmeg and cedar; with red fruit, like cherries and ripe plums. Aged in new French and American oak barrels, it is potent to the palate, with an initial subtle sweetness, full-bodied, with ripe tannins. Pleasant, long finish, reminiscence of its initial aromas.

Reserva Gabriela Mistral *Chardonnay*

Cata: Gran potencia y buena complejidad aromática. El paso por barricas de roble le otorga aromas a vainilla, caramelo y otras especias, que complementan los aromas de frutas tropicales, pera y duraznos blanquillos. Ideal con pastas, pollos, pavos, pescados y postres.

Tasting notes: Potent, with a superior aromatic complexity. Oak barrel aging provides aromas of vanilla, caramel and other species, which complement the aromas of tropical fruit, pear and white peach. Ideal with pastas, chicken, turkey, fish and desserts.

Reserva Pablo Neruda *Cabernet Sauvignon*

Cata: Vino atractivo con aromas a berries, ciruelas y cerezas, que tras la guarda en barricas se convierte en un vino seductor, de notable complejidad y agradables taninos.
Acompaña bien quesos, cordero, cerdo, jabalí, vacuno, a la parrilla, en estofados o en guisos.

Tasting notes: Seductive, with aromas of berries, plums and cherries. Barrel aged, highly complex, with well-rounded tannins. Ideal to accompany cheese, lamb, pork, wild boar or beef; barbecued, stewed, or casserole.

Reserva Pablo Neruda *Merlot*

Cata: Gracias al clima y los suelos únicos de Colchagua se obtiene un vino maduro y potente en nariz y boca, con una buena tipicidad que lo hacen un buen exponente del Merlot chileno. Ideal para acompañar ciervo, pato, pavo, cerdo y pastas.

Tasting notes: Thanks to the unique climate and soil of the Colchagua Valley, this wine is ripe and potent to both nose and palate, its origin makes it a true exponent of the Chilean Merlot. Ideal to accompany deer, duck, turkey, pork and pastas.

Late Harvest *Sauvignon Blanc*

Cata: Brillante color oro pálido. Aromas dulces de compota de durazno, membrillo, papaya y vainilla. En boca es viscoso con un excelente equilibrio entre el dulzor y la acidez, concentrados gracias a la pudrición noble (Botrytis cinerea). Ideal para foie gras y postres.

Tasting notes: Bright pale-gold color. Aromas of peach compote, quince, papaya and vanilla. To the palate it is dense, with an excellent balance between sweetness and acidity, concentrated thanks to the noble rot of Botrytis cinerea. Ideal with foie gras and desserts.

Diego García de la Huerta
Enólogo - Winemaker

TABALÍ
Wine of Chile

Viña Tabalí fue fundada en Agosto de 2003 como resultado de un joint venture entre Viña San Pedro S.A. y Agrícola Río Negro Ltda. Se encuentra ubicada a pasos del Valle del Encanto, en el Valle del Limarí, 24 km al poniente de la ciudad de Ovalle, y a sólo 25 km del Océano Pacífico, en un terroir de primer nivel para la producción de vinos premium y super premium en las variedades: Sauvignon Blanc, Chardonnay, Pinot Noir, Merlot, Carménère, Syrah y Cabernet Sauvignon.

En mayo de 2004, se comenzó la construcción de la bodega, en perfecta armonía con el Valle del Encanto y la cultura Molle. Emplazada en una quebrada, se mimetiza con el entorno de este particular lugar. La bodega posee un diseño gravitacional y tecnología de punta con una capacidad de guarda y vinificación actual de 1.025.000 litros, además de una cava subterránea para barricas y guarda en botella.

Viña Tabalí was founded in August 2003 as a result of a joint venture between Viña San Pedro and Agrícola Río Negro. It is located near the Enchanted Valley, in Limarí Valley, 24 km West of Ovalle City, and only 25 km from the Pacific Ocean, in a top-level terroir for premium and super premium in a top-level terroir for premium and super premium wines production in the following varieties: Sauvignon Blanc, Chardonnay, Pinot Noir, Merlot, Carménère, Syrah and Cabernet Sauvignon.

Wine cellar construction began in May 2004, in perfect harmony with the Enchanted Valley and Molle culture. It is placed in a gulch, and it blends with its surroundings. The wine cellar has a gravitational design and state of the art technology with a current aging capacity and wine making of 1.025.000 liters, as well as underground wine cellar for barrels and aging in bottles.

Reserva Especial 2003

50% Cabernet Sauvignon
35% Shiraz y 15% Merlot

Cata: Presenta una gran intensidad de color rojo rubí con tonos violáceos. Posee gran complejidad en nariz, destacándose las frutas rojas y negras, aromas tostados y de vainilla, provenientes de la guarda en barricas (18 meses.) En boca es de gran cuerpo y buena concentración, los taninos se presentan suavemente y en armonía con el resto de los componentes. Es redondo, y su evolución en botella nos entrega un vino excepcional.

Tasting notes: Intense ruby red color with violet tinges. It has a great complexity to the nose, red and black fruits, toasted and vanilla aromas, stand out as a result of being aged for 18 months in oak barrels.
It is full-bodied and with good concentration on the palalte, the
tannins are presented in harmony with the rest of the components.
It is round and its maturity in bottle gives us an exceptional wine.

Reserva Especial Chardonnay 2004

100% Chardonnay

Cata: Este vino es límpido de color amarillo oro. En nariz es fresco, intenso y complejo, predominan los aromas minerales complementados elegantemente por toques de miel y tonos cítricos que evocan una madurez tranquila. De acidez equilibrada, este Chardonnay tiene un final marcado por aromas tostados.
• Medalla de Oro en el International Wine Challenge 2005.
• Medalla de Plata en Chardonnay du Monde 2005.

Tasting notes: A limpid golden yellow colored wine. To the nose it is fresh, intense and complex, where mineral aromas predominate elegantly complemented by hints of honey and citric fruits that evoke a smooth maturity with a balanced acidity, this Chardonnay has a toasted finish.
• Gold Medal, International Wine Challenge 2005
• Silver Medal, Chardonnay du Monde 2005.

Reserva 2003 — *Shiraz*

TABALÍ

SHIRAZ · 2003
D.O. Limarí Valley
WINE OF CHILE

Cata: De color rojo rubí intenso, con tonos violáceos. En nariz resalta una mezcla de berries y pimienta blanca. En boca es de gran cuerpo y buena estructura, los taninos se presentan en armonía con el resto de los componentes. Redondo, completo y con un gran final.
• Trophy, Decanter World Wine Awards 2005
• Medalla de Oro, Decanter World Wine Awards 2005
• Medalla de Oro, Second Annual Wines of Chile Awards

Tasting notes: Intense ruby red color, with violet tinges. To the nose presents a mix of berries and white pepper. On the palate it is full-bodied and well structured, the tannins are very noticeable in harmony with the rest of the components. It is round, complete with a great finish.
• Trophy, Decanter World Wine Awards 2005
• Gold Medal, Decanter World Wine Awards 2005
• Gold Medal, Second Annual Wines of Chile Awards

Reserva 2003 — *Cabernet Sauvignon*

TABALÍ

CABERNET SAUVIGNON · 2003
D.O. Limarí Valley
WINE OF CHILE

Cata: Presenta un color rojo rubí intenso con suaves tonos ladrillo. Su aroma es clásico, con fruta madura y toques de mentol y eucaliptos. Es un vino de gran estructura, suave y redondo, que acompaña perfectamente en cualquier momento.
• Medalla de plata, Decanter World Wine Awards 2005.

Tasting notes: It has an intense ruby red color with slight redbrick hints. It has a classic aroma with mature fruit and touches of menthol and eucalyptus. It is a well-structured wine, smooth and round that may be present on the table at any time.
• Silver Medal, Decanter World Wine Awards 2005.

Reserva 2003 — *Carménère*

TABALÍ

CARMÉNÈRE · 2003
D.O. Limarí Valley
WINE OF CHILE

Cata: Este vino de profundo color rojo con tonos ladrillo presenta una nariz especiada, de frutas maduras y delicados tonos ahumados. En boca se presenta suave e intenso, con notas de cerezas negras, ciruela, arándano y nuez moscada. Su achocolatado final proviene de su guarda en encina francesa.
• Medalla de Bronce, Decanter World Wine Awards 2005.

Tasting notes: This wine has a deep red color with some redbrick tinges. It presents a spicy nose with mature fruit and delicately smoky touches. To the mouth it's smooth and intense, with a touch of black cherries, plums, red berries and nutmeg. Its chocolate finish comes from being aged in French oak.
• Bronze Medal, Decanter World Wine Awards 2005.

Reserva 2003 — *Merlot*

TABALÍ

MERLOT · 2003
D.O. Limarí Valley
WINE OF CHILE

Cata: De color rojo rubí presenta gran madurez e intensidad aromática entremezclándose ciruela, mora y cassis. En boca tiene un cuerpo medio y buena concentración, los taninos hacen notar su presencia en armonía con el resto de los componentes. Es sedoso y tiene un suave final.

Tasting notes: It has a ruby red color. Presents great mature and intense aromas mixing plum, blackberry and cassis. To the palate it is medium-bodied with good concentration. The tannins are noticeable in harmony with the rest of the components. It is silky and has a smooth finish.

Yanira Maldonado
Enólogo - Winemaker

Viña Tarapacá ex Zavala

VIÑA TARAPACÁ
EX ZAVALA

Viña Tarapacá, una de las viñas más tradicionales y de mayor experiencia en Chile, fue fundada en 1874 en el prestigioso Valle del Maipo, a la sombra de la Cordillera de los Andes.

Por más de 130 años, Viña Tarapacá ha desarrollado vinos notables que han ganado éxito y prestigio internacional, constituyéndose en un referente de la industria vitivinícola chilena.

En la elaboración de los vinos de Viña Tarapacá la tecnología de vinificación más moderna se une en perfecta comunión con los métodos tradicionales más prestigiados, dando como resultado vinos de gran calidad.

Visítenos en www.tarapaca.cl, donde podrá conocer más de nuestra historia, tradiciones, procesos productivos y productos.

Viña Tarapacá, one of the most traditional and experienced wineries in Chile, was founded in 1874 in the prestigious Maipo Valley, in the shadow of the Andes.

For more than 130 years Viña Tarapacá has developed remarkable wines which have earned international prestige and success and have becoming the benchmark for the Chilean winemaking industry.

The very finest in modern technology goes hand-in-hand with time-honored tradition to create the remarkable wines of Viña Tarapacá.

Visit our website www.tarapaca.cl, in order to learn more about our history, traditions, production processes and product innovations.

Milenium 1999

Vinificación: Milenium es un assemblage de Cabernet Sauvignon, Merlot y Syrah, donde cada una de ellas fue vinificada por separado, aplicándole una maceración larga para obtener una estructura suave y amplia. Posteriormente el vino descansó durante 13 meses en barricas de nobles maderas procedentes de la famosa tonelería francesa Seguin Moreau. Luego de filtrado y embotellado, este vino durmió en casilleros subterráneos por 8 meses, creándose así su único y refinado bouquet.

Cata: Color: Rojo vivo con notas de cereza roja. Aroma: Fruta seca (higo), oliva negra, especias (canela y vainilla), pimienta negra, cuero, tabaco. En frutas rojas se aprecia el cassis, frambuesa y mora. Sabor: Al paladar es seco, largo, de cuerpo, taninos potentes y robustos, cereza y cassis maduro, cuero, hoja de tabaco. De retrogusto largo, cálido y armónico.

Vinification: Milenium is an assemblage Cabernet Sauvignon, Merlot and Syrah, where each one of them was vinified separately, applying a long maceration to obtain a smooth and wide structured wine. Later the wine rested during 13 months inside Seguin Moureau french barrels. After filtrate and bottling, this wine slept in underground cellars by 8 months, to create its unique bouquet.

Tasting notes: Color: Bright red with red cherry notes Aroma: Dry fruit, spices (cinnamon and vanilla), black pepper, leather, tobacco: In red fruits, notes of cassis and raspberry. Flavor: Dry and large wine, full-bodied to the palate with a very good structure and strong tannins. Notes of cherry and ripe cassis, tobacco, leather. Long and warm aftertaste.

Reserva Privada

Esta exclusiva colección de Viña Tarapacá Ex Zavala
fue creada para los amantes de vinos con aroma, color
y sabor intenso.
This Viña Tarapaca Ex-Zavala exclusive collection was
created for intense aroma, color and flavor wine lovers.

Last Edition 2001

Cata: Color: Rojo intenso con tonos azulados. Aroma:
Floral, tabaco, higo seco, cereza negra, pimienta negra,
grano de café y chocolate. Sabor: Seco, redondo, largo,
equilibrado, cálido y armónico. Notas de café, higo,
cereza, taninos maduros y redondos. Retrogusto de
rango y señorío.

Tasting notes: Color: Deep red with bluish tones. Aroma:
Flowers, tobacco, black cherry, black pepper, coffee
grain and chocolate. Flavor: A dry flavor with lots of
body with sweet and rounded tannins. With coffe and
cherry notes.

Cabernet Sauvignon 2001

Cata: Color: Rojo rubí en evolución. Aroma: Mucha fruta
roja, con notas especiadas de vainilla, canela y humo.
Sabor: En boca es de cuerpo, con taninos abundantes
y maduros, potentes. Se percibe también el chocolate
negro y algunas notas de hojas de tabaco secas.

Tasting notes: Color: Deep ruby red. Aroma: Red fruit,
with vanilla, cinnamon and smoke notes. Flavor: Full
bodied, with strong and ripe tannins. Remarkable
chocolate flavor, with tobacco notes.

Syrah 2001

Cata: Color: Rojo rubí intenso. Aroma: A humo y
chocolate, olivas negras, trufa, notas de tabaco y cuero,
fruta roja madura (frambuesa y mora), almendra tostada,
clavo de olor. Sabor: Equilibrado, taninos potentes y
maduros, redondo y cálido, largo en retrogusto.
Combinación perfecta entre madera y fruta, sobresale
el tabaco, trufa, carne ahumada. Vino fino, de guarda.

Tasting notes: Color: Intense ruby-red. Aroma: Smoke
and chocolate, black olives, truffles, notes of tobacco
and leather, ripe red fruit, toasted almonds and cloves.
Sabor: Balanced flavor, strong and ripe tannins. A wine
of long aftertaste, which offers the perfect marriage
of wood and fruit. Remarkable tobacco and smoky
meat notes.

Gran Reserva 2001 — *Cabernet Sauvignon*

Cata: Color: Guinda roja, intenso y firme, con matices anaranjados. Aroma: Berries maduros (cassis, frambuesa y mora), con muchas especias (clavo de olor, vainilla y una nota de canela), pimienta negra, hojas de tabaco y chocolate negro. También aparecen notas de trufa, humo y olivas negras. Vino de nariz intensa y compleja. Sabor: De cuerpo intenso, taninos maduros y equilibrados, armonía entre los taninos provenientes de la madera y el vino, lo que lo hace ser un vino bien estructurado. Aparecen los sabores de frutilla, cassis y mora. Luego hay un buen ataque de chocolate y humo, surgiendo una untuosidad que lo hace cálido y largo. En retrogusto el vino es persistente, complejo y de mucho rango.

Tasting notes: Color: Ruby red with orange tones. Aroma: Frank, intense and fine. Ripe berries with spices as cinnamon and vanilla, black pepper, tobacco leaves and black chocolate. Also appears smoke and black olives notes. Flavor: Full bodied, with rounded and balanced tannins. Good marriage between tannins provided by wood and grapes. Notes of strawberry, cassis and blackberry. Long and persistent aftertaste.

Gran Reserva 2003 — *Merlot*

Cata: Color: Rojo intenso con matices burdeos. Aroma: Cereza negra, ciruela, tabaco, humo y vainilla. Sabor: Al paladar seco, muy intenso, de cuerpo medio con taninos maduros y redondos, buen equilibrio entre la madera y la fruta.

Tasting notes: Color: Intense red with burgundy hues. Aroma: Black cherries, plums, tobacco, smoke and vanilla. Flavor: On the palate, dry, very intense, medium-bodied with mature rounded tannins; good balance.

Gran Reserva 2002 — *Cabernet Sauvignon - Syrah*

Cata: Color: Rojo púrpura con matices rubíes. Aroma: Canela, chocolate negro y sutiles notas de pimienta. Sabor: Al paladar es elegante y aterciopelado, de buen cuerpo,con taninos potentes pero a la vez maduros y dulces.

Tasting notes: Color: Intense purple red with ruby hues. Aroma: Cinnamon, black chocolate and soft pepper notes. Flavor: elegant on the palate, full bodied with strong but ripe and sweet tannins.

Gran Reserva 2003 — *Chardonnay*

Cata: Color: Amarillo miel de intensidad media, caracteriza toda la nobleza de este vino. Aroma: Aroma a fruta madura (plátano, durazno), con aroma de almendras tostadas, vainilla, coco rallado provenientes de la madera. Sabor: Su sabor meloso intenso es resultado de la mezcla entre fruta y madera, lo que le da una buena estructura y gran retrogusto.

Tasting notes: Color: Honey yellow of medium intensity characterizes all the nobility of this wine. Aroma: The fruity aroma (banana, peach) is the result of the marriage between fruit and wood, that provide toasted almonds, coconut and vanilla notes. Flavor: Intense bittersweet as a result of the mix between fruit and wood. Well structured and with long aftertaste.

Un nuevo integrante se sumó a fines del 2004 al mercado de vinos nacional. Se trata de Terra Andina, bodega creada bajo el alero de Sur Andino, filial de Viña Santa Rita.

Con el firme propósito de diferenciarse dentro de esta competitiva industria y conquistar el mercado chileno con vinos que se ganen la confianza y preferencia de los consumidores, Terra Andina generó una estrategia y una identidad muy bien definida. Primero, para provocar en el punto de venta un impacto inmediato que lleve a elegir los vinos y hacer que aquellos que ya los probaron inviten a otros a hacerlo, desarrolló una imagen atractiva, innovadora y elegante completamente diferente a lo que se había visto hasta el momento.

A lo anterior se suma una excelente relación precio-calidad. Como tercer punto destacan las particulares cualidades que hacen de estos vinos productos únicos y altamente apetecibles. Existe un muy buen balance entre la fruta y la madera, una alta complejidad aromática y gustativa y, sobre todo, la expresión de aromas y sabores inconfundibles.

Es decir, hay un respeto por la fruta, un interés por hacer vinos amigables que resultan sumamente agradables de beber debido a su particular elegancia, suavidad y calidad superior. Son vinos que hablan por si mismos, y cada uno, como fiel representante de su respectiva variedad, promete convertirse en favorita de los chilenos.

By late 2004 a new member joined the local wine market: Terra Andina - cellar created under the support of Sur Andino, branch of Viña Santa Rita.

Aiming at a differentiation within this competitive industry and conquering the Chilean market with wines attracting consumers' confidence and preference, Terra Andina produced a very well-defined strategy and identity.

Firstly, it developed an attractive, elegant, innovative and totally new image in order to cause such an immediate impact on the selling point that makes people choose our wines or, the ones already tasting them, invite others to do it.

Secondly, there's an excellent price-quality ratio. Thirdly, their particular qualities make these wines highly desirable and unique products. There is a very good fruit and wood balance, a high aromatic and tasting complexity and, mainly, the expression of unmistakable aromas and flavours.

That is to say, there's a high respect for the fruit, an interest to make friendly wines, very nice to drink because of their special elegance, softness and superior quality.

They are wines speaking for themselves; and each of them, as a good representative of its variety, promises to become the Chileans' favourite one.

Reserva 2003 — Cabernet Sauvignon

Cata: Color rojo rubí intenso y profundo. Este vino presenta complejos y finos aromas a cerezas negras, cassis, frambuesas y delicados tonos de caramelo, chocolate, café, vainilla, canela y mentol. En el paladar destaca una gran concentración de frutas y especies combinadas con notas de madera. Es un vino de buena estructura, de cuerpo medio, con taninos maduros, suaves y altamente persistentes.

Tasting notes: Intense and deep ruby red colour. This wine presents complex and fine aromas of black cherries, cassis, raspberry and delicate tones of caramel, chocolate, coffee, vanilla, and menthol. On the palate, it has a great concentration of fruits and spices combined with notes of wood. It's a well - structured, medium - bodied wine with mature, soft and highly persistent tannins.

Reserva 2003 — Merlot - Syrah

Cata: Color rojo cereza intenso con matices violeta y muy brillante. Presenta elegantes y complejos aromas a mermelada de frutillas, moras y guindas, con intensas notas a vainilla, avellanas tostadas, chocolate y caramelo. Al paladar resulta fresco y con carácter. De cuerpo medio y alta concentración de frutas maduras y especies. Taninos finos y suaves. Notas de cerezas al licor, toque mineral, humo, café tostado y chocolate. Se produce una buena armonía de la fruta con el carácter de tostado que entrega la barrica.

Tasting notes: Intense cherry red colour with hints of violet and very bright. It shows elegant and complex aromas of strawberry, blackberry and cherry jam, with intense notes of vanilla, toasted hazelnuts, chocolate and caramel. On palate, it is fresh, with character, medium -bodied and with a high concentration of ripe fruits and spices. Fine and soft tannins. Notes of cherry, mineral touch, smoke, toasted coffee and chocolate. There's a good harmony of the fruit with the toasted character given by the barrel.

Varietal 2003 — Cabernet Sauvignon

Cata: Color rojo rubí intenso, con un matiz de color frambuesa, brillante. Presenta un fresco e intenso aroma a cerezas negras, cassis, tabaco, avellanas tostadas y canela. En el paladar se destacan aromas a frutas rojas maduras y concentradas, café tostado, especies, caramelo y notas de madera. Es un vino fresco, con cuerpo medio, redondo, con taninos maduros y suaves.

Tasting notes: Deep ruby red colour, with a hint of raspberry colour, bright. It shows a fresh and intense aroma of black fruits, cassis, tobacco , toasted hazelnuts and cinnamon. On palate, it displays aromas of mature and concentrated red fruits, toasted coffee, spices, caramel and notes of wood. It is a fresh, round, medium-bodied wine with mature and soft tannins.

Varietal 2004 — Sauvignon Blanc

Cata: Color amarillo verdoso brillante. Posee frescos e intensos aromas a lima, limón, con notas de espárrago y pasto fresco. Al paladar es frutal, destacando los caracteres cítricos y minerales mezclados con notas herbáceas y florales que le agregan complejidad. Es un vino de cuerpo medio, con buena acidez, fresco y persistente

Tasting notes: Bright greenish yellow colour. It has intense and fresh aromas of lime, lemon, with notes of asparagus and fresh grass. On palate, it is fruity standing out the citric and mineral characters mixed with herbaceous and floral notes adding complexity. It is a fresh, persistent, medium-bodied wine with good acidity.

Stefano Gandolini
Enólogo - Winemaker

VIÑA TORREÓN DE PAREDES

A sólo 114 kms. al sur de Santiago, se ubican en pleno corazón del Valle de Cachapoal, los espectaculares viñedos de Torreón de Paredes en el pueblo de Rengo. Rengo se ubica al Noreste del Valle de Cachapoal, una zona geográfica protegida por las montañas, donde se crea un área más árida y con determinados sectores frescos y otros más cálidos. La cercanía de la Cordillera de Los Andes hace que el clima sea suficientemente cálido y frío para que la fruta gane complejidad durante el proceso de maduración.

Fundada en 1979 por don Amado Paredes, el padre de Alvaro y Javier Paredes, quienes dirigen la viña hoy en día. La empresa ha demostrado consistentemente su dedicación hacia la producción de vinos finos de alta calidad que muestran indudablemente su lugar de origen. El deseo de tener vinos producidos y embotellados en origen fue la base de la política fundamental de Torreón de Paredes de no comprar uvas ni mostos a terceros. En línea con su compromiso de calidad, a la empresa le fue recién otorgado el certificado ISO 14.001, con lo que se reconoce oficialmente su trabajo de proteger el medio ambiente y trabajar en armonía con la naturaleza.

At only 114 km. south of Santiago, in the heart of the Cachapoal Valley, are the spectacular vineyards of Torreón de Paredes in the town of Rengo. Rengo is located in the northeastern zone of the valley, an area that is geographically protected by the mountains, with barren soils, and clearly defined sectors with either cool or more template climatic conditions. The proximity of the Andes Mountain grants sufficiently warm and cool conditions to furnish the ripening grapes with the complexity it is required.

Founded in 1979 by Amado Paredes, father of Alvaro and Javier Paredes, who at present manage the winery, the company has consistently demonstrated its dedication to the production of fine and highly qualified wines that clearly evidence the features of their site of origin. The aim for wines produced and bottled on site, sustained the Torreón de Paredes fundamental politics of not to acquire neither grapes or musts from third parties. In line with its quality commitment, the company has recently received the ISO 14.001 certificate, with which it has been officially recognized for having worked protecting the environment and in harmony with nature.

1998 — *Cabernet Sauvignon*

Cata: De color rubí intenso, con matices negros y azules. Este vino tiene aromas herbales, y florales con frutos rojos, y toques de ciruela, chocolate, grosellas, además de café y humo. En la boca suave, largo y persistente, con taninos maduros, y de gran firmeza.

Tasting notes: Deep brillant colour with black and blue notes. Red fruits, herbal and floral aromas with touches of liquoricel, plum and chocolate, as well as vanilla, coffee and smoke. In the mouth it is soft, long and persistent with mature, firm and well rounded tannins that give great complexity and elegance, as well as a long capability for ageing.

2002 — *Cabernet Sauvignon*

Cata: Vino de atractivo color rojo rubí intenso, brillante, en nariz es un vino que recuerda aromas a frutos negros maduros, ciruelas, cassis, finas notas a vainilla enmarcan la frutosidad del vino. En boca es suave, redondo, aterciopelado, de placentero y largo final de boca.

Tasting notes: The wine shows an atractive intense ruby red color, at the nose recall notes of blackberries, cassis, plums, and a fine vanilla gives the frame to the aromas. The palate is smooth, round and with a pleasant aftertate.

2004 — *Syrah*

Cata: Vino de intenso color rojo rubí con matices azules oscuros. Delicada nariz, aroma intenso y complejo, de buen carácter varietal, evoca frutos rojos maduros, frambuesas, guinda con notas de vainilla y especias. En boca se siente concentrado, bien integrada la fruta con la madera, equilibrando, taninos suaves y larga persistencia.

Tasting notes: Deep ruby-red color with dark blue hues. Complex aromas include ripe red fruits, raspberries, cherries and hints of vanilla and spices. Concentrated palate with smooth tannins and a long finish.

2005 — *Sauvignon Blanc*

Cata: Vino de brillante color amarillo pajizo. Un aroma marcado a notas cítricas, manzanas verdes y frutas tropicales. En boca es un vino fresco, de vibrante acidez, bien definido y de armonioso y prolongado final de boca.

Tasting notes: Pale straw bright color. A well defined Sauvignon Blanc nose, with a nice dose of citrus notes, green apples and tropical fruits. Fruity, fresh, crispy, well defined wine, with a harmonious long vibrant finish.

Yves Pouzet
Enólogo - Winemaker

Francisco Undurraga, fue uno de los pioneros de la vitivinicultura en Chile. En 1885 adquirió una propiedad agrícola a 34 Klms. de Santiago en la comuna de Talagante donde desarrolló un viñedo con plantas traídas personalmente desde Europa, empacadas en cápsulas de plomo para que resistiesen el paso por el trópico. De Francia llegaron las cepas Cabernet Sauvignon, Sauvignon Blanc, Merlot y Pinot Noir; de Alemania las cepas Riesling y Gewürztraminer.

Viña Undurraga fue una de las primeras empresas exportadoras de Vino Chileno. En 1903 se hicieron los primeros embarques a los EE.UU. Actualmente, Viña Undurraga exporta sus vinos a más de 70 países en los cinco continentes.

Un buen vino tiene su inicio en los viñedos. Viña Undurraga ha puesto especial énfasis en este aspecto, desarrollando su actividad agrícola en cuatro predios dedicados exclusivamente al cultivo y producción de la más fina uva.

Los predios tienen una superficie total cercana a las 1000 Has. y se ubican en el valle del Maipo y el valle de Colchagua, las que son zonas óptimas para la producción de uva vinífera.

Viña Undurraga posee la más moderna y eficiente bodega vinícola, ubicada en Talagante en el fundo Santa Ana, donde se llevan a cabo los procesos de fermentación, elaboración, envejecimiento y embotellado de sus vinos. Esta bodega cuenta con una capacidad cercana a los 20 millones de litros. Contrastan los antiguos y frescos subterráneos que datan desde la fundación de la empresa en el siglo XIX con la nueva planta de última tecnología .

Viña Undurraga tiene como norma e inalterable meta: "Producir solamente vinos de calidad".

Francisco Undurraga was one of the pioneers of viticulture and winemaking in Chile. In 1885 he acquired an agricultural estate, 34 Kms. from Santiago, in the province of Talagante, where he planted vines which he had brought personally from Europe, packed in lead capsules in order to resist the passage through the tropics.

From France he brought cuttings of several varietal grapes: Cabernet Sauvignon, Sauvignon Blanc, Merlot, and Pinot Noir. From Germany he brought Riesling and Gewürztraminer. Viña Undurraga was one of the first exporters of Chilean wine. The first shipments to the United States took place in 1903. Today, Viña Undurraga exports its wines to more than seventy countries in the five continents.

Viña Undurraga has been particularly careful in selecting its vineyards. This agricultural activity is distributed in four properties with a total area of 2500 acres. They are located in the Maipo valley and the Colchagua valley and are dedicated exclusively to the production of the finest grapes. These are the very best regions for the production of the "vitis vinifera".

Viña Undurraga has built one of the most modern and efficient wineries at the Fundo Santa Ana in Talagante where the winemaking, aging, and bottling take place. The winery has an installed capacity of 20 million liters in a fermentation plant using the latest technology and in the old, cool underground aging cellars built by Don Francisco in the XIX century.

Viña Undurraga highest priority is "to produce wines of excellent quality".

Altazor   Cabernet Sauvignon

Cata: ALTAZOR es un vino elegante, de color rojo rubí con tonalidades características de su evolución, profundo e intenso. Es de aroma complejo con un delicado balance entre las finas maderas y frutas maduras. En el paladar es poderoso con taninos maduros que le aseguran una larga vida. Es de final grato y persistente.

Tasting notes: ALTAZOR is an elegant ruby red colored wine, with deep, intense tones characteristic of its evolution. It has a complex aroma with a delicate balance between the fine wood and ripe fruits. On the palate, it is powerful with mature tannins that assure the wine a long life. It has a pleasant and lingering finish.

Monsieur Guy Guimberteau y Hernán Amenábar
Enólogo - Winemaker

Founder's Collection   Cabernet Sauvignon

Cata: Es de color rubí brillante, con tonalidades arcillosas. Su aroma es fino y persistente y en el paladar es aterciopelado, de sabor intenso y prolongado. Es ideal para acompañar carnes rojas, aves de caza y quesos maduros.

Tasting notes: It has an intense dark ruby colour with an elegant aroma. Oak characters have added to the complexity and integrated with the fruit flavors to produce this long and velvety wine. It is ideal with red meats, game, stews and ripe cheese.

Hernán Amenábar
Enólogo - Winemaker

Reserva   Carmenère

Cata: Es de color rojo rubí intenso, de exuberante aroma y buen cuerpo. En el paladar se distingue por su suavidad y delicadeza.
Es ideal para acompañar carnes rojas, aves, pasta y pescados.

Tasting notes: It has an intense ruby red colour, with an exuberant aroma. Silky fine tannins give this wine superb structure and balance. It is very versatile and ideal with all kinds of meats and fish.

Hernán Amenábar
Enólogo - Winemaker

Reserva   Chardonnay

Cata: Este vino tiene un precioso color dorado y una nariz fragante y deleitable. En el paladar se destaca por su perfecto balance con el roble, su marcada expresión frutal y su fresca acidez. Es ideal acompañando pescados, mariscos y ensaladas.

Tasting notes: This exciting wine has a full and ripe yet elegant nose. On the palate, it is rich and firm, notable for a bright acidity. It turns lush and opulent with deep fruit flavors that finish oaky and sweet.

Hernán Amenábar y Alvaro Espinoza
Enólogo - Winemaker

VALDIVIESO
OF CHILE

VIÑA VALDIVIESO

La historia de Valdivieso se remonta a 1879, año en que Don Alberto Valdivieso fundó Champagne Valdivieso S.A., la primera casa productora de champaña de Chile y Sudamérica, y desde entonces ha sido una de las marcas más reconocidas y prestigiosas de nuestro país. A pesar de tener una acabada experiencia y reputación en la producción de vinos, la producción comercial de vinos finos en nuestra bodega de Lontué, Valle de Curicó, comenzó más de cien años después, hace unos 20 años.

De acuerdo a nuestra filosofía, los vinos nacen en los viñedos, y por esta razón, nuestros mayores esfuerzos se concentran en producir la mejor uva, seleccionando los mejores viñedos y realizando un cuidadoso trabajo para restringir los rendimientos y obtener una alta calidad. Una parte importante de la uva que vinificamos proviene de nuestro fundo en Sagrada Familia, Valle de Curicó, una de las regiones vitivinícolas más importantes de Chile; el resto es seleccionada desde distintas denominaciones de origen, aportándole a nuestros vinos el sello distintivo de cada terruño.

La bodega de Lontué está a unos pocos kilómetros de nuestros campos, y cuenta con toda la tecnología necesaria para capturar todas las virtudes de la uva en cada uno de los vinos Valdivieso. Además, la bodega cuenta con 8.000 barricas de roble francés y roble americano, lo que nos permite envejecer apropiadamente los vinos y potenciar las características aportadas por la uva, en forma equilibrada y armónica.

Los vinos Valdivieso han tenido una corta pero vertiginosa carrera de éxitos, conquistando los más importantes mercados y obteniendo los más grandes premios alrededor del mundo. Sin embargo, estos logros que no son un objetivo en sí mismos, sino el resultado de una profunda filosofía, que apunta a producir vinos de calidad superior con un sello distintivo y atractivo.

The history of Valdivieso goes back to 1879, year in which Don Alberto Valdivieso founded Champagne Valdivieso, the first sparkling wine house in Chile and South America, becoming ever since in one of the most respected and prestigious brands in Chile. In spite of having more than a century of excellent reputation and experience in winemaking, commercial production of still wines at our winery in Lontué -Curicó Valley- began just about 20 years ago.

According to our philosophy, winemaking starts at the vineyards, therefore by making an acute selection of the vineyards combined with an extremely careful managing to obtain low yields and outstanding quality, we look after producing the best grapes. To an important extent, our grapes are grown in our own vineyards located in Sagrada Familia, Curicó Valley, one of the most important grape growing regions in Chile; while the rest of it comes from different appellations, which grant our wines the distinctive imprint of each of those terroirs.

Our winery is just a few kilometers from our estate, and it is equipped with the latest technology, which is used to retain all the quality and uniqueness of the grapes in wines. Besides, the winery has 8,000 French and American oak barrels, which allows a proper wine ageing to boost the original characteristics provided by each grape variety, yet assuring the harmony and balance between the fruit and the oak.

The Valdivieso wines have had a short yet plentiful history of achievements, succeeding in the most important markets and obtaining the most outstanding awards around the world. These achievements are not an objective by themselves, they are the outcome to a deeply rooted philosophy that aims to produce top ranked wines with a distinctive and attractive seal.

Caballo Loco

Cata: Color rojo rubí profundo y oscuro con matices violáceos. Los aromas están marcados por la fruta, como ciruelas, guindas y frutos negros, junto con especias dulces en el fondo -canela, regaliz- y un elegante y equilibrado aporte del roble. En boca, sabroso, de buen cuerpo y amplia estructura, con taninos potentes pero amables. Los sabores confirman el equilibrio bien logrado entre la fruta y la madera, con notas de tabaco, chocolate y vainilla. Final largo y marcado. Para disfrutarlo de inmediato, pero con un excelente potencial de guarda.

Tasting notes: Deep and dark ruby red color with purple tinges. The aromas are given by fruits like plums, cherries and black fruits, along with sweet spices on the background - cinnamon, licorice - plus an elegant and balanced contribution of the oak. On the palate, tasty, full-bodied and well structured, with strong yet gentle tannins. The flavors confirm the good balance achieved between fruit and wood, with notes of tobacco, chocolate and vanilla. Long and pronounced finish. For immediate consumption, yet with an excellent ageing potential.

2002 — *Carignan - Syrah - Malbec - Merlot*

Cata: Rojo profundo con distintos tonos de violeta. Complejos aromas, de carácter terrosos y dulce, con notas florales atractivas en el fondo. Un vino bien estructurado, gran cuerpo y muy intenso.

Tasting notes: Dark intense red, with distinct violet notes towards the edges. Complex gamey aromas, sweet earthy characters, with attractive floral notes in the background. A well structured wine, being full bodied and very flavoursome.

Premium — *Cabernet Sauvignon*

100% Cabernet Sauvignon

Cata: Color rojo guinda oscuro. Aromas a frutos rojos, mermelada, notas de cassis, cedro y especias dulces de roble. Intensa y bien equilibrada combinación de aromas de fruta y roble. Ataque intenso de fruta madura y taninos firmes pero maduros. En boca aparecen notas de tabaco, vainilla, nuez moscada y canela. Gran cuerpo y estructura equilibrada, con mucho potencial de envejecimiento. Consumir con lasaña, carnes rojas y quesos.

Tasting notes: Dark cherry red color. Aromas of red fruits, jam, black currant notes, cedar and the sweet spices from the oak. An intense and well balanced combination between the aromas of the fruit and the oak. Intense attack of ripe fruit and strong yet mature tannins. On the palate, reminiscences of tobacco, vanilla, nutmeg and cinnamon. Great body and balanced structure, with a significant ageing potential. Serve it with lasagna, red meats and cheeses.

Premium — *Cabernet Franc*

100% Cabernet Franc

Cata: Color rojo rubí intenso, con reflejos rojo violeta. Aromas a guinda, frambuesa, ciruela, vainilla, chocolate oscuro, y una característica nota especiada. Ataque suave, llenando el paladar con taninos suaves hacia el final. Buena concentración y gran elegancia. Consumir con carnes rojas o carnes blancas.

Tasting notes: Intense ruby red color with red purple hues. Aromas of cherry, raspberry, plum, vanilla, dark chocolate, and a classical spicy note. A gentle attack that fills the palate with gentle tannins towards the end. Good concentration and great elegance. Serve it with red or either white meats.

Premium — *Malbec*

100% Malbec

Cata: Color rojo rubí intenso, casi oscuro. Aromas florales, frutos negros y notas de madera aportadas por el roble, muy bien equilibradas e integradas. En boca es amplio y voluminoso, muy redondo y suave. Buena estructura gracias al equilibrio de una agradable acidez con taninos marcados y redondos. Consumir con cordero.

Tasting notes: Intense ruby red color, almost dark. Very well balanced and integrated aromas of flowers, black fruits and the wooden notes from the oak. On the palate, big and full bodied, round and soft. A good structure thanks to the equilibrium between a pleasant acidity, and pronounced and round tannins. Serve with lamb.

Premium   *Merlot*

100% Merlot

Cata: Color rojo violeta brillante. Aromas de chocolate y ciruelas, con notas de especias de roble. Ataque frutoso y un final marcado por chocolate oscuro. En boca, amplio y redondo, con una estructura tánica aterciopelada y envolvente. Consumir con entrecote.

Tasting notes: Bright purple red color. Aromas of chocolate and plums combined with the spicy notes from the oak. A fruity attack and a lingering finish with pronounced accents of dark chocolate. On the palate, big and round, with a velvety and embracing tannic structure. Serve it with sirloin.

Reserva   *Cabernet Sauvignon*

100% Cabernet Sauvignon

Cata: Color rojo rubí intenso y profundo. Aromas de guinda, cedro, pimentón y especias. Características de la fruta y del roble bien equilibradas e integradas. Ataque suave, lleno y bien estructurado en boca. Taninos concentrados y aterciopelados. Final largo y marcado. Consumir con carnes rojas, lasaña y quesos maduros.

Tasting notes: Intense and deep ruby red color. Aromas of cherry, cedar, paprika and spices. Well-balanced and well-integrated features of fruit and oak. On the palate, a gentle attack, full and well structured. Concentrated and velvety tannins. A long and pronounced finish. Serve it with red meats, lasagna and mature cheeses.

Reserva   *Chardonnay*

100% Chardonnay

Cata: Color durazno amarillo pálido con un atractivo tono verde. Aromas intensos de frutas maduras, donde dominan durazno, damasco y un marcado carácter cítrico. En boca es seco y consistente, con un final largo y persistente, sustentado sobre una fresca y viva acidez. Consumir con pollo en salsas cremosas, salmón y bufetes de verano.

Tasting notes: Pale peachy yellow color with an attractive green tone. Intense aromas of ripe fruits with the predominant hints of peach and apricot plus a pronounced citric character. On the palate, it is dry and consistent, with a long and persistent finish, held up over a fresh and vivid acidity. Serve it with chicken with creamy sauces, salmon and summer buffets.

Línea V   *Cabernet Sauvignon*

100% Cabernet Sauvignon

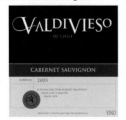

Cata: Color rojo brillante. Aromas de frutas delicadamente suaves, y algunas notas de especias. Ataque suave y lleno con fruta y notas de canela en el paladar medio, y sabores a café y chocolate hacia el final. Consumir con carnes rojas asadas.

Tasting notes: Bright red color. Aromas of delicate soft fruits and some spicy notes. A gentle soft attack plenty of fruit and cinnamon reminiscences on the medium palate, plus the flavors of coffee and chocolate towards the end. Serve it with red roasted meats.

Línea V — *Malbec*

100% Malbec

Cata: Rojo rubí intenso con reflejos violetas. Aromas de frambuesa, mora, notas de flores, violetas y vainilla. Amplio y suave en boca, con taninos que dan una buena estructura. Final largo y de agradable intensidad. Consumir con cordero y carnes con salsas.

Tasting notes: Intense ruby red color with purple hues. Aromas of raspberry, blackberries, floral notes, violets and vanilla. Big and soft on the palate, with tannins that lend a good structure. A long finish and a pleasant intensity. Serve it with lamb and sauced meats.

Línea V — *Merlot*

100% Merlot

Cata: Color rojo rubí con reflejos rojo-violeta. Aromas dulces a frutas rojas del tipo del cassis, donde destacan notas de madera bien integradas con la fruta. Agradablemente suave. Mucha fruta y bien balanceado. Consumir con cerdo y carnes rojas.

Tasting notes: Ruby red color with red-purple hues. Sweet aromas of red fruits, such as black currant, with the predominant notes of well-integrated hints of wood and fruit. Pleasingly soft. Lots of fruit and a good balance. Serve it with pork and red meats.

Línea V — *Chardonnay*

100% Chardonnay

Cata: Color amarillo cristalino con ligeros reflejos verdes. Aromas de frutas amarillas y melón, con notas de mantequilla y pan tostado con miel. Es un vino generoso, con buena consistencia y sabores que persisten en boca. Consumir con mariscos o pollo.

Tasting notes: Crystalline yellow color with light greenish hues. Aromas of yellow fruits and melon, with notes of butter and toasted bread with honey. It is a generous wine, with a good consistency and flavors that linger in the mouth. Serve it with sea-food and chicken.

Línea V — *Sauvignon Blanc*

100% Sauvignon Blanc

Cata: Amarillo claro con reflejos verdes cristalinos y brillantes. Aromas intensos de frutas tropicales, frutos cítricos, hierbas y flores. Buen balance de acidez que da una sensación grata y larga. Consumir con mariscos y pescados.

Tasting notes: Light yellow color with crystalline and brilliant greenish hues. Intense aromas of tropical fruits, citric fruits, herbs and flowers. A well-balanced acidity which lends a pleasant and long sensation. Serve it with sea-food and fish.

VIÑA VENTISQUERO

Viña Ventisquero se gestó en 1998, cuando el empresario Gonzalo Vial decidió incursionar en el rubro vitivinícola. Con plantaciones en los Valles del Maipo, Rapel, Casablanca, Colchagua y Apalta, su principal objetivo es producir vinos de excelencia para el mercado nacional e internacional.

Es por este motivo que la empresa cuenta con un sistema integrado de gestión, respaldado en las certificaciones ISO 9.001, ISO 14.001 y HACCP. A lo anterior se suma un equipo de trabajo formado por profesionales de experiencia, prestigio y con ideas innovadoras, que es liderado por su gerente general, Martín Silva; gerente de producción, Pablo Morandé; los enólogos Felipe Tosso, Aurelio Montes y Raimundo Barros, y la subgerente de marketing, Melanie Whatmore. En el área de exportaciones, tienen oficinas en todos los continentes, las cuales son dirigidas por: José Ignacio Gutiérrez y Giancarlo Papa, Estados Unidos; Rafael Vargas, Europa y Américo Hernández, UK, Matías Scherpf, Asia, y Juan Ignacio Zúñiga, Latinoamérica. En Chile el mercado doméstico está a cargo de Francisco Grohnert.

Ventisquero Vineyard was born in 1998 when Gonzalo Vial decided to incur in the wine industry. With plantations in the valleys of Maipo, Rapel, Casablanca, Colchagua and Apalta, the winery's main objective is to produce quality wines for the domestic and export market.

For this reason, the winery counts with an integrated management system, backed up by ISO 9.001, ISO 14.001 and HACCP certificates. And a a great working team of professionals with experience and creative ideas, led by its general manager, Martín Silva; production manager, Pablo Morandé; the oenologists Felipe Tosso, Aurelio Montes and Raimundo Barros, and the marketing manager, Melanie Whatmore. In the exports area, Ventisquero has direct offices in every continent, led by: José Ignacio Gutiérrez and Giancarlo Papa in the US; Rafael Vargas, Europe, and Américo Hernández, UK, Matías Scherpf, Asia; and Juan Ignacio Zúñiga, Latin America. And in Chile, in charge of the domestic market, Francisco Grohnert.

Grey — Cabernet Sauvignon

Cata: El Ventisquero Grey Cabernet Sauvignon, se caracteriza por su color rojo rubí profundo con reflejos color ladrillo y un aroma intenso y especiado, donde sobresalen aromas a pimienta, hierba, menta, humo y chocolate, junto a toques frutales de grosella, frambuesa y frutilla, todo esto matizado con notas de caramelo y vainilla aportadas por la barrica. De estructura elegante, buen cuerpo, llenador y persistente acompaña quesos maduros, carnes grilladas, y comida condimentada.

Tasting notes: Ventisquero Grey Cabernet Sauvignon impresses with its deep ruby red color with a touch of brick at the rim. Intensely aromatic and spice, offering notes of black pepper, herbs, mint, smoke, and chocolate along with fruity aromas of black currant, raspberry, and strawberry, all blended with notes of caramel and vanilla from the oak barrels. Elegantly structured with good body, lush mouth feel, and a long, lingering finish. Serve with ripe cheeses, grilled meats, and well-seasoned dishes.

Gran Reserva — Syrah

Cata: El Syrah Gran Reserva se caracteriza por su intenso color negro azuloso profundo y un aroma de gran intensidad, donde se mezclan aromas de berries, pimienta, cuero, tostados, café, tabaco y chocolate con una fina madera. En boca, destaca su gran cuerpo con taninos firmes que se han redondeado con la guarda, dándole una estructura suave y compleja con un final rico y persistente. Acompaña carnes de caza, comida exótica, platos bien condimentados e incluso ciertas preparaciones agridulces.

Tasting notes: This Grand Reserve Syrah is characterized by its deep-dark bluish-black color and its intense aromas of berries, black pepper, leather, toast, coffee, tobacco, and chocolate harmoniously blended with fine oak. Big-bodied with firm tannins that have rounded out with barrel-aging for a soft yet complex structure and a deliciously rich and persistent finish. Serve with game, exotic foods, well-seasoned dishes, and some sweet-and sour dishes.

Reserva — Syrah

Cata: Este vino Syrah se destaca por su intenso y profundo color negro amoratado junto a delicados aromas de berries, arándanos y moras, frutas maduras, ciruelas secas, confituras, pimienta y café, todo esto bien ensamblado con notas de madera a humo, chocolate y tostados. De cuerpo equilibrado con taninos suaves y redondos, acompaña carnes de caza, comidas exóticas y bien condimentadas y algunas preparaciones agridulces.

Tasting notes: Striking for its deep purplish-black color and delicate aromas of blueberries, blackberries, and ripe fruits, prunes, jam, black pepper, and coffee, all wrapped in smoky oak, chocolate, and toast. With balanced body and soft, round tannins, this Syrah is best served with game, exotic foods, well-seasoned dishes, and some sweet-and-sour dishes.

Felipe Tosso (enólogo jefe), Aurelio Montes y Raimundo Barros
Enólogo - Winemaker

Veramonte, el paso obligado de quienes viajan a la costa. Catalogado como uno de los proyectos vitivinícolas más importantes de los últimos años, se encuentra Veramonte, el portal de entrada del valle de Casablanca. Siendo un visionario, en 1990 Agustín Huneeus inició las primeras plantaciones en el valle. Hoy cuenta con más de 400, que incluyen Sauvignon Blanc, Chardonnay, Pinot Noir, Syrah, Carmenère, Merlot y Cabernet Sauvignon.

La visión de producir vinos de calidad y de terroir para mercados tan exigentes como el norteamericano, además de ser un lugar atractivo y único para visitas turísticas, lo convierten en el paso obligado de quienes viajan hacia la costa por la Ruta 68.

La viña y sus vinos

Veramonte es para quienes gustan del buen vino de terroir y disfrutan con la experiencia de un vino elaborado con gran dedicación. Un lento proceso de maduración influenciado por la fresca brisa costera, dan como resultado deliciosos vinos blancos, que se mezclan con ricos volúmenes e intensidad, y persistentes sabores a frutas tropicales y cítricos.

Un espectacular paisaje, con cerros, laderas y piedmont, permiten ser cuna de excelentes vinos tintos en Casablanca. Rodeado de una abundante vegetación nativa, hacen de Veramonte un valle único, espectacular, donde nace Primus, un vino "grande", contundente y delicioso, de intensos sabores concentrados y múltiples, que logran una hermosa combinación de fuerza y delicadeza; un verdadero original chileno.

La casona y la bodega

El recorrido de las instalaciones, donde puede apreciarse la más alta tecnología, que alberga más de 5.000.000 de litros y donde se producen anualmente unas 260.000 cajas de vino de calidad, es un atractivo para quienes visitan Veramonte.

Distintos tipos de degustaciones y tours guiados acercan al visitante a la apasionante cultura del vino. La Sala de Ventas, además de los excelentes vinos Veramonte, cuenta con atractivos productos como souvenirs, libros, ropa, cerámicas, regalos, accesorios de vinos y un surtido único de vinos americanos, australianos y neocelandeses. Se encuentra abierta al público de Lunes a Domingo (56 32 329924).

Veramonte, an attraction for those who travel to the coast. Catalogued as one of the most important viticulturist project of the last years, is Veramonte, located at the entrance of the Valley of Casablanca.

Being a pioneer in the valley, in 1990 Agustín Huneeus initiated the first plantations. Today it counts with more than 400 planted hectares which include Sauvignon Blanc, Chardonnay, Pinot Noir, Syrah, Carmenère, Merlot and Cabernet Sauvignon.

The vision to produce quality wines and wines from terroir, satisfy high demanding markets such as the US and UK countries, plus the condition of being an attractive and unique place for tourism, consolidate Veramonte as a place one can not miss when going to the coast along the Route 68.

The vineyard and its wines

Veramonte is for those who love great wines, the "rendezvous" site for wine and terroir. A slow ripening process influenced by cool sea breeze, produce exquisite fine and fresh whites, which blend with sumptuous volumes and intensity, and persistent flavors of ripe tropical fruits and citrics.

A spectacular landscape with hills, slopes and piedmonts, is the ideal place for the production of delicious red wines in Casablanca. Surrounded by a magnificent native vegetation, Veramonte's, unique and spectacular valley, motherland of Primus, a "great" wine, consistent and delicious, with multiple and concentrated flavors, which achieves a beautiful combination of strength and delicacy; a real Chilean original.

The Casona and Winery

Visiting Veramonte not only introduces the tourist to the winemaking process, it takes them to a real wine experience. With ultimate technology, the winery shelters more than 5.000.000 Lt. and some 260.000 cases per year

Different kinds of tastings and guided tours bring the visitor to the exciting culture of wine. The Sales Room offers the whole range of Veramonte wines, as well as souvenirs, books, wine accessories and a unique range of American, Australian and New Zealand wines. It opens Monday through Sunday (56 32 329924).

2005 — Sauvignon Blanc

Cata: Aroma: Intensa fruta fresca, cítricos y hierbas se mezclan con atractivos aromas florales. Sabor: Es un vino muy equilibrado, fresco, con sabores cítricos y suaves notas a melón que inundan la boca. El Valle de Casablanca es el mejor lugar del Hemisferio Sur para cultivar el Sauvignon Blanc, ya que se producen uvas con una madurez perfecta y ricos sabores que se completan con una atractiva acidez. Días calurosos y noches frescas son condiciones únicas en la temporada de crecimiento en Veramonte. La cosecha del Veramonte Sauvignon Blanc 2004 fue el primer Sauvignon Blanc premium de Chile con un cierre Stelvin o Screwcap.

Tasting notes: Aroma: Fresh fruit, citrus, and herbs mingle with floral accents. Flavor: Zesty, medium body with flavors citrus, melon and herbs flavors that linger on the palate. Chile's Casablanca Valley is the premier place in the Southern Hemisphere to grow Sauvignon Blanc that ripens to perfection with rich fruit flavors complemented by lively acidity. Warm days and cool nights are the signature conditions of the dry growing season at Veramonte. The release of the 2004 Veramonte Sauvignon Blanc was the first premium wine from Chile in a Stelvin screw cap closure.

2004 — Chardonnay

Cata: Aroma: Los aromas van desde las frutas tropicales a las cítricas, acomplejadas por un fino tostado y notas de miel. Sabores: Sabores a frutas tropicales maduras se combinan con una fresca y vibrante acidez. La cercanía al mar de nuestro valle otorga condiciones excepcionales para la madurez del Chardonnay. Este vino ofrece generosas notas de frutas tropicales, un sedoso sabor en boca en conjunto con un fresco final que dan ganas de otra copa mas. Este vino es el vino perfecto para maridar mariscos, comida asiática o una pasta liviana.

Tasting notes: Aroma: Elegant floral and tropical aromas framed by honey and vanilla. Flavor: Vibrant tropical fruit and refreshingly crisp acidity. Its close proximity to the Pacific Ocean provides ideal growing and ripening conditions for Chardonnay. Our Chardonnay offers layers of generous tropical fruit, a silky mouthfeel, and a crisp finish that beckons another glass. This wine is the perfect compliment to shellfish, spicy Asian cuisine, and light pasta.

2003 — Merlot

Cata: Aroma: Recuerda a guinda y mora con notas a especias como pimienta negra y tabaco, toques de eucaliptos y menta, además de una sutil madera. Sabores: Moras con toques de chocolates, pimienta y madera tostada se combinan con generoso sabores a frutos rojos y aterciopelados taninos que otorgan un persistente y placentero final de boca. Nuestro Merlot de Casablanca proviene de la ladera de los cerros de nuestro valle y ha sido cosechado 100% a mano. Hemos implementado una intenso manejo de canopia con el fin de obtener un óptimo soleamiento de la bayas, resultando en una excelente calidad de la fruta con elegantes taninos y sabores.

Tasting notes: Aroma: Rich blackberry and cherry aromas spiced with black pepper and tobacco, hints of eucalyptus and mint, and a subtle underlay of oak. Flavor: Youthful dark fruit aromas with hints of chocolate, pepper and toasted oak. Rich and full of generous berry flavors with velvety smooth tannins that cool the palate. The foundation for our Casablanca Valley Merlot is 100% hand-harvested fruit from our Veramonte Estate vineyard hillside plantings. We implemented aggressive canopy management, allowing the fruit to ripen in direct sun, resulting in an excellent fruit quality, with elegant tannins and flavors.

2003 — Cabernet Sauvignon

Cata: Aroma: Concentrados aromas a moras y cerezas que armonizan con notas de tostado bien integrados y con toques de pimienta negra. Sabor: Intensos sabores a mora y arándano maduro con notas de elegante madera que dejan una voluptuosa sensación en boca. De sabor aterciopelado con suaves y ricos taninos, este vino proveniente del Valle del Maipo, gracias a sus cálidas temperaturas hace de este Veramonte Cabernet Sauvignon, un vino concentrado, redondo y fino que entrega un final de boca largo e intenso. Disfrute este vino con platos basados en intensos sabores como especias y carnes rojas.

Tasting notes: Aroma: Concentrated blackberry and black cherry aromas with well-integrated oak and hints of black pepper. Flavor: Deep flavors of black cherry, blueberry and blackberry fruits highlighted with earthy notes and elegant oak that lend a creamy mouth feel. Plush with soft, rich tannins, this wine is concentrated, round and luxurious with a long finish. This velvety wine with soft and rich tannins is born in the Maipo Valley. Its warm climate provides a concentrated, round and elegant Cabernet Sauvignon with a long and intense palate finish. Enjoy this wine with savory plates based on red meat or spices.

Special Reserve 2003 — *Chardonnay*

Cata: Aroma: Concentrados aromas a piñas y durazno, con toques de vainilla y crema. Sabor: Es potente en boca con sabores que integran toda la fruta tropical y esa delicada acidez. Bajo un minucioso manejo y un delicado proceso, Veramonte ha logrado este magnífico Chardonnay Special Reserve. Proveniente de nuestro viñedo La Gloria del Valle de Casablanca, este vino es fruto de una exhaustiva selección de uva, el cual ha sido fermentado y envejecido en barricas de encina Francesas por un año, que otorgan toda la elegancia, intensidad y cremosidad de este vino.

Tasting notes: Aroma: Intense pineapple and fresh peach aromas merge with touches of vanilla and soft cream. Flavor: This powerful wine delivers concentrated tropical fruits flavors balanced with a fresh acidity. In this distant winemaker's paradise, our La Gloria vineyard produces a small but exceptional crop of luscious Chardonnay grapes with balance, elegance and bright fruit flavors. An intense vineyard management and a meticulous winemaking process reveal the excellent and unique quality of this super premium Chardonnay.

Special Reserve 2002 — *Merlot*

Cata: Aroma: Intenso, aromas a guinda y frutilla con notas de pimienta y elegante tostado. Sabor: Frutos rojos maduros, intenso cuerpo y elegantes taninos que se combinan perfectamente con la suave madera de encina francesa. Proveniente de nuestro viñedo El Arroyo Alto del Valle de Casablanca, este vino nos otorga una gran intensidad y concentración originada fundamentalmente en el cuidado y selección de sus uvas durante todo el proceso. Elegantes y finos taninos, de excepcional fruta y toques de vainilla, son sólo algunos adjetivos para este fascinante Merlot, que invade todos los sentidos.

Tasting notes: Aroma: Concentrated cherry and strawberry aromas with fine layers of black pepper and fine oak. Flavor: Providing elegant tannins this well-structure wine evokes berries flavors balanced with elegant touches of toasted oak. Our El Arroyo block from Casablanca Valley produces a small crop of Merlot grapes with intensity, concentration and a soft round mouth feel. Elegant and fine tannins, exceptional fruit and touches of vanilla, are only some of the characteristics of this fascinating Merlot.

Special Reserve 2002 — *Cabernet Sauvigon*

Cata: Aroma: Intensa frutilla madura, guinda y cassis con aromas a chocolate y especias. Sabor: Un vino jugoso, complejo, con fascinante fruta negra con la justa acidez y complejos taninos. Proveniente de nuestros viñedos en el Alto Maipo, este vino evoca a frutos rojos y chocolate en equilibrio con una madera muy bien integrada. Bajo una gran intensidad de sabores y una gran complejidad en boca, las finas y elegantes notas resultan en una persistencia duradera y un final sorprendente.

Tasting notes: Aroma: Intense and jammy strawberry, cherry and cassis blend with fine chocolate and spiced pepper. Flavor: This full-body and juicy wine with great complexity, results in an explosion of fruit balanced with the precise acidity and complex tannins. In the Maipo Valley, our 25-year old vines thrive in the foothill of the towering Andes where cool winds and bright sun ripen Cabernet Sauvignon with dense jammy fruit and rich, round flavors. This perfect balance of fruit, acidity and toasted oak reveals a surprising wine with a long and persistent finish.

Primus — *Carmenère - Merlot - Cabernet Sauvignon*

Cata: Aroma: Exótico roble condimentado con un toque de tabaco y menta sobre una base de berries maduros. Sabor: Contundente y delicioso con una textura suave y de taninos aterciopelados. Sabores concentrados y múltiples provenientes de la mezcla de tres variedades, con notas a mora y cereza madura. Una mezcla de Carmenère, Merlot y Cabernet Sauvignon, hacen de Primus una combinación de intensos componentes provenientes de las laderas del Valle de Casablanca. Definitivamente un vino de terroir, único y exótico, en el cual el Carmenère juega un importante rol otorgando la complejidad necesaria para este super premium blend. Lo invitamos a disfrutar Primus un vino especial que lo sorprenderá con sus auténticos y complejos aromas y sabores. Salud!

Tasting notes: Aroma: Exotic blueberry with hints of tobacco, mint and vanilla. Flavor: Well structured with mature fruit that exhibits an evolved complexity with a seamless blending of the three varietal flavors. Velvety and full bodied, with smooth, yet powerful tannins. A blend of Carmenère, The Lost Bordeaux Grape, Merlot and Cabernet Sauvignon, Primus is a combination of power and finesse from Veramonte's Casablanca Valley Estate. Definitely a "terroir" wine, distinct and exotic, the Carmenère gives a strong comeback as a blending component for super premium wines. We invite you to enjoy Primus a unique wine that over delivers every aroma and flavor in your glass. Salud!

Rafael Tirado
Enólogo - Winemaker

Villard Estate, fundada en el Valle de Casablanca en 1989, es una viña premium, que combina técnicas tradicionales con tecnología de punta para producir vinos de una calidad excepcional para entusiastas alrededor del mundo.

El Valle de Casablanca es reconocido como la mejor región vitivinícola de climas frescos en Chile. Goza de un microclima extraordinario con brisas frescas de mar que ayudan a extender el período de madurez de las uvas, manteniendo sus aromas intensos y sabores únicos.

La alta calidad de los vinos de Villard Estate se logran gracias al meticuloso trabajo del viñedo, a los bajos rendimientos por hectárea, a manejos vitícolas amigables con el ambiente y a una estricta selección de las uvas. La vinificación es controlada rigurosamente usando tecnología de avanzada, cuidando todos los detalles, pero sin dejar de lado la creatividad ni la imaginación.

Los vinos complejos y elegantes de Villard Estate son reconocidos por sus aromas y gustos concentrados, que destacan tanto el terroir como las características especiales de cada variedad de uva.

Villard Estate, established in the Casablanca Valley in 1989, is a premium winery that combines traditional winemaking techniques with state-of-the-art technology to produce wines of exceptional quality for enthusiasts around the world.

The Casablanca Valley is recognized as Chile's premium cool climate viticultural region. It enjoys a unique microclimate with cool sea breezes that help extend the ripening period of grapes, thus maintaining their full flavors and intense aromas.

The distinctive qualities of Villard Estate wines are achieved through meticulous vineyard management, low yields, environmentally-friendly viticulture and strict fruit selection. Winemaking is rigorously controlled using modern technology. Attention to detail is maintained while allowing for creativity and innovation.

Villard Estate's complex and stylish wines are recognized for their concentrated aromas and flavors which highlight both the terroir and the special characteristics of each grape variety.

Esencia Grand Reserve 2001 *Chardonnay*

100% Chardonnay

Cata: Vino excepcional de mucho cuerpo con una nariz y estructura compleja, resultado de la integración de fruta y encina francesa. Con aromas y sabores de fruta tropical, durazno y vainilla, y larga en boca.

Tasting notes: This exceptional full-bodied wine shows a complex nose and structure derived from the integration of fruit and oak. Displays tropical fruit, peach and vanilla aromas and flavors, with a long finish.

Gran Vino Tinto 1999 *Cabernet Sauvignon - Merlot*

70% Cabernet Sauvignon - 30% Merlot

Cata: Vino complejo y muy bien estructurado guardado en encina francesa por 18 meses. De color violeta oscuro, muestra aromas poderosos con tonos de bayas rojas, menta de chocolate, pimienta negra y encina.

Tasting notes: A complex and well structured wine aged in French oak for 18 months. Deep purple red in color, it displays powerful aromas with tones of red berries, chocolate mint, black pepper and oak.

El Noble 2002 *Botrytised Sauvignon Blanc*

100 % Sauvignon Blanc

Cata: Este vino fue guardado en barricas de encina francesa por 27 meses. Con color de oro brillante, muestra destacados aromas y sabores de durazno, damasco seco y almendras, con una terminación muy larga.

Tasting notes: This wine was aged in French oak barrels for 27 months. Brilliant gold in color, it displays outstanding white peach, dried apricot and almond aromas and flavors, with a long finish.

Expresión Reserve 2005 *Sauvignon Blanc*

100% Sauvignon Blanc

Cata: Este Sauvignon Blanc muestra aromas frescos de piña y damasco, con sabores concentrados de fruta tropical y cítrico. Tiene una excelente estructura y una terminación larga y chispeante.

Tasting notes: This Sauvignon Blanc displays strong, fresh pineapple and apricot aromas, with concentrated flavors of tropical fruit and citrus. It has an excellent structure and a long, crisp finish.

Viña Mar

Viña Mar está emplazada en el Valle de Casablanca, un lugar emblemático de la vitivinicultura chilena y mundial. A 80 kms. de Santiago y a 18 kms. del Océano Pacífico, esta orientado a producir vinos complejos y originales basados en un concepto enológico moderno y actual.

Viña Mar rinde con su nombre un homenaje a la virtud principal del Valle de Casablanca, su beneficiosa proximidad al mar. La brisa marina, junto a suelos arcillosos pobres y escasos de agua forman el ambiente ideal para el desarrollo de uva de altísima calidad que, con su madurez lenta permiten obtener vinos excepcionales llenos de aromas e intensidad.

Viña Mar is located at Casablanca Valley, Chile an emblematic place of Chilean viticulture, eighty kilometers west of Santiago and 18 kilometers from the Pacific Ocean and is oriented to produce complex and original wines, under a modern oenological approach.

Viña Mar yield a tribute to the sea with its name, from where the essencial attributes of it vineyards originate. Soils have an alluvial origin with a fine sandy texture, a low moisture retention capacity and a poor natural fertility. These, along with the sea breeze gives character to this new environment, an ideal condition for slow ripening, enabling grapes to keep their flavor and intense aromas.

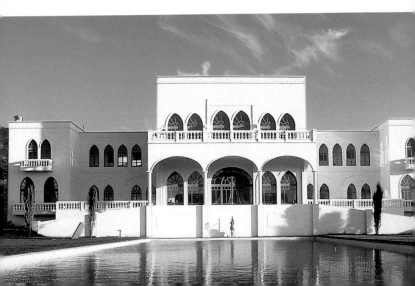

Reserva Especial 2003
Cabernet Sauvignon/Carmenère

Cata: Color: Rojo Rubí intenso y profundo con notas violáceas. Aroma: Intenso y complejo, donde destacan el grano de café, las notas de chocolate negro, frutas como el cassis y la cereza negra, especias como el clavo de olor y la pimienta negra, toques de caja de tabaco. Sabor: Buena estructura, jugoso y carnoso, redondo, de taninos suaves y maduros, con notas ahumadas, especiado. De gran final.

Tasting notes: Color: Deep ruby red, with violet tones. Aroma: Intense and complex, remarking coffee grains, black chocolate notes, cassis, black cherry, black pepper and tobacco dashes. Flavor: Good body and strong structure, rounded, soft ripe tannins, with smoked notes. Great finish.

Reserva Especial Merlot 2003

Cata: Color: Rojo rubí intenso, profundo y brillante. Aroma: Intenso, a arándanos, cereza negra, especias (vainilla y canela), nota mineral y tabaco, chocolate negro y pimienta. Sabor: Delicado, fresco y jugoso, suave y fino. De estructura media, taninos redondos y maduros, con carácter. Persistente y largo.

Tasting notes: Color: Intense and deep ruby red. Aroma: Intense, black cherry, spices (vanilla and cinnamon), with notes of dark chocolate, pepper and minerals. Flavor: Delicate, fresh, juicy and soft. Medium body, rounded and ripe tannins. Persistent aftertaste.

Reserva Especial Chardonnay 2004

Cata: Color: Amarillo verdoso, brillante. Aroma: Intenso y complejo , aromas de melón verde maduro, plátano maduro, vainilla, y notas lácticas de mantequilla y toffe. Sabor: Intenso, redondo, con untuosidad, pero a la vez fresco, de buen volumen, cálido donde destacan las notas de mantequilla y caramelo.

Tasting notes: Color: Bright greenish yellow. Aroma: Complex and intense, ripe banana and melon, vanilla and, notes of butter and toffee. Flavor: Intense, rounded, greasy but fresh, good volume ,warm, with remarking butter and caramel notes.

Reserva Especial Sauvignon Blanc 2004

Cata: Color: Amarillo pajizo suave. Aroma: Flores blancas de azahares, notas cítricas, mango, espárrago, ligera vainilla, melón verde. Sabor: Cálido, untuoso, fresco, buena acidez, notas florales y cítricas, persistente y aromático,

Tasting notes: Color: Soft straw-yellow. Aroma: White flowers, citric notes, mango, asparagus, soft vanilla, melon. Flavor: Warm, greasy, fresh, well balanced acidity, citric and floral notes.Strongly aromatic.

Sergio Correa Undurraga
Enólogo - Winemaker

Viña Viu Manent

Viña chilena de propiedad familiar establecida en 1935. Produce vinos finos con Denominación de Origen, a partir de uvas propias que provienen de sus tres viñedos en el Valle de Colchagua - Chile, que alcanzan una superficie plantada de 300 hectáreas, con las cepas Malbec, Cabernet Sauvignon, Merlot, Carmenere, Syrah y Sangiovese en tintos; Sauvignon Blanc, Viognier y Chardonnay en blancos.

En 70 años, Viu Manent ha recorrido un largo camino marcado por la tradición familiar, la modernidad y la excelencia, tres conceptos que sostienen su filosofía de compromiso con la calidad. Esta filosofía los ha hecho ser reconocidos como "Maestros Chilenos del Malbec" y "Mejor Malbec de Sud América". Además el año de su aniversario N° 70 recibieron el premio al "Mejor Cabernet Sauvignon de Chile" y al "Mejor Carmenere del Mundo", los que se suman a los consistentes reconocimientos obtenidos por sus vinos a nivel mundial.

Con un estilo enológico propio, Viu Manent está presente en los mercados más importantes del mundo y contribuye al prestigio del vino chileno. Su portafolio de productos incluye a su vino ícono Viu 1 y sus líneas Viu Manent Varietal, Viu Manent Reserva, Viu Manent Single Vineyard y Viu Manent Secreto.

Esta viña además ha sido "Pionera en vino - turismo en el Valle de Colchagua", que es el valle con mayor desarrollo en Chile y se ha convertido en la viña más visitada de este Valle. Ofrece visitas guiadas a sus bodegas y viñedos además de su tienda de vinos, Restaurante y Club Ecuestre. Puede ser visitada en forma directa o a través de la ruta del vino. (de Martes a Domingo)

Chilean traditional family owned winery established in 1935. Produces fine wines with Denomination of Origin, from grapes planted in their three vineyards in Valle de Colchagua - Chile. The planted surface is 300 hectares, mainly with varietals of Malbec, Cabernet Sauvignon, Merlot, Carmenere, Syrah and Sangiovese in red wines; and Sauvignon Blanc, Viognier and Chardonnay in white wines.

In 70 years, Viu Manent has traveled through a long way that has been known by family tradition, innovation and excellence, three concepts that support their philosophy of total commitment with quality. The consistency of their philosophy has made them recognized as "Chilean Masters of Malbec", and winning the title "Best Malbec of South America". In addition to this, and in their 70 th anniversary, they were awarded as the "Best Cabernet Sauvignon of Chile", and "Best Carmenere of the World", recognitions worldwide showing their consistency to their high quality.

Viu Manent unique oenological style is present in the most important markets of the world and contributes to the prestige of Chilean wine.

The portfolio of products includes: Icon Wine - Viu I, its Ultra Premium -Single Vineyard, the Super Premium - Reserve and Secreto ranges, to end with its Premium - Varietal ranges.

This vineyard has also been - "pioneer in wine - tourism in Valle de Colchagua", which is the valley with major development in Chile and has become the most visited vineyard of this valley. It offers guided tours to its wine cellars and vineyards, and also has a Wine Store, Equestrian Club and Restaurant. It can be visited directly or through the Ruta de l Vino de Colchagua from Tuesday to Sunday.

Viu 1 es el resultado del trabajo del hombre y de la naturaleza que, caprichosa, bendice con condiciones excepcionales sólo algunos de sus ciclos. Este vino único es producido sólo en esos años sobresalientes, usando un riguroso criterio de selección de uvas premium y es un merecido tributo a la memoria de quien lo esbozara, Don Miguel Viu Manent.

Don Miguel, su sueño es ya una realidad ¡Salud con vinos Viu!

Viu 1 es una edición limitada de 9.240 botellas numeradas, que fueron embotelladas el 2 de Junio del 2001.
Esta primera edición ha sido destacada como los mejores vinos de Chile y del mundo.

Viu 1 is the result of the work of man and nature which sometimes blesses us with exceptional conditions. This unique wine is only produced in outstanding years selecting only the best premium grapes. It is a tribute to the memory of its creator, Don Miguel Viu Manent.

Don Miguel, your dream has finally come true ¡Salud con Vinos Viu!

Viu 1 is a limited release of 9.240 numbered units, bottled in June 2 nd 2001. This first edition has been distinguished among the best chilean and world wines.

Vino poderoso, sabiamente ensamblado.
Un tributo a la memoria de Don Miguel Viu Manent.

Powerful wine, wisely assembled.
A tribute to the memory of Don Miguel Viu Manent.

Single Vineyard 2001 — *Malbec - Cabernet Sauvignon*

Cata: Color rojo violáceo. En nariz evidencia aromas a tierra húmeda y moras. En boca tiene notas a chocolate amargo con higos, acompañado de taninos redondos y voluptuosos, que otorgan un final duradero.
¡MEJOR MALBEC DE SUDAMERICA!

Tasting notes: Intense violet in colour this wine delivers an impressive nose of moist earth, bitter chocolate and blackcurrant. In the mouth this wine is simply dripping with dollops of bitter chocolate and fig leading to big, round, sweet voluptuous tannins leading to a long lingering finish.

Reserva 2003 — *Cabernet Sauvignon*

Cata: Color rojo rubí profundo. En nariz evidencia frutos rojos y ciruelas. En boca deja una auténtica sensación a frutos maduros, higos y chocolate amargo, complementado con taninos redondos, lo que lleva a un largo final.
¡MEJOR CABERNET SAUVIGNON DE CHILE!

Tasting notes: Deep ruby red in colour, on the nose this wine exhibits lifted notes of blackcurrant, fig and date. In the mouth opulent notes of plum, dark chocolate and espresso bean dominate. A well integrated oak backbone backed by firm yet round tannins leads to a long finish.

Secreto 2003 — *Carmenère*

Cata: De intenso color morado. Evidencia una nariz llena de aromas a cerezas maduras, café mocka y hierbas. En boca se perciben sabores a moras y chocolate, con notas a cuero, alquitrán y champiñones salvajes, y complementadas por taninos redondos, que llevan a un largo y elegante final.
¡MEJOR CARMENERE DEL MUNDO!

Tasting notes: Intensely violet in colour this wine exhibits an opulent nose of black cherry, mocha and fragrant herbs. In the mouth flavours of boysenberry and bittersweet chocolate predominate accompanied by ample leather, tar and wild mushrooms. This is backed up by firm yet voluptuous tannins leading to a long, rich finish.

Varietal 2004 — *Sauvignon Blanc*

Cata: En nariz dominan los aromas de lima, Feijoo y fruto de la pasión maduro, que conducen a notas sudorosas, minerales y más complejas en boca. Brillante, vigoroso, su acidez otorga una excelente estructura y duración.

Tasting notes: Sauvignon blanc made in a fruit driven, new world style. On the nose initially pungent herbaceous notes give way to lifted tropical notes of pear, lychee and pineapple. In the mout flinty, mineral notes combine effortlessly with guava, nectarine and white peach. A bright, zesty acidity imparts excellent structure and length.

VIÑA VON SIEBENTHAL

En 1998, el abogado suizo Mauro von Siebenthal, un apasionado conocedor de vinos, concreta su proyecto madurado por más de veinte años.

Así nace Viña von Siebenthal, afincada en la localidad de Panquehue, en el valle de Aconcagua, pleno corazón de la vitivinicultura chilena.

La construcción de su bodega observó todos los cánones de la tradición cultural y arquitectónica chilena. Con un marcado estilo colonial, combina la típica casona patronal chilena con infraestructura de punta, altamente tecnologizada, que por si mismo, resultó un gran desafío. La filosofía enológica del "chateau" bordolés se implementó aquí rigurosamente. La casa, viñedos y bodega se integran armónicamente para la obtención de una creación única: un vino excepcional. Con el objeto de mejorar la concentración de los aromas en la fruta, la Viña von Siebenthal optó por reducir drásticamente el rendimiento por planta. La calidad y excelencia de los procesos hacen de la Viña von Siebenthal un modelo de empresa vinificadora, cuyo producto de calidad superlativa son muestra clara de las extraordinarias características del "terroir" del valle de Aconcagua.

In 1998, Swiss attorney and passionate wine-lover Mauro von Siebenthal implemented the project that he had been planning for more than twenty years: to found a winery in Chile and produce some of the best wines in the world.

The result is Viña von Siebenthal. Situated in the heart of wine-making country in the Aconcagua Valley, this boutique winery produces four excellent red wines: the Bordeaux-style blend Parcela 7, the Carmenere, the Syrah Carabantes, and the ultra premium Cabernet Sauvignon Montelig.

The winery was built to reflect the cannons of Chile's cultural and architectonic traditions. Its Colonial-style manor houses modern infrastructure designed for creating world-class wines. The "chateau" philosophy is rigorously implemented here, lending an elegant style to the wines. The estate house, vineyards and wine cellar are integrated in order to obtain an exceptional product.

Von Siebenthal's wines are concentrated and very marked by the wood, which is balanced with notes of fruit, flowers and spices. They caress even the most demanding palates, which have already recognized them as among the best in the world.

Viña von Siebenthal is yet another source of pride for the Aconcagua Valley, and there is no doubt that its marvelous terroir deserves to be seen.

Reserve Red Wine 2003 — *Cabernet Sauvignon - Merlot - Cabernet Franc*

Cata: Color: Rojo cereza profundo. Nariz: Intenso aroma a frutos cocidos que invocan a nectarines y ciruelas que se integran armoniosamente con notas a regaliz, piel de ciervo, turba húmeda, aceitunas negras y un toque a hierbas tipo rosmarino. Boca: Ataque suave, fresco, frutoso, equilibrado en taninos dulces con un final muy agradable.

Tasting notes: Color: Deep cherry red. Bouquet: Intense aroma of cooked fruit that invokes nectarines and plums, which are harmoniously integrated with notes of licorice, moist peat, black olives and a touch of herbs. In Mouth: A soft, fresh and fruity entry that is well-balanced with soft tannins and followed by a very pleasant finish.

Carmenère Reserva 2003 — *Carmenère - Cabernet Sauvignon*

Cata: Color: Rojo rubí profundo. Nariz: Intenso, complejo y de gran carácter. Con notas a mora, ciruelas; el pimiento verde se complementa bien con la almendra tostada, grano de café tostado. Notas a vainilla, pimienta negra, tabaco y cedro. Boca: Fresco, sabor intensos, gran peso al centro del paladar, con taninos suaves. Terminando con notas a cedro.

Tasting notes: Color : Deep ruby red. Bouquet : Intense, complex and of great character, with notes of blackberry and plum. The green pepper goes well with the toasted almond and tasted coffee bean notes, all of which are accompanied by hints of vanilla, black pepper, tobacco leaf and cedar. In Mouth : Fresh, with intense flavors felt at the center of the palate. Finishes with notes of cedar.

Carabantes 2003 — *Syrah - Cabernet Sauvignon - Petit Verdot*

Cata: Color: Rojo rubí profundo. Nariz: Distinto y complejo, combinación de frutos rojos maduros y fondo a cereza negra, regaliz, eucaliptos, canela, pimienta negra y aceitunas negras. Boca: Buena estructura, profundo y concentrado. Al final presenta taninos apacibles, suaves y prolongados. Duración: De cinco a ocho años.

Tasting notes: Color: Deep ruby red. Bouquet: Unique and complex, with a combination of ripe red fruits and a backdrop of black cherry, licorice, eucalyptus, black pepper and black olives. In Mouth: Well-structured, deep and dense. At the finish one notes mild, smooth and prolonged tannins. Duration: Five to eight years.

Montelig 2002 — *Cabernet Sauvignon - Petit Verdot - Carmenère*

Cata: Color: Rojo rubí. Nariz: Intenso, persistente y complejo. Al primer impacto sin agitación sobresalen notas a berries, particularmente frambuesa y grosella negra (casis). Al momento de agitar comienza a marcar sutiles aromas a menta y boldo entremezclada a agradables notas de aceitunas verdes, piñones, pimienta negra, chocolate amargo y trufa. Todas estas notas se armonizan fantásticamente confiriendo al vino una gran complejidad y elegancia. Boca: Ataca en boca muy suave expresando una gran concentración de aromas, lo que imprime un carácter muy sabroso y complejo. Al paladar es consistente, con muy buen cuerpo, armónico y de final largo, fresco y elegante.

Tasting notes: Color: Ruby red. Bouquet: Intense, persistent and complex. Before agitating the wine one notes berries, particularly raspberry and cassis. When agitating the wine one begins to notice subtle mint and other herb tones intermingled with pleasant notes of green olives, pine nuts, black pepper, bitter chocolate and truffle. All of these aromas come together to grant this wine a high degree of complexity and elegance. In Mouth: This wine has a very smooth entry that expresses a wonderful concentration of aromas that gives it a very flavorful and complex character. In mouth it is consistent, with very good body. Well-balanced with a long, fresh and elegant finish.

CHAMPAGNE

"La champagne nació como consecuencia de una región francesa que sus uvas al madurar tenían poca azúcar y era necesario chaptarizar (agregación de azúcar). Al envasar este vino, algunos quedaban con azúcar residual que posteriormente fermentaban en la botella, esto producía gas en forma natural y una agradable sensación. Observando esto es que el monje benedictino Don Perignon en 1668 llegó a perfeccionar un sistema que hasta hoy se utiliza para producir Champagne (denominación de origen que corresponde a aprox. 30.000 has. del distrito de Reims.

El espumante, champagne, se produce a partir de un vino base que puede tener uvas Chardonnay, Pinot Noir y Pinot Meunier en diferentes proporciones. El vino base tiene una segunda fermentación en botella para lo cual se le adiciona azúcar y levaduras (licor de tirage).

Después de la segunda fermentación pasa más de 14 meses en cavas para asegurar producir la autolisis de la levaduras (ruptura de las membranas celulares). Posteriormente se realiza el remouage (traslado del depósito de levaduras de la barriga de la botella a la punta para su posterior eliminación durante el degourgement (operación consistente en congelar la punta de la botella con lo que se facilita que al sacar la tapa el propio gas de la botella expulse el depósito que se encuentra al interior de un bloque de hielo). Todos los Champagnes en ese momento son secos y aquí se agrega el licor de expedición para darle el grado dulzor que se pretende.

Según lo anterior, son nature sin agregación de azúcar, extra brut con menos de 7grs./lts., brut con máximo de 15grs./lts., estos según preferencias personales, armonizan bien con aperitivos, comidas, en especial con frutos del mar y aquellas con sensaciones agridulce. Demi sec con más de 15grs./lts. y Doux con más de 30 grs./lts. estos preferentemente con dulces y postres.

En el mundo actualmente se produce espumante por el método tradicional y también por el sistema charmat (segunda fermentación en autoclave) en este método la eliminación de las levaduras se hace por filtración y se embotella usando máquinas isobarométricas.

El método tradicional produce espumantes complejos, elegantes y de mayor estructura. El charmat ligeros y joviales.

Chile, con su diversidad de climas y suelos presenta opciones para ambos tipos de espumantes.

Mario Geisse
Enólogo

Champagne was born as a consequence of a region in France where the grapes when ripe had little sugar and it was necessary to chaptalize (add sugar). When the wine was bottled some remained with some residual sugar that latter would ferment in the bottle, this naturally produced gas and a pleasant sensation. On noticing this, the Benedictine monk Dom Perignon, in 1668, came to perfect a system that is in use even today to produce Champagne (a DOC that corresponds to about 30.000 hectares in the Reims district in France.

The sparkling champagne is produced from a base wine that may have Chardonnay, Pinot Noir and Pinot Meunier grapes in different proportions. The base wine undergoes a secondary fermentation in the bottle to achieve this yeast and sugar are added (called liqueur de Tirage).

After the second fermentation the champagne spends more than 14 months in caves to assure the autolysis of the yeasts (the breaking of the cells membranes). Afterwards the remouage (the movement of the dead yeast deposits from the belly of the bottle to its neck) is performed so that later it can be eliminated during the disgorgement (a procedure that consists in freezing the tip of the bottle which facilitates that during the opening of the bottle the pressurized gas will expel the deposits that are now within an ince cube). All champagne's are dry at this point and now the liqueur d' expedition is added to add the degree of sweetness that is desired.

As mentioned above the types of champagne are, Nature without any addition of sugar, Extra Brut with less than 7 grams per liter, Brut with a maximum of 15 grm/ltr, these according to personal preferences will go well with aperitifs, food, specially with sea food and sweet and sour sensations. Demi Sec with more than 15 grs./ltr. and Doux, with more than 30 grs./ltr. There are drank preferably with deserts.

Throught the world sparkling wine is produced at this time by the traditional method and also by Charmat process (the second fermentation is in a tank) in this method the disposal of the dead yeast cells is done by filtration and it is bottled using pressurized machines.

The tradicional method produces complex and elegant sparkling wines and with a bigger structure, the Charmat produced wines are light and joyful.

Chile with its diversity of climate and soils presents the option to produce both kina of sparkling wines.

Mario Geisse
Winemaker

Vinificación: Este notable Sparkling fue producido según el método Charmat. El vino base proviene de los primeros jugos y prensados. El especial dosage elaborado por el enólogo jefe fue introducido antes del embotellado.

Cata: Pálido color amarillo. En la nariz, frescos aromas frutales, con una atractiva combinación de cítricos, manzanas verdes y minerales. En boca, se siente plenitud y persistencia de sabores frutales. Excepcional frescura y una muy agradable burbujeante sensación. Suave y equilibrada acidez y un refrescante final. Con sus burbujas finas y persistentes, este es un magnífico vino.
• Gran Medalla de Oro, Vinitaly 2004, Italia.
• Medalla de Plata, Chardonnay du Monde 2004, Francia.

Vinification: This notable Sparkling wine was produced following the Charmat method. The base wine was made form only the free run juice and first pressings. The chief winemaker applied his special dosage before the bottling.

Tasting Notes: Pale yellow color. On the nose, attractive fresh, fruity aromas, with an enticing combination of citrus fruit, green apples and minerals. The mouth-filling flavors deliver lingering fruit. Exceptionally fresh with a very pleasant crispness. A smooth and balanced acidity and a lively fresh finish. This is a superb wine, with fine and persistent bubbles.
• Grand Gold Medal in Vinitaly 2004, Italy.
• Silver Medal, in Chardonnay du Monde 2004, France.

Brut

Cata: Oro pálido, brillante y sostenido. Burbujas finas, que dibujan un "perlaje" elegante. Seductora nariz floral, fresco y primaveral. En el paladar es sedoso, con un gran final de boca, en el que se despliegan las notas afrutadas del Pinot Noir. Un Brut para los amantes de la armonía. El vino perfecto para cualquier celebración.

Description: This product is manufactured with distilled grape musts from the Muscat varieties and aged in American oak barriques for two months.

Tasting Notes: The spirit is of an ambar color. Bright, with fruity aromas, fine with medium muscatel intensity and a good balance between wood and fruit: In the palate it is balanced, round and has a good length.

Consumption: It can be served straight, on the rocks or combined with soft drinks and natural juices. It also may be used in food preparation and desserts.

Tarapacá Champenoise

Tarapacá Champenoise es un champagne excepcional. Elaborado con uvas Chardonnay 100% del Valle de Casablanca que, por sus singulares características climáticas, permite la producción de uvas de gran calidad. En su elaboración se utiliza el tradicional método champenoise, empleando levaduras provenientes de la zona de Champagne en Francia, lo que garantiza su elegancia y exclusivo carácter.

Cata: De color amarillo brillante, con una corona blanca y persistente. Sus burbujas pequeñas y uniformes le otorgan un perlaje muy atractivo. Posee aromas frescos, frutales, florales y notas ligeras de almendra. En boca es cremoso, suave y chispeante. Su retrogusto es largo, fresco, persistente y agradable.

Description: Tarapacá Champenoise is an exceptional champagne. Produced with 100% Chardonnay grapes from Casablanca Valley, a terroir that have ideal conditions for slow ripening, enabling grapes to keep their flavor and intense aromas. On its elaboration the traditional champenoise method is used, with yeasts from Champagne zone at France, that guaranties their elegance and exclusive character.

Tasting Notes: It shows a shining yellow, with a white and persistent crown. With fresh and fruity aromas and slight almond notes. On the palate is creamy, soft and sparkly, with a long, fresh, persistent and pleasant aftertaste.

Undurraga Brut Supreme

Cata: Este vino producido mediante el método "champenoise" fue elaborado con las mejores uvas Chardonnay y Pinot Noir procedentes de "terroirs" excepcionales en nuestros viñedos del Valle del Maipo. Su color dorado, aroma complejo y su paladar delicadamente seco, le dan gran elegancia. Sus burbujas son finas y persistentes haciendo de este un producto de gran finura y categoría. Sírvalo frío.

Description: This wine was produced using the traditional "méthode champenoise". Only the best Chardonnay and Pinot Noir grapes from exceptional terroirs in our Maipo valley vineyards were used.

Tasting Notes:
Its gold colour, complex aroma and delicately dry palate make it particularly elegant; its fine and persistent bubbles contribute to make this wine a unique celebration masterpiece. Serve cold.

Este fabuloso espumoso es elaborado por el método champenoise. Posee 24 meses de guarda en botella antes de salir al mercado tiempo en el cual las levaduras le aportan complejidad aromática y estructural.

Cata: Color amarillo pálido Y brillante. Aromas limpios y frescos con notas de manzanas verdes mezcladas con aromas cítricos. Suave, cremoso y largo con sabores de minerales y almendras, y un final cítrico.
Es perfecto para disfrutar junto con mariscos, pescados de mar, aves, quesos blandos y duros. El más natural.

This fabulous sparking wine is made by the traditional French method, the Champenoise. The 24 month of quiet contact with the lees ensure a great structure and complexity of aromas.

Tasting Notes: Pale and bright yellow color. Fresh and clean aromas with green apple notes along with a citric character. Soft, creamy and long in the mouth with mineral and almond flavors, and a long citric fruit finish.

Viña Mar Champenoise

Viña Mar Champenoise es producido con uvas provenientes del Valle de Casablanca, un 85% de la variedad Chardonnay y un 15% Pinot Noir. En su elaboración se han empleado levaduras provenientes de la zona de Champagne en Francia, lo que garantiza su elegancia y exclusivo carácter.

Cata: Su color es amarillo franco, con una corona blanca y persistente. Posee aromas de cítricos maduros, pan "grille" y notas de rosa amarilla. Su sabor es seco y agradable y con una agradable untuosidad , lo que le da un notorio frescor.

Viña Mar Champenoise is produced with Casablanca Valley grapes, 85% Chardonnay and 15% Pinot Noir. Yeasts from Champagne zone at France are used on its elaboration, that guaranties it elegance and exclusive character.

Tasting Notes: It shows an Intense yellow color, with a white and persistent crown. As of ripe citric,and "grille" bread aromas and yellow rose notes its flavor is dry, pleasant, juicy and fresh.

PISCO

Pisco es un destilado puro y aromático de uvas Moscatel producidas en un microclima único en el mundo, que ha sido denominado "Zona Pisquera". Es también una perfecta unión del hombre, el sol y el Valle del Elqui. Cada uno de estos elementos ha contribuido con lo mejor para dar nacimiento a este "Embajador" que se ha ganado un nicho en los mercados internacionales.

Dadas las cualidades y el clima de estos valles, la región de Coquimbo, después de la conquista española, llegó a ser una de las áreas preferidas en la producción de cosechas originarias en el viejo mundo.

Las cualidades de las uvas viníferas del norte se supo rápidamente. A fines del siglo 19 el nombre Pisco fue asociado con buena calidad de Brandy.

El pretigio de nuestro Pisco fué oficialmente reconocido en 1931 cuando le fué concedida la " Denominación de orígen",i.e., Pisco sólo puede ser producido y embotellado entre las regiones de Atacama y Coquimbo, un área geográficamente definida por ley.

La zona productora de Pisco es verdaderamente un milagro de la naturaleza siendo un área geográfica única en el mundo. Se trata de angostos valles de suelos fértiles rodeados de cerros bañados de sol permanentemente: Copiapó, Huasco, Elqui, Limarí y Choapa.

El clima es templado y seco, con alto contraste de temperaturas entre el día y la noche y con la atmósfera mas transparente del mundo. Así, se puede decir que es el ecosistema ideal para la producción de la aromática uva Moscatel de la cual se elabora el Pisco.

Pisco is a pure and aromatic spirit obtained from Muscat grapes produced in a microclimate, unique in the world which has most appropriately been named "zona Pisquera" (Pisco Producing Zone). It is also a perfect joining of man, sunshine and the land of Elqui Valley. Each of these elements contributes its best to give birth to this "ambassador" which has gained a niche in international markets.

Due to the qualities of its valleys and climate, the Coquimbo region became, after the Spanish conquest, one of the preferred areas for the early production of crops originating in the Old World.

The qualities of the northern grapevines rapidly spread. By the end of the 19th century the name Pisco was associated with good quality brandy.

The prestige of our Pisco was officially recognized in 1931 when it was granted "Appellation of Origin", i.e., Pisco can only be produced and bottled between the regions of Atacama and Coquimbo, a geographical area defined by law.

The Pisco Producing zone is a true miracle of nature being a geographic area unique in the world. It is made up of narrow valleys of fertile soil surrounded by hills permanently bathed in sunshine: Copiapó, Huasco, Elqui, Limarí and Choapa.

The climate is warm and dry with a sharp contrast of temperature between day and night and the most transparent atmosphere of in the world. Thus, it can be said that it is an ideal ecosystem for the production of the aromatic Muscat grape from which Pisco in made.

Pisco Capel Reservado 40°

Descripción: Este producto es elaborado con destilados provenientes de uvas pisqueras moscateles y envejecido en barricas de roble americano durante dos meses.

Cata: Color ámbar medio brillante; aroma frutal fino de intensidad moscatel media y con un buen equilibrio madera fruta; a la boca equilibrado, redondo y persistente.

Forma de Consumo: Se puede consumir solo, con hielo o acompañado de bebidas de fantasía y jugos naturales.
También puede ser usado en preparación de comidas y repostería.

Description: This product is manufactured with distilled grape musts from the Muscat varieties and aged in American oak barriques for two months.

Tasting Notes: The spirit is of an ambar color. Bright, with fruity aromas, fine with medium muscatel intensity and a good balance between wood and fruit: In the palate it is balanced, round and has a good length.

Consumption: It can be served straight, on the rocks or combined with soft drinks and natural juices.
It also may be used in food preparation and desserts.

Descripción: Pisco Sour es el cóctel producido y envasado en las regiones III y IV, preparado con pisco, zumo de limón o saborizante natural del mismo.

Cata: Producto de alta calidad, con un color blanco verdoso, opaco, de turbidez media, como aromas y sabores característicos del pisco sour, en donde destaca su aroma intenso a limón; su equilibrio de sabor ácido y dulce y su larga persistencia en boca.

Forma de Consumo: Se puede consumir solo, con hielo o refrigerado.

Description: Pisco sour is a cocktail prepared and bottled in the III and IV regions, it is made with pisco and lemon juice or a natural flavoring of the same.

Tasting Notes: It is a high quality product, with a white greenish color, opaque, of medium opacity, like aromas and taste characteristic of pisco sour, where the intense aromas of lemons stand out, it's balanced acid and sweet taste and its long finish.

Consumption: It may be consumed straight, on the rocks or cooled.

Cóctel Sour Capel Light 14º

Descripción: Coctel Sour Light, es el cóctel liviano en calorías, preparado con pisco, zumo de limón o saborizante natural del mismo.
Este producto es bajo en alcohol y carbohidratos. Tiene como endulzante aspartamo.

Cata: Producto de alta calidad, con un color blanco verdoso, opaco, de turbidez media, como aromas y sabores característicos del pisco sour, su equilibrio de sabor ácido y dulce y su larga persistencia en boca.

Forma de Consumo: Se puede consumir solo, con hielo o refrigerado.

Description: Coctel Sour Light, is the light in calories cocktail prepared with pisco and lemon juice or a natural flavoring.
This product is low in alcohol and carbohydrates. It uses aspartame as a sweetener.

Tasting Notes: A high quality product, with a white greenish color, opaque, of medium opacity, like aromas and taste characteristic of pisco sour and its long finish.

Consumption: It may be consumed straight, on the rocks or cooled.

Pisco Capel Moai

Descripción:
Características generales:
Los Productos Capel Moai
son un 100% provenientes
de uva pisquera moscatel y
envejecidos en roble
americano. Es un Pisco
superior en aroma y sabor.

Cata: Este producto es de
color ámbar intenso,
brillante; aroma frutal fino
con marcado carácter
moscatel y con equilibrio a
aromas de madera fina; a la
boca un buen equilibrio fruta
madera, redondo y de buena
persistencia.

Description: General
characteristics: The Capel
Moai products are made
100% from the Muscat
grape variety and aged in
American oak. It is a Pisco
of superior aroma and flavor.

Tasting Notes: The
appearance of this product
is of an intense ambar color,
bright, with a fine fruit aroma
with marked muscatel
character and balanced fine
wood aromas, on the palate
a good balance of fruit and
wood, round and with a long
finish.

Pisco Alto del Carmen Reservado 40°

Descripción: Producido con 100% de uva pisquera moscatel y envejecidos en roble americano. Pisco superior en aroma y sabor.

Cata: De color ámbar intenso, brillante; aroma frutal fino con marcado carácter moscatel y con equilibrio a aromas de madera fina; a la boca un buen equilibrio fruta madera, redondo y de buena persistencia.

Description: It is produced with 100% Muscat grape variety and aged in American oak. It is a Pisco of superior aroma and flavor.

Tasting Notes: The appearence is of an intense ambar color, bright , with a fine fruit aroma with marked muscatel character and balanced fine wood aromas; on the palate a good balance of fruit and wood, round and with a nice long finish.

Descripción: Es un Pisco 100% provenientes de uva pisquera moscatel rosada y Alejandría, con una doble destilación y envejecidos por mas de dos años en barricas de roble americano. Pisco Premium en aroma, sabor y un gran bouquet de envejecimiento.

Cata: Es de un color ámbar oscuro intenso, brillante; aroma a maderas envejecidas en finos barricas de roble americano con un justo equilibrio con los aromas del moscatel; a la boca un buen equilibrio madera fina y fruta moscatel, redondo y de buena persistencia.

Description: It is a Pisco made 100% from the Pink Muscat and Muscat of Alexandria grapes, double distilled and aged for more 2 years in American oak barriques. A Premium Pisco in aroma and flavor and a great aged bouquet.

Tasting Notes: It has an intense dark ambar color, bright; aromas of fine woods well balanced with the muscatel aromas; on the palate it has a nice balance of fine woods and Muscat fruit, round and with a nice long finish.

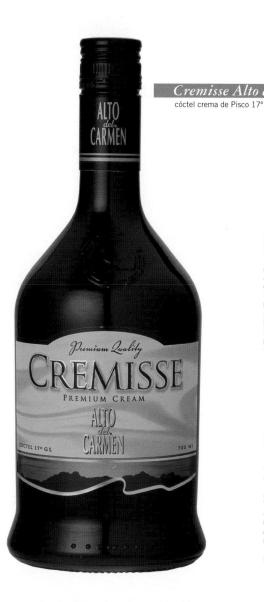

Cremisse Alto del Carmen

cóctel crema de Pisco 17°

Descripción: Es la primera crema de pisco. Producido con los mejores pisco y crema de leche, azúcar y saborizantes. Su graduación alcohólica es de de 17° G.L. Producto de calidad, con un color café con leche, opaco, de turbidez alta.
Con un aromas y sabor propio.

Cata: Este cóctel que se caracteriza por un gran equilibrio entre aromas y sabores propios del pisco Alto del Carmen y crema de leche, con delicadas notas de frutos secos como la avellana. De un gran y delicado cuerpo, con una larga persistencia en boca.

Forma de consumo: Se puede consumir solo, con hielo o refrigerado.
Puede ser usado en preparación de repostería.

Description: It is the first Pisco cream. Produced with the best piscos and milk cream. Sugar and flavorings. Its alcohol level is 17° by volume. A high quality product with a milk and coffe color, opaque, and of high opacity. With unique aromas and flavors.

Tasting Notes: This cocktail is characterized by a great balance between aromas and flavor unique to pisco Alto del Carmen and cream of milk, with delicate notes of dried fruits like hazelnuts. With a big and delicate body and a long finish.

Consumption: It may be consumed straight, on the rocks or cooled.
It may be used in pastrymaking.

Descripción: Producido con 100% provenientes de uva pisquera moscatel y envejecidos cubas de raulí y barricas de roble americano.

Cata: De un color ámbar más intenso, notas más café, brillante; aroma frutal intenso mezclado con madera; a la boca con un buen equilibrio aroma sabor.

Description: Produced 100% from the Muscat grape variety and aged in rauli and American oak barriques.

Tasting Notes: Of an intense amber color, and brown notes, bright; and intense fruit notes mixed with woood; on the palate has a good balance between the aroma and flavor.

Pisco Sour Artesano del Cochiguaz

Descripción: Preparado con pisco, zumo de limón o saborizante natural del mismo. Su graduación alcohólica mínima es de 16° G.L.

Cata: Producto de calidad, con un color amarillo verdoso, opaco, de turbidez media, con aromas y sabores característicos del pisco Sour, en donde destaca su aroma intenso a limón tipo amarillo, su equilibrio de sabor ácido y dulce y su persistencia en boca.

Description: Prepared with pisco and lemon juice or a natural flavoring of the same. It's minimum alcohol level is 16° by volume.

Tasting Notes: A quality product with a white yellow color, opaque, of medium opacity, like aromas and taste characteristic of pisco sour, where the intense aromas of lemons stand out, it's balanced acid and sweet taste and its long finish.

Rutas del Vino

Rutas del Vino
Wine Routes

Ruta del Vino
Valle Limarí

La Ruta del Vino del Valle del Limarí se encuentra ubicada en la Región de Coquimbo, Chile, a orillas del Río Limarí, en la provincia del mismo nombre. Esta compuesta por las Viñas Casa Tamaya, Francisco de Aguirrre y Tabalí, más la productora de avestruces Ovatruz y la Hacienda Santa Cristina. La Ruta comenzó sus operaciones en octubre del año 2004, constituyéndose en la más nueva y más al norte del país.

La influencia del aire marino penetra el valle enfriándolo, favoreciendo así los producción principalmente de cepas blancas. Destacan entre sus vinos los Late Harvest de las Viñas Casa Tamaya y Francisco de Aguirre, el Chardonnay Reserva Especial de Viña Tabalí, y el ensamblaje Chardonnay/Viognier Reserva Especial de Viña Casa Tamaya.

Debido a las inmejorables condiciones climáticas, la Ruta del Vino del Limarí puede ser visitada sin problemas durante todo el año. El sol y las buenas temperaturas acompañan incluso cuando los inviernos más crudos se dejan sentir en la zona sur del país.

Desde Santiago, se recomienda partir temprano para llegar a almorzar a la Hacienda Santa Cristina, y disfrutar de la gastronomía típica de la región, destacando los ostiones, los camarones de río y los exquisitos quesos de cabra, producidos en la misma hacienda. Durante la tarde se pueden visitar los viñedos cercanos o disfrutar del espectáculo de ver un grupo de avestruces desde que están en su período de incubación, hasta degustar su particular carne. Asimismo, les recomiendo visitar sitios históricos que transportan a los tiempos preincaicos, como el Valle del Encanto y sus pictografías, o realizar un tour astronómico, que combina los mejores vinos de la región con los cielos más limpios del mundo, en un magnífico tour nocturno.

Para coordinar las visitas es necesario comunicarse vía email a info@limariwines.com, visitando la página web www.limariwines.com o bien llamando directamente a la oficina central de la Ruta, ubicada en la ciudad de Ovalle, calle Libertad 327, al 53-634 199.

Limarí Wine Route is the newest Chilean wine route, composed by the wineries Casa Tamaya, Francisco de Aguirre and Tabalí, an Ostrich farm called Ovatruz and an estate called Santa Cristina Estate.

We invite you to visit a valley full of secrets and surprises. Its charm will immerse you into a fascinating world of wines, ostriches, estates and a rich and ancestral aboriginal culture, with the clearest skies of the world.

Under the mysticism of its sun, Limarí Valley is located in the Region of Coquimbo, Chile, only a few hours from Santiago, Chile's capital city.

Thousands of years ago, our forefathers discovered the magic of this place, and aboriginal cultures such as Los Molles and Diaguitas left a unique legate for all mankind.

Imagine these locations combined with the best Chilean wines, ostrich meals, goat cheese and olive oil, all together in an estate from the times of the colony.

Limarí Wine Route offers tailor made tours so you can visit all these facilities and magic places at your own leisure, with the possibility to enjoy the northern wines of the southern hemisphere.

Learn more about Limarí Wine Route at www.limariwines.com.

Contact: 56-53-634.199,

RUTA DE ACONCAGUA

La Ruta del Vino de Aconcagua es una nueva iniciativa que ofrece una amplia gama de tours exclusivos. Con visitas a viñas boutique en un bello valle ubicado a solo 60 Km. de Santiago, esta ruta ofrece una excelente oportunidad para conocer una zona que se caracteriza por sus espectaculares vistas de montañas y las incomparables condiciones climáticas que le permiten producir vinos de clase mundial.

Los tours de la Ruta del Vino de Aconcagua incluyen una explicación completa del proceso de vinificación y del manejo de una viña boutique, degustaciones de vino y visitas guiadas a los viñedos. Incluye tours de las Viñas Errazuriz, Sanchez de Loria, San Esteban y von Siebenthal, además visitas opcionales a tiendas de artesanía. Una selección de conocidos restaurantes ofrece platos que van desde auténticas delicias chilenas a una refinada cocina francesa.

La Ruta del Vino de Aconcagua busca la diferenciación a través de servicios personalizados, flexibilidad y actividades diseñadas para cumplir las expectativas de incluso los visitantes más exigentes.

Para mayor información y reservas:

Ruta del Vino Valle Aconcagua

(56) (9) 918 66 72, (56) (9) 479 02 08

info@aconcaguavinos.cl - www.aconcaguavinos.cl

The Aconcagua Valley Wine Route is a new initiative that offers a broad array of exclusive tours. With visits to boutique wineries in a beautiful valley located just 60 kilometers from Santiago, this route offers an excellent opportunity to experience a region that is characterized by spectacular mountain views and the incomparable climatic conditions that allow it to produce world-class premium wines.

Aconcagua Valley Wine Route tours include a complete explanation of the wine-making process, a glimpse of the management of boutique wineries, wine tastings and guided visits to vineyards. Highlights include the Errazuriz, Sanchez de Loria, San Esteban and von Siebenthal wineries, as well as optional visits to local shops with hand-made ceramics and jewelry. A selection of renowned area restaurants offers unique dishes that range from authentic Chilean delicacies to French cuisine.

The Aconcagua Valley Wine Route sets itself apart by offering personalized services, flexibility and activities designed to meet the expectations of even the most discerning visitors.

For more information or reservations please contact:

Aconcagua Valley Wine Route

(56) (9) 918 66 72, (56) (9) 479 02 08

info@aconcaguavinos.cl - www.aconcaguavinos.cl

Hoy Casablanca cuenta con más de 4 mil hectáreas de viñedos.

El Valle de Casablanca, una de las mejores regiones nuevas productoras de vinos en Chile, es reconocido como una de las regiones premium para vinos blancos. Dentro del valle hay muchas variedades plantadas, siendo las más importantes el Chardonnay y el Sauvignon Blanc entre otras.

Ubicado a 80 kms. de Santiago y a 40 kms. de Valparaíso, el clima del valle tiene una gran influencia marítima. Tiene un "clima fresco" con diferencias significativas de temperatura entre el día y la noche. Esto extiende el período de maduración de las uvas y produce condiciones ideales para la producción de vinos de alta calidad con alta concentración de fruta, muy buena acidez y terminación chispeante.

Una visita al valle le dará la oportunidad de experimentar todas las etapas del proceso de producción de vino el cual integra la tecnología con la tradición.

Todas las viñas en Casablanca están abiertas al público y ofrecen tours guiados, degustaciones y venta de vinos además de restoranes con ofertas de alta calidad gastronómica y cocina fina.

El pueblo de Casablanca, fundado a mediados del siglo 17, posee una iglesia con un siglo de antigüedad y un museo arqueológico. También ofrece eventos culturales y rodeos en ciertas épocas del año.

Lo invitamos a visitar el Valle para disfrutar sus vinos excepcionales, su ciudad histórica y la calidez de la hospitalidad de su gente.

Para mayor información, contactarse con la Ruta del Vino de Valle de Casablanca.

- House of Morandé
- Indomita Wineries
- Matetic
- Veramonte
- Villard Estate
- Viña Mar
- Viñedos Orgánicos Emiliana (V.O.E)
- William Cole
- Viña Casas del Bosque
- Puro Caballo

Contacto: Asociación de empresarios vitivinícolas del Valle de Casablanca

Portales N°90 - Casablanca - V Región

Teléfonos: (56-32) 743 755 - Fax: (56-32) 743 933

www.casablancavalley.cl - wineroute@casablancavalley.cl

Today Casablanca has over more than 4 thousand hectares of vineyards.

The Casablanca Valley, one of Chile's youngest wine growing regions, is recognized as one of the country's premium regions for white wines. Many varieties are planted within the Valley, with Chardonnay and Sauvignon Blanc being the most important.

Located 80 km. from Santiago and 40 km. from Valparaíso, the Valley's climate has a strong maritime influence. It has a "cool climate" with significant temperature differences between day and night. This extends the ripening period of the grapes and produces perfect conditions for making high quality wines with a high concentration of fruit, very good acidity and a crisp finish.

A visit to the Valley will give you the opportunity to experience all the stages of wine making process which integrates both modern technology and tradition.

All the wineries in Casablanca are open to the public and offer guided tours, wine tastings, wine sales and restaurants with unique options in fine cuisine.

The town of Casablanca, founded in the mid 17th century, has a century old church and an archeological museum. It also offers cultural events and rodeos at certain times of the year.

We invite you to visit the Valley to enjoy its exceptional wines, its historical town and the warm hospitality of its people.

For more information contact The Casablanca Valley Wine Route :

- House of Morandé
- Indomita Wineries
- Matetic
- Veramonte
- Villard Estate
- Viña Mar
- Viñedos Orgánicos Emiliana (V.O.E)
- William Cole
- Viña Casas del Bosque
- Puro Caballo

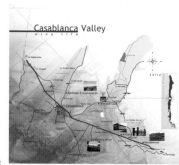

Teléfonos: (56-32) 743 755 - Fax: (56-32) 743 933

www.casablancavalley.cl - wineroute@casablancavalley.cl

La Ruta del Maipo Alto contempla el desarrollo turístico integral de nueve viñas localizadas en el sector conocido como Maipo Alto, dominado por la presencia del río del mismo nombre en la precordillera de Chile.

Esta es la zona de mayor tradición vitivinícola del país donde se producen los grandes vinos premium chilenos, entre ellos, Almaviva, y Don Melchor. La Ruta incluye a las comunas de Peñalolén, Pirque, Buin y Paine, las que mezclan el paisaje urbano del sur de Santiago con toda la herencia campestre de los sectores rurales a los pies de la cordillera.

Recomendamos comenzar la visita en Aquitania y Domus, a sólo unos minutos del sector oriente de Santiago, dos bodegas boutique de producción limitada que destacan por la calidad de sus vinos y por poseer las parras más antiguas del sector.

Desde ahí se puede avanzar hacia Pirque, donde se ubican Las Viñas El Principal y Haras de Pirque. La primera de sólo 54 hectáreas, donde nacen prestigiosos vinos como El Principal; y la segunda, que mezcla toda la pasión vitivinícola con la crianza de caballos fina sangre.

El recorrido continúa con la visita a Portal del Alto, la bodega del destacado enólogo nacional Alejandro Hernández; Huelquén, caracterizada por poseer viñedos 100% orgánicos; Pérez Cruz, que brilla con el diseño arquitectónico de su bodega, destacada en medios nacionales y extranjeros; y Hacienda Chada que posee un maravilloso paisaje vitícola emplazado en las laderas de Los Andes.

La presencia continua del río Maipo y la majestuosidad de la cordillera de Los Andes ofrecen un paisaje único. Esto sumado a las características particulares de cada viña, convierte este recorrido en una visita imperdible para conocer toda la pluralidad del vino chileno.

Para visitar la Ruta del Maipo Alto se puede enviar un e-mail a contacto@maipoalto.com o bien, llamar directamente a alguna de las viñas en los siguientes teléfonos:

Viña Aquitania: Andrea Domange: (56-2) 298 8000; info@aquitania.cl

Viña El Principal: Jorge Fontaine: (56-2) 854 7023; vinaep@ctcinternet.cl

Viña Haras de Pirque: Maricel Correa: (56-2) 854 7910; mcorrea@harasdepirque.com

Viña Huelquén: Mario Ravenna: (56-2) 822 1264; vhuelquen@ia.cl

Viña Pérez Cruz: María José Canales; (56-2) 824 2405; wines@perezcruz.com

Viña Portal del Alto: Alejandro Hernández; (56-2) 821 3363; ahf@portaldelalto.cl

Viña Domus: Francisco Della Maggiora; (56-2) 298 2374; fdellama@domusaurea.cl

Viña Hacienda Chada: Julio Domínguez; (56-2) 822 1010; jdominguez@haciendachada.cl

The Maipo Alto Wine Route contemplates the integral tourist development of seven wineries, located in the territory known as Maipo Alto, dominated by the presence of the river of the same name, in its more Andrean section, in Santiago, the capital city of Chile.

These wineries are within the wine region with greatest tradition of the country and where the majority of Chile's premium wine are produced, including El Principal, Domus Aurea, Viñedos Chadwick, Almaviva, Don Melchor, Pérez Cruz Haras de Pirque, Lazuli, and Alejandro Hernández, among others.

The wineries included in this tourist route are located in the communities of Peñalolen, Pirque, Buin and Paine, areas that follow the course of the Maipo from the foothills of the Andes Mountains at 800 meters a.s.l. to Buin to the southwest of Santiago. Each winery has its own unique landscape, which lends particular characteristics and identity to every one of its wines.

If you stay in Santiago, we recommend beginning with Aquitania and Quebrada de Macul, just minutes away from most of the city's finest hotels. Continue on through Pirque and Paine, where you will find the El Principal, Haras de Pirque, Portal del Alto, Huelquén, and Pérez Cruz wineries. Along the way you'll see the Cajón del Maipo, the glacier-carved gorge where the Maipo River crosses the Andes offering an incredible and unique landscape.

In addition to visiting the wineries in the Maipo Alto you can raft down the Maipo River, visit historical monuments, and enjoy an unforgettable dining experience at a unique School-Hotel, where all the food that is offered to its guests is organically grown on-site.

If you want to visits us, send us an email to contacto@maipoalto.com or contact each winery directly:

Viña Aquitania: Andrea Domange: (56-2) 298 8000 or info@aquitania.cl

Viña El Principal: Jorge Fontaine: (56-2) 854 7023 or vinaep@ctcinternet.cl

Viña Haras de Pirque: Maricel Correa: (56-2) 854 7910 or mcorrea@harasdepirque.com

Viña Huelquén: Mario Ravenna: (56-2) 822 1264 or vhuelquen@ia.cl

Viña Pérez Cruz: María José Canales; (56-2) 824 2405 or wines@perezcruz.com

Viña Portal del Alto: Alejandro Hernández; (56-2) 821 3363 or ahf@portaldelalto.cl

Viña Quebrada de Macul: Francisco Della Maggiora; (56-2) 298 2374 or fdellama@domusaurea.cl

El Valle de Cachapoal, ubicado a 84 km al sur de Santiago, es una de las zonas vitivinícolas de Chile que ha irrumpido con fuerza en el mercado internacional gracias a la excepcional calidad y el carácter de sus vinos. Este exclusivo valle muestra el portentoso influjo de la Cordillera de los Andes en la magnífica riqueza de su terroir: la gran masa montañosa se hace sentir con fuerza en las laderas que caen hacia el valle central, marcando oscilaciones térmicas que constituyen un factor de tipicidad en sus irrepetibles vinos: especial elegancia, suavidad de taninos, uvas perfumadas y frescas con una perfecta relación entre acidez y dulzor. Ante la creciente fama internacional de sus vinos, las viñas del Cachapoal han inaugurado diferentes circuitos turísticos que son una alternativa irresistible para los amantes del vino: imponentes bodegas, modernas y clásicas, paisajes campestres de inconmensurable tranquilidad, aguas termales que brotan a 6 mil metros de profundidad desde Los Andes, fina gastronomía, golf, vestigios arquitectónicos del remoto pasado colonial español y Sewell, un pintoresco pueblo minero deshabitado que yace en lo alto de la cordillera andina.

CACHAPOAL VALLEY

WINE ROUTE

Information and reservations

(56 72 553684)www.cachapoalwineroute.com

The Cachapoal Valley, one of Chile's recently emerging wine regions, has burst onto the international market in full force due to its exceptional quality and the character of its wines.

This exclusive valley shows the powerful influence of the Andes Mountains in the magnificent richness of its terroir: the towering peaks make their presence felt as their slopes drop gracefully to the valley floor, marking temperature variations that constitute a factor in the typicity of its unique wines: a special elegance, soft tannins, and fresh, aromatic grapes with a perfect balance between acidity and sweetness.

Given the increasing international fame of Alto Cachapoal wines, the wineries have created a number of tourism circuits that provide irresistible alternatives for wine lovers: impressive wineries, both modern and traditional; country landscapes beyond compare; thermal waters that spring from 6,000 meters beneath the Andes; fine dining; golf; architectural reminders of Spanish colonial times; and Sewell, a picturesque abandoned mining town that sits high in the Andes mountains.

CACHAPOAL VALLEY

WINE ROUTE

Information and reservations

(56 72 553684)www.cachapoalwineroute.com

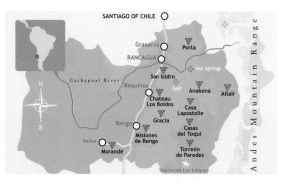

RUTA DEL VINO
VALLE DE COLCHAGUA

Situado a sólo 120 Km al sur de Santiago, este hermoso y maravilloso Valle, es la zona vitivinícola de mayor prestigio de Chile, por el extraordinario nivel que han alcanzado sus grandes vinos, los que han obtenido las más altas distinciones y puntajes, en los más importantes concursos Internacionales y revistas especializadas del mundo.

Nominado a la "Región Vitivinícola del Mundo 2003" por la prestigiada revista norteamericana Wine Enthusiast Magazine, también ha sido reconocido internacionalmente como un destino turístico de excepción, destacado dentro de los 25 destinos más interesantes del mundo para el Siglo XXI, por la revista norteamericana Travel & Leisure Magazine.

La Ruta del Vino de Colchagua, esta conformada por las mas prestigiadas viñas del Valle y de Chile, estas son; Bisquertt, Casa Lapostolle, Casa Silva, Cono Sur, Estampa, Hacienda Araucano, Los Vascos, Laura Hartwig, Luis Felipe Edwards, Montes, MontGras, Siegel, Viu Manent y VOE, las que cuentan con infraestructura del mejor nivel para la recepción y atención de turistas, tiendas de vinos y souvenirs, salas de degustación, restaurantes, y en algunos casos también podrá recorrer sus viñedos en hermosos y antiguos coches tirados por caballos, lo que sin duda será una experiencia inolvidable.

A través del operador oficial de turismo, Colchagua Wine & Tours, usted podrá conocer los secretos de los mejores vinos de Chile, acompañado de una exquisita gastronomía regional. Nuestros programas incluyen excursiones por el día en bus, tren o avión, o programa de visitas con alojamiento en las viñas o en los mejores Hoteles del Valle.

Para mayor información y reservas:

Colchagua Wine & Tours

Information and reservations / Informaciones y

reservas: (56-72) 823199 / 824339

Plaza de Armas Nº 298, Santa Cruz

reservas@rutadelvino.cl

www.rutadelvino.cl

Just 120 km south of Santiago, this beautiful and wonderful valley is Chile's most prestigious wine-producing region. Its fine wines have reached extraordinary heights and have earned the highest distinctions and scores in the world's major international competitions and trade magazines.

Named "Wine Region of the Year" in 2003 by the prestigious US magazine Wine Enthusiast, Colchagua has also been internationally recognized as an exceptional tourism destination and was included on Travel & Leisure magazine's list of the world's 25 most interesting destinations for the 21st century.

The Colchagua Valley Wine Route consists of the most prestigious wineries of the valley and Chile: Bisquertt, Casa Lapostolle, Casa Silva, Cono Sur, Estampa, Hacienda Araucano, Los Vascos, Laura Hartwig, Luis Felipe Edwards, Montes, MontGras, Siegel, Viu Manent, and VOE. All are fully equipped to provide visitors with the highest level of reception and attention, and include wine and souvenir shops, tasting rooms and restaurants. In some cases guests can tour the vineyards in beautiful antique horse-drawn carriages for a truly unforgettable experience.

By contacting the official tour operator, Colchagua Wine & Tours, interested parties can learn the secrets of Chile's finest wines accompanied by delicious regional cuisine. Our programs include 1-day excursions by bus, train, or multiple-day programs with lodging in a winery or one of the valley's finest hotels.

For further information and reservations: Colchagua Wine & Tours
(56-72) 823199 / 824339 - Plaza de Armas N° 298, Santa Cruz
reservas@rutadelvino.cl - www.rutadelvino.cl

LA MISTICA DEL VINO, LA CULTURA Y LA GASTRONOMIA EN UN SOLO LUGAR: SANTA CRUZ

La invitación es a vivir una experiencia distinta, donde se mezcla el confort y la alta gastronomía con nuestra cultura y raíces. El hotel ofrece un concepto turístico único en nuestro país. Su propuesta no sólo invita al descanso y el confort, sino también a ser parte de la vida histórica y la actividad vitivinícola del Valle de Colchagua.

El hotel cuenta con una conexión visual y conceptual con el Museo de Colchagua. Cuenta con un gran hall de acceso donde destacan los objetos históricos del lobby, y en su centro, un mural y un mastodonte de 3.5 metros de altura, ambos realizado por artistas chilenos. En los cielos destacan los frescos y vitrales que permiten la permanente entrada de la luz.

Todos estos servicios e instalaciones se complementan con la gastronomía de lujo que ofrece el restaurante "Los Varietales", además de un restaurantes de comida española e italiana y con pub que cuenta con pizzas a la piedra.

SANTA CRUZ
PLAZA

T HE WINE,

CULTURE AND GASTRONOMY MYSTIC IN JUST ONE PLACE:
SANTA CRUZ.

We invite you to live a different experience, where the comfort and high gastronomy blends in with our culture and background. The Hotel shows a unique tourist concept in this country. Its proposal not only tempts to rest and relax, but also to be part of the historical life and viniculture activity of Colchagua Valley.

The Hotel is physically and conceptually connected with the Colchagua Museum. Once in the Access Hall you'll appreciate the historical objects, a mural and a life-size prehistoric bull (3.5 mts.) they both made by Chilean artists. Take a look at the roof and see the amazing stained-glass window that permits the entrance of a soft light.

In addition to all these services and amenities we have the de luxe gastronomy offered in "Los Varietales" Restaurant, the Spanish and Italian gastronomy serve in "Inéz de Suárez" Restaurant, and also a Pizza-Bar.

Ruta y Tren del Vino

Los hacendados del valle de colchagua se han organizado para implementar lo que han llamado la Ruta del Vino, destinadas a recibir y presentar a los turistas sus instalaciones, procesos y productos de la mejor manera posible. Por esto se realizó un enorme esfuerzo para llevar a cabo y darle vida al "Tren del Vino", en el cual se puede realizar un paseo por las principales viñas de la zona.

Museo de Colchagua: Una cita con la historia

Sin duda alguna, este lugar es el que mayor mística tiene en la zona, cuenta con tres nuevos pabellones destinados a la cultura, que se conecta con la ampliación del Hotel santa Cruz Plaza. Joyas de los Andes, Autos Antiguos y Paleontología son los nuevos pasillos de este hotel museo.

Este cuenta con más de tres mil piezas únicas, destaca por muchas cosas, pero en especial por el carácter multifacético de sus colecciones: abarca desde una muestra paleontología hasta una exposición dedicada al folclore campesino, pasando por una revisión del mundo precolombino y la historia de Chile.

Wine Route and Wine Train

The landowners of Colchagua Valley have been organized to create what they have called "The Wine Route" in order to receive tourists and let them see their installations, the wine production process and wine products in the best possible way. Therefore, they have made a huge effort to make possible the "Wine Train", which includes a visit to the main vineyards of the region.

Colchagua Museum

No questions asked! This is the place that contains the mayor mystic of the zone. It is provided with three new wings to exhibit our culture. They are connected with the last constructed part of our Hotel. The Andes jewellery, antique cars and paleontology are the objects shown in these new pavilions.

This Museum has more than three thousand unique pieces. It stands out, among other reasons, due to the miscellaneous character of its collection, which goes from a display of paleontology to an exhibition of the country side folklore. It also covers the Precolombian world and the History of Chile.

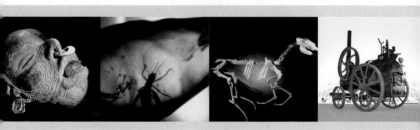

Conozca de cordillera a mar, la tradición del "Corazón Vitivinícola de Chile".

El valle de Curicó ubicado a menos de 200 kilómetros al sur de Santiago es, sin duda, el con más tradición en nuestro país, marcando hitos tan importantes como el despegue tecnológico y fuertes tradiciones cómo las Fiestas de la Vendimia, que se celebran año a año, la tercera semana de marzo. Con atractivos turísticos únicos como, la Reserva Nacional Radal Siete Tazas, la Laguna Torca, el Lago Vichuquén entre otros.

La Ruta del Vino de Curicó conformado por diecisiete viñas; AltaCima, Aresti, Astaburuaga, Correa Albano, Echeverría, Inés Escobar, La Fortuna, Las Pitras, Los Robles, Mario Edwards, Miguel Torres, Millaman, Pirazzoli, San Pedro, San Rafael, Santa Hortensia y Valdivieso, mezcla en sus circuitos la tecnología con la tradición, mostrando desde la gran industria del vino, bodegas boutique, como asimismo, viñas con casas patronales y parques.

Cabe destacar que los recorridos se pueden extender con actividades complementarias, destacando la visita a al proceso del aceite de oliva Terramater y la posterior cata del aceite, la visita a un packing, a la tradicional fábrica de pasteles artesanales.

Todos los recorridos incluyen la degustación de vinos, la cual en muchas ocasiones son realizadas al pié de las barricas y cubas.

Los tours están disponibles en inglés, francés, portugués, alemán e italiano y se pueden realizar de lunes a domingo con ciertas restricciones.Debe reservar con 24 horas de anticipación al, teléfono: 75-328972 / 75-328967 o al e-mail: info@rvvc.cl

Puede llegar desde Santiago en auto, bus o bien, disfrutar de la comodidad del tren, con I hora 50 minutos de viaje.

From the mountain range to the sea, experience the tradition of the grape growing and winemaking heart of Chile".

The Curicó valley, located less than 200 kilometers south of Santiago, undoubtedly holds the greatest tradition in our country, marking such important turning points as the technological take-off and long standing tradition of the "Fiesta de la Vendimia", grape harvest feasts that take place every year during the third week of March. The "Radal Siete Tazas" National Reserve, "Laguna Torca" and "Lago Vichuquén" among others are unique tourist attractions.

The Wine Tour of Curicó, composed of seventeen vineyards; AltaCima, Aresti, Astaburuaga, Correa Albano, Echeverría, Inés Escobar, La Fortuna, Las Pitras, Los Robles, Mario Edwards, Miguel Torres, Millaman, Pirazzoli, San Pedro, San Rafael, Santa Hortensia y Valdivieso, mixes technology and tradition in its circuits, showing from big industry wineries, boutique cellars to farmhouse and park vineyards.

Tours may be extended with complementary activities, among which we can highlight the visit to the Terramater olive oil processing and subsequent oil tasting, the visit to a packing industry and to the traditional artesanal pastries bakery.

All tours include wine tasting, which is very often performed amidst the wine barrels and vats.

Tours are available in English, French, Portuguese, German and Italian and may be organized from Monday to Sunday with certain restrictions.

Reservations must be made 24 hours in advance at Phone Nos. 75-328972 / 75-328967 or e-mail info@rvvc.cl

You may get there from Santiago by car or bus, or enjoy the comfort of the train for a 1 hour and 50 minute ride.

El Valle del Maule, conocido también como el Valle del Carmenere posee una superficie de 30.301 kms² y está conformado por las provincias de Talca, Linares y Cauquenes. Corresponde a la parte más al sur del Valle Central y tiene la mayor extensión de viñedos de todo Chile. Con una larga tradición vitivinícola que se remonta a los tiempos de la colonización española.

La oficina de la Ruta del Vino Valle del Maule tiene sus instalaciones en la Villa Cultural Huilquilemu, ubicadas en el Km. 7 camino a San Clemente, Talca. Su oficina y Enoteca (Showroom) están abiertas todos los días del año para recibir, orientar y ayudar a los turistas en su diferentes requerimientos.

Tours ofrecidos

Vinos en medio día: Este tour de 4 horas de duración puede ser realizado en la mañana o en la tarde. Incluye visitas guiadas a dos viñas con degustación en cada una de ellas. Almuerzo opcional, transporte y guía bilingüe.

Vino en un día: Este tour de 7 horas de duración incluye visitas guiadas a 3 viñas con degustación, almuerzo en un restaurante local, visita al Museo Huilquilemu (monumento nacional). Opcional: transporte dentro del Valle del Maule y guía bilingüe.

Estos dos tours pueden tener distintas combinaciones como:

Pueblos coloniales: Visita al histórico pueblo de Yerbas Buenas (con una visita al museo), visita a las Artesanas de Rari, almuerzo típico en una viña.

Vino y Naturaleza: Caminata guiada a Reserva Forestal Nativa Vilches Alto y almuerzo campestre al aire libre.

Vino y Talca Típico: Tour Vino en medio día, con una tarde que incluye almuerzo en un restaurante local, visita a museos, y monumentos históricos y culturales de la ciudad de Talca.

Además se ofrecen: cabalgatas, almuerzos en la viñas, trekking, alojamiento en Agro Resort Tabontinaja y Hotel Casa Donoso y más.

Programas especiales y tarifas preferenciales para grupos.

The Maule Valley, also know as the Carmenère Valley, covers 30.301 Kms² and includes the provinces of Talca, Linares and Cauquenes. The Maule Valley corresponds to the southernmost part of the Central Valley and has the most extensive plantation of vineyards in Chile, with a long wine producing tradition that dates back to the first Spanish settlers in the country.

The Maule Valley Wine Route's office is located within the Cultural Village Huilquelemu, km. 7 on the San Clemente highway on the outskirts of Talca. The office and wine showroom are open year round in order to aid all tourists with their planning activities.

Tours Offered

Wine in half a day: This four hour tour can be done in the morning or afternoon. It includes a guided visit to two wineries with tastings at each. Lunch, transportation and bilingual guide optional.

Wine is a day: This seven hour tour includes guided tour to three wineries with tasting, lunch at a local restaurant, visit of the Huilquilemu Museum (national monument). Transportation and bilingual guide optional.

These tours can be combined with unique activities such as the following.

Colonial Towns: Visit the historic town of Yerbas Buenas (included visit to local museum), Artisans of Rari, and typical lunch at a vineyard or local restaurant.

Wine and Nature: Guided walk through Upper Vilches Native Forest Reserve and lunch.

Wine and Typical Talca

Added on to Wine in Half a Day, with the afternoon to eat out at a local restaurant, museums and historic cultural landmarks within the city of Talca.

Also available: horseback riding, trekking, lunches at different vineyards, lodging at Agro Resort Tabontinaja or Hotel Casa Donoso, and many other activities.

Special programs and rates available for groups.

Directorio
Directory

Viña Almaviva S.A.

Dirección / Address	Avda. Santa Rosa 821
	Puente Alto - Santiago - Chile
Fono / Phone	56 - 2 - 852 93 00
Fax / Fax	56 - 2 - 852 54 05
prinfo@almaviva.cl	

Altaïr Vineyards & Winery

Dirección / Address	Av. Vitacura 4380, piso 3
	Vitacura - Santiago - Chile
Fono / Phone	56 - 2 - 477 5354
Fax / Fax	56 - 2 - 477 5494
www.altairwines.com	

Viña Anakena

Dirección / Address	Alonso de Córdova 5151 oficina 1103
	Las Condes - Santiago - Chile
Fono / Phone	56 - 2 - 426 06 08
Fax / Fax	56 - 2 - 426 06 09
www.anakenawines.cl	

Viña Aquitania S.A.

Dirección / Address	Avda. Consistorial 5090
	Peñalolén - Santiago - Chile
Fono / Phone	56 - 2 - 298 80 00
Fax / Fax	56 - 2 - 298 80 00
www.aquitania.cl	

Viña Bisquertt

Dirección / Address	Padre Mariano 401
	Providencia - Santiago - Chile
Fono / Phone	56 - 2 - 946 15 40
Fax / Fax	56 - 2 - 431 05 52
www.bisquertt.cl	

Viña Calina

Dirección / Address	Fundo El Maitén, Camino Las Rastras, Km 7
	Talca - Chile
Fono / Phone	56 - 71 - 26 31 26
Fax / Fax	56 - 71 - 26 31 27
www.calina.com	

Viña Chateau Los Boldos Ltda.

Dirección / Address	Camino Los Boldos s/n - casilla 73
	Requinoa - Chile
Fono / Phone	56 - 72 - 55 12 30
Fax / Fax	56 - 72 - 55 12 02
www.chateaulosboldos.com	

Viña Carmen

Dirección / Address	Apoquindo 3669, piso 16
	Las Condes - Santiago - Chile
Fono / Phone	56 - 2 - 362 21 22
Fax / Fax	56 - 2 - 263 15 99
www.carmen.com	

Viña Casablanca

Dirección / Address	Rodrigo de Araya 1431
	Macul - Santiago - Chile
Fono / Phone	56 - 2 - 450 30 00
Fax / Fax	56 - 2 - 238 03 07
www.casablancawinery.com	

Viña Casa Marín Ltda.

Dirección / Address	Las Peñas 3101
	Las Condes - Santiago - Chile
Fono / Phone	56 - 2 - 334 29 86
Fax / Fax	56 - 2 - 334 97 23
www.casamarin.cl	

Viña Casa Lapostolle

Dirección / Address	Av. Vitacura 5250, oficina 901
	Vitacura - Santiago - Chile
Fono / Phone	56 - 2 - 426 99 60
Fax / Fax	56 - 2 - 426 99 66
www.casalapostolle.com	

Viña Casa Silva

Dirección / Address	Hijuela Norte s/n, Angostura
	San Fernando - Chile
Fono / Phone	56 - 72 - 71 65 19
Fax / Fax	56 - 72 - 71 02 04
www.casasilva.cl	

Viña Casas del Bosque

Dirección / Address	Alonso de Córdova 5151, oficina 1501
	Las Condes - Santiago - Chile
Fono / Phone	56 - 2 - 378 55 44
Fax / Fax	56 - 2 - 378 54 95
www.casasdelbosque.cl	

Viña Casa Tamaya S.A.

Dirección / Address	Av Nueva Tajamar 481, Torre Sur, oficina 1002
	Las Condes - Santiago - Chile
Fono / Phone	56 - 2 - 658 5040
Fax / Fax	56 - 2 - 658 5041
www.tamaya.cl	

Viña Concha y Toro

Dirección / Address	Nueva Tajamar 481, Torre Norte, piso 15
	Las Condes - Santiago - Chile
Fono / Phone	56 - 2 - 476 50 00
Fax / Fax	56 - 2 - 203 67 40
www.conchaytoro.com	

Viña Cousiño Macul S.A.

Dirección / Address	Av. Quilín 7100
	Peñalolén - Santiago - Chile
Fono / Phone	56 - 2 - 351 41 00
Fax / Fax	56 - 2 - 351 41 81
www.cousinomacul.com	

Viña Cono Sur

Dirección / Address	Nueva Tajamar 481, Torre Sur, oficina 1602
	Las Condes - Santiago - Chile
Fono / Phone	56 - 2 - 476 50 90
Fax / Fax	56 - 2 - 203 67 32

Viña Cremaschi Furlotti

Dirección / Address	Estado 359, piso 4
	Santiago-Centro - Santiago - Chile
Fono / Phone	56 - 2 - 633 07 76
Fax / Fax	56 - 2 - 632 73 46
www.cremaschifurlotti.cl	

Viña De Martino

Dirección / Address	Manuel Rodríguez 229
	Isla de Maipo - Santiago - Chile
Fono / Phone	56 - 2 - 819 20 62
Fax / Fax	56 - 2 - 819 29 86
www.demartino.cl	

Viña Echeverría

Dirección / Address	Apoquindo 3500, oficina 204
	Las Condes - Santiago - Chile
Fono / Phone	56 - 75 - 491 560
Fax / Fax	56 - 75 - 491 984
www.echewine.com	

Viña El Huique

Dirección / Address	Alcántara 200, oficina 306
	Las Condes- Santiago - Chile
Fono / Phone	56 - 2 - 207 84 10
Fax / Fax	56 - 2 - 206 43 05
www.elhuique.com	

Viña El Principal

Dirección / Address	Napoleón 3037, oficina 81
	Las Condes - Santiago - Chile
Fono / Phone	56 - 2 - 854 70 23
Fax / Fax	56 - 2 - 854 70 25
www.elprincipal.cl	

Viñedos Emiliana S.A.

Dirección / Address	Av. Nueva Tajamar 481, oficina 701
	Las Condes - Santiago - Chile
Fono / Phone	56 - 2 - 353 91 30
Fax / Fax	56 - 2 - 333 27 28
www.vinedosemiliana.cl	

Viña Errázuriz

Dirección / Address	Av. Nueva Tajamar 481, Torre Sur, oficina 503
	Las Condes - Santiago - Chile
Fono / Phone	56 - 2 - 339 91 00
Fax / Fax	56 - 2 - 203 63 46
www.errazuriz.com	

Viña Estampa

Dirección / Address	Av. Kennedy 5735, oficina 606
	Las Condes - Santiago - Chile
Fono / Phone	56 - 2 - 202 70 00
Fax / Fax	56 - 2 - 202 72 00
www.estampa.com	

Viña Francisco de Aguirre S.A.

Dirección / Address	Carrión 1586,
	Independencia - Santiago - Chile
Fono / Phone	56 - 2 - 462 20 00
Fax / Fax	56 - 2 - 777 71 54
www.vinafranciscodeaguirre.cl	

Viña Garcés Silva

Dirección / Address	El Golf 99, oficina 801
	Las Condes - Santiago - Chile
Fono / Phone	56 - 2 - 367 12 60
Fax / Fax	56 - 2 - 367 12 61
www.vgs.cl	

Viña Gillmore State

Dirección / Address	Vitacura 2909, oficina 805
	Las Condes - Santiago - Chile
Fono / Phone	56 - 2 - 231 76 94
Fax / Fax	56 - 2 - 946 22 27
www.gillmore.cl	

Viña Gracia

Dirección / Address	Av. Andrés Bello 2777, oficina 2801
	Las Condes - Santiago - Chile
Fono / Phone	56 - 2 - 240 76 00
Fax / Fax	56 - 2 - 240 76 01
www.gracia.cl	

Viña Haras de Pirque

Dirección / Address	Casilla 247, correo Pirque
	Pirque - Santiago - Chile
Fono / Phone	56 - 2 - 854 79 10
Fax / Fax	56 - 2 - 854 93 09
www.harasdepirque.com	

Viña J. Bouchon

Dirección / Address	Evaristo Lillo 178, oficina 21
	Las Condes - Santiago - Chile
Fono / Phone	56 - 2 - 246 97 78
Fax / Fax	56 - 2 - 246 97 07
www.jbouchon.cl	

Viña La Rosa

Dirección / Address	Coyancura 2283, oficina 602
	Providencia - Santiago - Chile
Fono / Phone	56 - 2 - 670 06 00
Fax / Fax	56 - 2 - 233 03 53
www.larosa.cl	

Viña Laura Hartwig

Dirección / Address	Camino a Barreales s/n
	Santa Cruz - Chile
Fono / Phone	56 - 72 - 823 179
Fax / Fax	56 - 72 - 822 755
www.laurahartwig.cl	

Viña Leyda Ltda.

Dirección / Address	Av. Apoquindo 3401, oficina 32
	Las Condes - Santiago - Chile
Fono / Phone	56 - 2 - 234 00 02
Fax / Fax	56 - 2 - 231 25 10
www.leyda.cl	

Viña Los Vascos S.A.

Dirección / Address	Av. Vitacura 2939, oficina 1903
	Las Condes - Santiago - Chile
Fono / Phone	56 - 2 - 232 66 33
Fax / Fax	56 - 2 - 231 43 73
www.losvascos.cl	

Viña Mar

Dirección / Address	Los Conquistadores 1700, piso 15
	Providencia - Santiago - Chile
Fono / Phone	56 - 2 - 707 62 00
Fax / Fax	56 - 2 - 231 50 72
www.vinamar.cl	

Viña Matetic

Dirección / Address	Hernando de Aguirre 430
	Providencia - Santiago - Chile
Fono / Phone	56 - 2 - 232 31 34
Fax / Fax	56 - 2 - 231 12 54
www.mateticvineyards.com	

Viña Miguel Torres Chile

Dirección / Address	Panamericana Sur Km. 195
	Curicó - Chile
Fono / Phone	56 - 75 - 56 41 00
Fax / Fax	56 - 75 - 56 41 15
www.torres.es	

Viña Misiones de Rengo

Dirección / Address	Los Conquistadores 1700, piso 14
	Providencia - Santiago - Chile
Fono / Phone	56 - 2 - 707 62 00
Fax / Fax	56 - 2 - 231 09 02
www.misionesderengo.cl	

Viña Montes S.A.

Dirección / Address	Av. Del Valle 945, oficina 2611
	Huechuraba - Santiago - Chile
Fono / Phone	56 - 2 - 248 48 05
Fax / Fax	56 - 2 - 248 47 90
www.monteswines.com	

Viña Morandé S.A.

Dirección / Address	Alcántara 971
	Las Condes - Santiago - Chile
Fono / Phone	56 - 2 - 270 89 00
Fax / Fax	56 - 2 - 228 94 11
www.morande.cl	

Viña Pérez Cruz Ltda.

Dirección / Address	Estado 337, oficina 825
	Santiago - Centro - Santiago - Chile
Fono / Phone	56 - 2 - 639 96 22
Fax / Fax	56 - 2 - 632 39 64
www.perezcruz.com	

Viña Porta

Dirección / Address	Av. Andrés Bello 2777, oficina 2801
	Las Condes - Santiago - Chile
Fono / Phone	56 - 2 - 240 76 00
Fax / Fax	56 - 2 - 240 76 01
www.portawinery.cl	

Viña Portal del Alto

Dirección / Address	Camino El Arpa 119
	Alto Jahuel - Buin - Chile
Fono / Phone	56 - 2 - 821 91 78
Fax / Fax	56 - 2 - 821 33 71
www.portaldelalto.cl	

Viña San Diego de Puquillay

Dirección / Address	Napoleón 3200, oficina 807
	Las Condes - Santiago - Chile
Fono / Phone	56 - 2 - 381 76 90
Fax / Fax	56 - 2 - 381 76 93
www.sandiegodepuquillay.cl	

Viña San Esteban S.A.

Dirección / Address	La Florida 2178
	San Esteban - Chile
Fono / Phone	56 - 34 - 481 050
Fax / Fax	56 - 34 - 481 477
www.vse.cl	

Viña San Pedro

Dirección / Address	Vitacura 4380, piso 6
	Vitacura - Santiago - Chile
Fono / Phone	56 - 2 - 477 53 00
Fax / Fax	56 - 2 - 477 53 07
www.sanpedro.cl	

Viña Santa Carolina

Dirección / Address	Tiltil 2228
	Macul - Santiago - Chile
Fono / Phone	56 - 2 - 450 30 00
Fax / Fax	56 - 2 - 238 03 07
www.santacarolina.com	

Viña Santa Mónica

Dirección / Address	Camino a Doñihue, Km. 5
	Rancagua - Chile
Fono / Phone	56 - 72 - 231 444
Fax / Fax	56 - 72 - 225 167
www.santamonica.cl	

Viña Santa Rita

Dirección / Address   Apoquindo 3669, Piso 7
Las Condes - Santiago - Chile
Fono / Phone   56 - 2 - 362 20 00
Fax / Fax   56 - 2 - 206 28 42
www.santarita.cl

Viña Siegel S.A.

Dirección / Address   Fundo San Elías s/n
Palmilla - Chile
Fono / Phone   56 - 72 - 933 112
Fax / Fax   56 - 72 - 825 456
www.siegelvinos.com

Viña Sutil

Dirección / Address   11 de septiembre 1860, oficina 131
Providencia - Santiago - Chile
Fono / Phone   56 - 2 - 373 06 06
Fax / Fax   56 - 2 - 371 31 41
www.vinedossutil.com

Viña Tabalí

Dirección / Address   Av. Vitacura 4380, piso 3
Vitacura - Santiago - Chile
Fono / Phone   56 - 2 - 477 53 94
Fax / Fax   56 - 2 - 477 54 94
www.tabali.com

Viña Tarapacá Ex Zavala

Dirección / Address   Los Conquistadores 1700, piso 16
Providencia - Santiago - Chile
Fono / Phone   56 - 2 - 707 62 00
Fax / Fax   56 - 2 - 233 31 62
www.tarapaca.cl

Viña Terra Andina

Dirección / Address   Apoquindo 3669, piso 16
Las Condes - Santiago - Chile
Fono / Phone   56 - 2 - 362 20 83
Fax / Fax   56 - 2 - 263 15 99
www.terraandina.com

Viña Torreón de Paredes S.A.

Dirección / Address   Apoquindo 5490, oficina 203
Las Condes - Santiago - Chile
Fono / Phone   56 - 2 - 246 26 84
Fax / Fax   56 - 2 - 246 26 84
www.torreon.cl

Viña Undurraga

Dirección / Address	Vitacura 2939, piso 21
	Vitacura - Santiago - Chile
Fono / Phone	56 - 2 - 372 29 00
Fax / Fax	56 - 2 - 372 29 58
www.undurraga.cl	

Viña Valdivieso S.A.

Dirección / Address	Celia Solar 55
	San Joaquín - Santiago - Chile
Fono / Phone	56 - 2 - 381 92 69
Fax / Fax	56 - 2 - 238 23 83
www.valdiviesovineyard.com	

Viña Ventisquero

Dirección / Address	Camino La Estrella 401, oficina 5, Sector Punta de Cortés
	Rancagua - Chile
Fono / Phone	56 - 72 - 20 12 40
Fax / Fax	56 - 72 - 20 12 44
www.ventisquero.com	

Viña Veramonte

Dirección / Address	Ruta 68, Km 66
	Casablanca - Chile
Fono / Phone	56 - 32 - 329 999
Fax / Fax	56 - 32 - 329 998
www.veramonte.cl	

Viña Villard

Dirección / Address	La Concepción 165, oficina 507
	Providencia - Santiago - Chile
Fono / Phone	56 - 2 - 235 77 15
Fax / Fax	56 - 2 - 235 76 71
www.villard.cl	

Viña Viu Manent

Dirección / Address	Antonio Varas 2740
	Ñuñoa - Santiago - Chile
Fono / Phone	56 - 2 - 379 00 20
Fax / Fax	56 - 2 - 379 04 39
www.viumanent.cl	

Viña von Siebenthal S.A.

Dirección / Address	Calle O'Higgins s/n, Panquehue
	Valle de Aconcagua - Chile
Fono / Phone	56 - 34 - 591 827
Fax / Fax	56 - 34 - 591 827
www.vinavonsiebenthal.com	

2005 *2006*